FERNANDO MELIGENI

6/0 DICAS DO FINO

Ensinamentos práticos
de um campeão do tênis
para melhorar seu jogo

1ª edição

generale

Publisher
Henrique José Branco Brazão Farinha
Diretor comercial
Eduardo Viegas Meirelles Villela
Editora
Cláudia Elissa Rondelli Ramos
Preparação de texto
Camila Kintzel
Revisão
Gabriele Fernandes
Ariadne Martins
Projeto gráfico de miolo e editoração
Lilian Queiroz | 2 estúdio
Capa
Casa de ideias
Imagens de capa
Marcelo Ruschel
Vinhetas de miolo
Freepik
Imagens de abertura das partes
Marcelo Ruschel
Impressão
Assahí

Copyright © 2016 by Fernando Meligeni
Todos os direitos reservados à Editora Évora.
Rua Sergipe, 401 – Cj. 1.310 – Consolação
São Paulo – SP – CEP 01243-906
Telefone: (11) 3562-7814/3562-7815
Site: http://www.editoraevora.com.br
E-mail: contato@editoraevora.com.br

DADOS INTERNACIONAIS PARA CATALOGAÇÃO NA PUBLICAÇÃO (CIP)

F47s

Meligeni, Fernando, 1971-
    6/0 Dicas do fino : ensinamentos práticos de um campeão de tênis para melhorar o seu jogo / Fernando Meligeni. – 1.ed. – São Paulo : São Paulo : Èvora, 2016.
    p. : il. col. ; ...cm.

    ISBN 978-85-8461-062-4

    1. Tênis (Jogo) 2. Tênis (Jogo) – Treinamento técnico. I. Título. II. Título: Ensinamentos práticos de um campeão de tênis para melhorar o seu jogo.

CDD- 796.342

JOSÉ CARLOS DOS SANTOS MACEDO – BIBLIOTECÁRIO – CRB7 N. 3575

Prefácio

Quando recebi o telefonema do Fininho me convidando para escrever o prefácio deste livro, quase bati o carro. Fiquei muito surpreso e extremamente lisonjeado com o convite.

Para quem não sabe, minha relação com o tênis é muito antiga. Quando criança, eu jogava futebol de salão e reparava nos tenistas disputando suas partidas nas quadras dos clubes. Naquela época, não imaginava quão complexo e desafiante era aquele esporte. Ao me mudar para a Turquia, aí como jogador profissional de futebol, minha esposa Dai, outra viciada em tênis, começou a jogar diariamente. Naturalmente, meus filhos começaram a correr atrás das bolinhas verdes desde pequeninos. Maria Eduarda, a mais velha, não demorou para ganhar sua primeira raquete de presente. O amor dela pela modalidade nasceu ali. Hoje, a Maria Eduarda é uma das tantas crianças que sonham diariamente com o tênis. O mesmo pode ser dito sobre meus dois outros filhos. A Antônia e o Felipe são vidrados nessa modalidade. Se deixarmos, eles passam o dia inteiro dentro da quadra.

Incentivado pela minha esposa e pelos meus filhos, passei a frequentar assiduamente o ambiente do tênis. E nessas oportunidades, as pessoas me perguntavam: "Alex, você joga?". Após eu responder que não, todo mundo complementava: "Daqui a pouco, então, você irá jogar. Isso aqui vicia". E não é que todos estavam certos? Hoje, todos em minha casa vão para as quadras se divertir com a bolinha e a raquete na mão. O tênis é realmente um esporte viciante!

E para quem já foi picado pelo bichinho do tênis, este livro será muito útil. Ao longo das páginas do *6/0 Dicas do Fino*, Meligeni se propõe a oferecer conceitos, conselhos, orientações e, por que não, caminhos para todos nós que somos amantes do tênis. Fininho nos ensina a como jogar tênis, passando orientações práticas de como podemos melhorar nosso desempenho em quadra. Ele não se esquece de nada. Estão aqui a forma como as jogadas devem ser feitas, os conselhos estratégicos, a orientação de como administrar o lado mental do tenista, os cuidados com o corpo antes, durante e após as partidas, a importância dos treinamentos e a maneira que devemos nos relacionar com as demais pessoas envolvidas com o esporte. As dicas do Fininho são espetaculares e servem para todo tipo de jogador. As histórias que ele conta para ilustrar seu ponto de vista também são fantásticas. Quem o conhece das quadras, da televisão e da internet sabe o quanto ele é sincero e transparente em sua abordagem.

Como marido de uma tenista amadora, pai de duas aspirantes a tenistas e de um menino que já dá suas primeiras raquetadas, e praticante esforçado desse esporte, fiquei encantado com a proposta do livro de colocar toda a experiência e os conhecimentos de Meligeni no papel. Como aprendiz e apaixonado confesso por este novo mundo que me está sendo apresentado, posso dizer que o *6/0 Dicas do Fino* é uma obra muito importante. Além de mim, minha família toda será leitora deste livro. E assim como ele será importante para o desenvolvimento esportivo da minha família, acredito que a leitura também será profundamente relevante para as pessoas que admiram e jogam tênis.

Sou muito grato ao futebol por tudo o que ele me ofereceu e pelo que me ensinou. E também sou agradecido ao tênis por me ajudar a educar meus filhos e por me mostrar novas facetas do esporte. O tênis, além de viciante, é educador. Meligeni foi monstro nas quadras e agora nos presenteia com dicas espetaculares que com certeza usaremos em vários momentos. Obrigado, Fininho! E parabéns pelo livro!

Alex
Ex-jogador de futebol e atualmente
comentarista esportivo dos canais ESPN.
Jogou por Coritiba, Palmeiras, Flamengo, Cruzeiro,
Fenerbahçe e pela Seleção Brasileira.

Sumário

Introdução 8

PARTE I Tênis é um esporte incrível
Dica 1 Por que praticar tênis? Para quem o esporte é indicado? 13
Dica 2 Com qual idade se deve começar a jogar e a fazer aulas? 17
Dica 3 Com qual frequência se deve praticar tênis para alcançar os objetivos? ... 23
Dica 4 Quais as diferenças para quem quer competir e para quem
  quer apenas se divertir? 26
Dica 5 Em que nível você almeja chegar como tenista? 29

PARTE II Tênis é técnica
Dica 6 Existe técnica para a batida de direita? 35
Dica 7 Existe técnica para a batida de esquerda? 39
Dica 8 Quais são os segredos da batida alta de esquerda? 43
Dica 9 Existe um modo correto de fazer o voleio? 46
Dica 10 Como sacar? 50
Dica 11 Como devolver o saque? 54
Dica 12 Como dar o *smash* (*overhead*)? 58
Dica 13 Quando usar o *slice*? 61
Dica 14 Como se faz a aproximação (*approach*)? 64

Dica 15 Como dar um bom *drop shot*? 67
Dica 16 Quais são as opções de posicionamento em quadra? 71

PARTE III Tênis é estratégia

Dica 17 Qual é o seu estilo de jogo? 77
Dica 18 Quais são as principais opções táticas do jogo? 80
Dica 19 Como jogar em diferentes tipos de quadra? 84
Dica 20 Há um modelo ideal de raquete para o perfil de cada jogador? 90
Dica 21 O que é jogar ponto a ponto e ler o resultado da partida? 95
Dica 22 Quando é hora de mudar a estratégia de jogo? 98
Dica 23 Como ganhar de alguém melhor? 102
Dica 24 Como enfrentar um amigo, um colega ou alguém que se conhece muito bem? 106
Dica 25 Como ganhar de quem devolve todas? 111
Dica 26 Como derrotar um adversário extremamente agressivo? 114
Dica 27 O que fazer quando o saque não entra? 117
Dica 28 Como jogar um *tie break*? 121
Dica 29 Como se fecha uma partida? 125

PARTE IV Tênis é mente

Dica 30 Por que se treina melhor do que se joga? 133
Dica 31 Qual a diferença entre jogar contra o adversário e jogar contra si mesmo? 138
Dica 32 Como se deve olhar para o adversário? 142
Dica 33 Quando perder um ponto pode representar a perda do jogo? 146
Dica 34 Como se manter bem após um primeiro set fácil? 150
Dica 35 O que se deve fazer em um dia ruim? 155
Dica 36 O que fazer quando o adversário usa de malandragem? 160
Dica 37 É verdade que o jogo "só acaba quando termina"? 164

PARTE V Tênis se ganha dentro e fora de quadra

Dica 38 Como deve ser a preparação na véspera do jogo? 173
Dica 39 Como deve ser o pré-jogo de um tenista? 177
Dica 40 Como se cuidar durante o jogo? 180
Dica 41 O que deve ser feito no pós-jogo? 184

PARTE VI Tênis é treino

Dica 42 Onde e com quem treinar? 191
Dica 43 Como devem ser os treinamentos? 195
Dica 44 Qual a intensidade e o nível de dedicação esperados
durante os treinamentos? 200
Dica 45 Como deve ser a preparação física de um tenista? 204
Dica 46 Como o tenista se sente nos primeiros jogos da temporada? ... 209

PARTE VII Tênis é profissão

Dica 47 Vale a pena investir em uma carreira no tênis? 215
Dica 48 Como conciliar os estudos e o tênis? 220
Dica 49 Como fazer uma transição bem-feita? 225
Dica 50 Quais são as diferenças entre o tênis profissional e o universitário? ... 230

PARTE VIII Tênis também é jogo de duplas

Dica 51 Como escolher o parceiro ideal para a formação de uma dupla? ... 237
Dica 52 Como se relacionar com o parceiro de dupla? 243
Dica 53 Jogar duplas pode ajudar ou prejudicar no jogo de simples? ... 249

PARTE IX Tênis é relacionamento entre pais, filhos e técnicos

Dica 54 Como os pais devem se comportar para não atrapalhar os filhos atletas? ... 255
Dica 55 Quem é o protagonista da história: o pai ou o filho? 259
Dica 56 De onde vem a grande pressão que se sente? 262
Dica 57 Qual o nível aceitável de pressão imposto à meninada? ... 267
Dica 58 O que os pais devem fazer se o filho resolver parar de jogar? ... 271
Dica 59 Como deve ser o relacionamento entre pais e técnicos? ... 276
Dica 60 Quais são os segredos do bom relacionamento entre jogador e técnico? ... 282

Palavras Finais 287

Introdução

Saiba que você está prestes a compartilhar comigo um dos grandes sonhos da minha vida. Acalentava há muitos anos a vontade de escrever um livro com informações, orientações, conselhos e dicas práticas de como melhorar o jogo de tênis de quem verdadeiramente ama o nosso esporte. Você pode ser iniciante ou um jogador experiente; você pode ser amador ou profissional; pode jogar tênis apenas aos finais de semana no parque ou disputar partidas no circuito juvenil; você também pode ser uma mulher ou um homem apaixonado por esta modalidade; e há também pais, familiares, treinadores, profissionais da comissão técnica, jornalistas e muita gente que não entra em quadra, mas vive o tênis intensamente. Para todos vocês, sempre há o que melhorar e para isso é preciso correr atrás de informação.

A ideia de escrever as *6/0 Dicas do Fino* surgiu a partir da constatação de que não havia no mercado editorial brasileiro uma publicação voltada para a melhora do jogo do tenista. Temas como técnica, tática e aspectos psicológicos e físicos do jogador são uma raridade. Cansei de procurar um livro com esse conteúdo em nossas livrarias, saindo sempre de mãos abanando. Por isso coloquei na cabeça que produziria uma obra que falasse diretamente com todos aqueles que se interessam e se envolvem com o tênis. Aproveitei minha experiência de muitos anos no tênis juvenil e no circuito profissional e o contato frequente que tenho com tenistas do Brasil inteiro, com quem interajo nas redes sociais ou nas clínicas que ministro, para produzir as dicas.

Ao todo são sessenta dicas divididas em nove partes. Nelas falaremos de aspectos gerais do tênis, da técnica de execução dos golpes, dos aspectos táticos do jogo e da parte psicológica do tenista. Também abordaremos os cuidados que o jogador deve ter antes, durante e após a partida, a importância do treinamento, os desafios de quem deseja se profissionalizar, as particularidades do jogo de duplas e as dificuldades do relacionamento entre jogadores, pais e técnicos.

Acredito que as *Dicas do Fino* se transformaram em um livro único, seja por seu tema incomum como pela forma como o produzi. Escrevi estas páginas com muito cuidado e respeito ao esporte. Em cada dica tentei colocar toda a minha bagagem de vida. Ilustro muitas passagens com histórias e lembranças que guardo das minhas partidas nos circuitos juvenil e profissional, dos colegas que fiz e dos profissionais com quem trabalhei. Não tenho a pretensão de ter escrito uma obra que contenha todas as verdades do tênis. Também não almejo que ninguém concorde com todos os meus pontos de vista e siga incondicionalmente minhas orientações. O que desejo é iniciar uma discussão. É mostrar a minha visão de tênis e o caminho que acredito ser o mais interessante para quem deseja evoluir no esporte. Vejo-me mais como um facilitador de um processo do que como o dono da verdade. Quero, sim, dar muitas informações, fazendo você pensar a respeito de muitos temas do tênis.

Espero de coração que você curta este livro assim como eu curti escrever cada uma destas palavras. Aproveite as dicas para mergulhar neste fascinante mundo do tênis.

Fernando Meligeni

PARTE I
Tênis é um esporte incrível

DICA 1

Por que praticar tênis? Para quem o esporte é indicado?

O tênis é um esporte maravilhoso. Sou suspeito para falar sobre ele porque passei as últimas quatro décadas dentro de quadras ou ao redor delas. Aprendi muito nessa escola da vida. Na minha visão, todo mundo deveria praticar a modalidade. Ela é fonte inesgotável de conhecimento sobre as pessoas, sobre as relações humanas e sobre as atitudes que precisamos ter no nosso dia a dia para sermos bem-sucedidos e alcançarmos nossos sonhos. Ou seja, o tênis possui propriedades educacionais. São vários os princípios propagados pelo jogo. Para citar apenas alguns, eu colocaria justiça, disciplina, respeito à hierarquia, saber ganhar e perder, independência e trabalho em equipe como os principais.

A justiça está relacionada ao mérito. Vence uma partida quem realmente mereceu ganhá-la. Não há injustiças nesse esporte como há no futebol, em que o pior pode vencer o jogo ou um campeonato de mata-mata. Se você errou mil bolas e acertou apenas uma ou duas, tenha certeza: não há como vencer a partida naquele dia. Se você jogou mais do que seu adversário, você sairá da quadra vitorioso. A vitória e a derrota também estão muito ligadas ao quanto você se dedicou previamente e ao quanto você se preparou e se planejou para aquele momento. A excelência do jogo de um tenista está intimamente vinculada à qualidade e à intensidade dos seus treinos. Não há conquista sem esforço, sem planejamento e, em especial, sem méritos próprios.

Quando falamos em disciplina, é preciso compreender que dentro de uma quadra de tênis existem regras. Regras como na vida. Regras que não podem ser desobedecidas ou receberemos penalidades, algumas duríssimas, outras mais brandas. Ao mesmo tempo, para atingirmos nossos objetivos, precisamos testar os limites dos regulamentos. Reconhecendo o que é certo e o que é errado, podemos chegar até o limite das normas, sem ultrapassá-las e sem desrespeitá-las. Além disso, a disciplina está relacionada ao nível de empenho do jogador antes de o jogo começar. A vitória é construída na combinação de alguns elementos: preparação no pré-jogo, qualidade dos treinamentos, nível de concentração durante a partida, força mental, condicionamento físico, inteligência tática e excelência técnica. Para conseguir todos esses componentes, o tenista precisa de muita disciplina.

E a hierarquia, onde aparece? Se dentro de casa temos o respeito absoluto ao pai, à mãe, aos avós e aos tios, dentro da quadra temos de nos curvar às decisões do nosso técnico. Essa é a hierarquia do esporte: o treinador é quem manda no jogador. "No tênis não é o contrário? Não é o tenista quem tem mais poder sobre o técnico?". Não! Jamais! O treinador é sempre mais importante do que os jogadores. Ele possui mais experiência e mais conhecimento, fornecendo conselhos e emitindo ordens que nos ajudarão a chegar às vitórias. O treinador, portanto, é a pessoa que manda dentro de uma quadra de tênis e ponto final. Cabe ao jogador obedecê-lo. Esse valor, quando compreendido e incorporado, ajuda muito o menino ou a menina em seu dia a dia. Eles voltam para a casa, vão para a escola, conseguem o primeiro emprego e divertem-se em momentos de lazer sabendo que em todo lugar e a todo instante há uma hierarquia a ser respeitada.

"Em casa, meu pai e minha mãe são quem comandam as coisas e falam que são eles que mandam lá dentro. Meu treinador também fala que manda dentro da quadra e que preciso obedecê-lo. Será que em todo lugar vai haver alguém mandando em mim?", pensa a garotada. Sim! Na escola, no trabalho e em qualquer lugar, até no esporte, vai haver alguém a quem devemos respeitar e seguir as diretrizes. Curiosamente o tênis é a única modalidade, ou um dos poucos esportes, em que o tenista é o chefe, mas não manda efetivamente. Ou seja, jogador paga o treinador para mandar nele.

O aprendizado do saber ganhar e perder também é importantíssimo. Infelizmente, nós nascemos sem essa habilidade. Tenho dois filhos pequenos e posso afirmar que as crianças nascem muito egoístas. Querem tudo para elas e não sabem dividir ou compartilhar. Perder é algo que não passa naturalmente por suas cabeças. Precisam, portanto, aprender isso. Muitos adultos chegam à fase adulta sem essa competência desenvolvida. Ao entrarmos em quadra, somos obrigados a aprender na marra. O tênis nos obriga a entender que não somos os melhores do mundo, não somos únicos, não somos perfeitos e não conseguiremos vencer sempre. Do outro lado da rede há um adversário com tanta vontade de vencer aquele jogo quanto nós. Só um sairá da quadra vitorioso naquele dia. E o outro, automaticamente, sairá derrotado. A vida é assim: nós não ganhamos sempre. Acho até que acabamos perdendo mais vezes do que ganhando nesta vida. No entanto, temos de saber, mesmo na adversidade, levantar a cabeça, encarar a realidade e buscar nossos próximos objetivos. Esse valor é reforçado no cotidiano do tenista. Perdemos e no dia seguinte temos a oportunidade de jogar de novo. A vida continua. Nada, tirando a morte, é tão duro que não possa ser revertido. Por isso, vamos levantar a cabeça e continuar lutando por nossos ideais.

Outra coisa que me chama muito a atenção é que o tênis permite o amadurecimento precoce do jogador. Rapidamente, o menino e a menina se tornam mais independentes. Eles entendem que se não correrem atrás do que querem por conta própria, jamais conseguirão o que desejam. Dentro da quadra, eles estão sozinhos e são os responsáveis por construir a vitória. Por mais que os treinadores os orientem e auxiliem do lado de fora, são eles que deverão ir lá e conseguir o que desejam. Fora da quadra, desde cedo, o tenista é um microempresário. Você já reparou nisso? O jogador tem treinador, preparador físico e uma estrutura de treinamento à sua volta. É preciso investir um valor considerável esperando obter retorno financeiro e/ou retorno esportivo lá na frente. O tenista tem empregados subordinados a ele e, ao mesmo tempo, é mais um empregado nessa estrutura. Ele obedece ao técnico e depende dos pais que investem na dinâmica. É ou não é uma microempresa? Claro que é. A garotada, sem saber, entra em uma organização empresarial na qual é parte essencial. E uma das características do microempresário é a independência. Desde cedo se aprende a tomar decisões e a estar no controle da situação.

A gente imagina que o tênis é um esporte individual, mas não é. Ele é um esporte totalmente coletivo. Em cada lado da quadra há apenas um tenista lutando pela vitória, mas a estrutura por trás dele é muito grande. Há várias pessoas falando ao mesmo tempo e contribuindo para que joguemos bem: treinador, preparador físico, nutricionista, fisioterapeuta, psicólogo, médico, família, patrocinadores etc. Cada um tem uma função e uma participação. Nem todos entram em quadra, mas todos são responsáveis pela vitória ou pela derrota do tenista. De certa maneira, temos uma organização empresarial em volta do jogador. Uma empresa não é nada mais do que um monte de cabeças pensantes lutando por um objetivo final: a conquista de melhores resultados. No tênis é a mesma coisa. Agora imagine colocar um menino ou uma menina de dez, doze ou quatorze anos nessa dinâmica. Desde cedo e sem a pressão do chefe de uma multinacional, eles aprenderão a se relacionar com as pessoas e a trabalhar em equipe. Aprenderão a importância das diferentes partes da engrenagem e da sinergia do esforço coletivo. Ao descobrir que a vitória é uma construção de todos à sua volta, eles terão absorvido um importante ensinamento para suas vidas: a força do trabalho em equipe.

O tênis é ou não é, portanto, uma escola para a vida? Claro que é! E olhe que citei apenas alguns valores que aprendemos dentro e fora das quadras ao praticar esse esporte tão maravilhoso. Existem outros. Se fosse falar de todos não haveria páginas suficientes neste livro para descrevê-los.

Diante deste cenário, muita gente me pergunta qual é o perfil ideal da criança para começar a praticar tênis. Há uma característica específica para a formação de um bom jogador de tênis? Acredito, sinceramente, que não há um rótulo em particular. Todos podem jogar tênis, independentemente de suas características pessoais e dos seus perfis comportamentais. Ao analisar o circuito, tanto juvenil quanto profissional, vemos jogadores com personalidades bem distintas. Temos os garotos tímidos e os extrovertidos, os meninos aguerridos e os mais contidos e os garotos malucos e os meio malucos. Podemos listar um monte de exemplos. No circuito da ATP (Associação de Tenistas Profissionais), o Marat Safin é totalmente diferente do Roger Federer, que é mais centrado e quieto. O Björn Borg era frio e calculista dentro de quadra, enquanto o Marcelo Ríos era temperamental. O Gustavo Kuerten era brincalhão e o Pete Sampras muito sério. E todos eles chegaram à posição de número um do ranking mundial...

As características comportamentais de cada um devem ser, antes de qualquer coisa, respeitadas. O tênis vai sociabilizar o jogador, mostrar os caminhos a serem percorridos e fazê-lo amadurecer rapidamente. O esporte vai abrir várias portas incríveis. Caberá ao atleta aprender a evoluir não apenas no quesito técnico, mas também no comportamental. Tudo isso em uma rotina regada com muito trabalho dentro das quadras.

Como falei, este esporte é maravilhoso. Convido você agora a embarcar nos segredos e nos detalhes dessa incrível prática. Vamos aprender juntos, ao longo de cada uma das dicas, os principais aspectos do jogo, descobrindo como podemos melhorá-lo.

DICA 2

Com qual idade se deve começar a jogar e a fazer aulas?

Vamos falar agora sobre a idade na qual devemos começar a praticar tênis. Será que existe um momento ideal na vida para iniciar o aprendizado deste esporte? Se sim, qual seria a idade certa para introduzirmos a prática na vida do jogador?

Diferentemente do que muita gente pensa, não há uma idade certa para o início da prática do tênis. Como ocorre com muitos outros esportes, todo momento é válido. Se você tem oito, quinze, vinte, trinta, cinquenta ou setenta anos de idade, saiba que pode começar a praticar tênis imediatamente. Em qualquer idade é muito legal começar a prática esportiva. É óbvio que existem diferentes objetivos a respeito do tênis. Existem pessoas que jogam para ajudar no seu condicionamento físico. Há aqueles que desejam emagrecer. Algumas pessoas usam o jogo para se sociabilizar e para fazer novas amizades. Outras procuram uma vida mais saudável e ativa, longe do sedentarismo. E há quem utilize o tênis como uma válvula de escape, fugindo da pressão e da tensão do trabalho. Para todos esses tenistas, não há mesmo uma idade certa para se iniciar na prática. Eu diria que se pode começar hoje mesmo a jogar e a ter aulas de tênis.

Contudo, há certo tipo de jogador para que esse raciocínio não se aplica tão diretamente. Quando falamos naqueles que querem competir para valer, almejam se tornar profissionais e desejam disputar os grandes torneios da ATP ou WTA, qual é a idade ideal para começar? Perceba que aqui excluímos um bom número de adultos. Não dá para iniciar no esporte com trinta, quarenta, sessenta ou oitenta anos e imaginar que se chegará ao profissionalismo e ao título dos principais campeonatos do circuito mundial. Eu, sinceramente, desconheço qualquer caso de atleta que tenha iniciado bem tarde e tenha alcançado o estágio profissional e conquistado as principais posições no ranking da ATP. O que dá para fazer é participar de torneios amadores, semiprofissionais ou de *master*. Isso é bem legal!

Aí muita gente acaba pensando: "Se não devemos esperar tanto tempo para ingressar no tênis, o ideal é colocar a criança o quanto antes para praticar. Quanto mais cedo ela aprender, maiores serão as chances de ela se tornar no futuro um profissional e um campeão no esporte". Esse pensamento, entretanto, não está totalmente correto. Quando seria esse "quanto antes"? É verdade mesmo que quanto mais cedo a criança começar a jogar, melhor ela será? Tenho várias contestações quanto a essa crença.

O primeiro problema disso é que, ao pensar assim, o pai, a mãe ou o responsável estão projetando um sonho deles para a vida da criança. Muita gente coloca os meninos cedo no esporte porque anseia vê-los, um dia, se tornarem grandes campeões. A pergunta que faço é: este também é o sonho da criança? Ela já tem condições de escolher a profissão que desempenhará por boa parte da vida? Acho que a resposta na maioria dos casos é não. O sonho não é da criança, e ela não tem condições para definir exatamente o seu futuro profissional.

O segundo aspecto é que na idade de seis, oito, dez e doze anos, o tenista ainda é uma criança. Uma criança! O esporte nesse momento da vida não deve ser encarado pelo menino ou pela menina como profissão, mas como diversão. Infelizmente, muitos pais se esquecem dessa particularidade. Em vez de olhar os filhos como crianças e o tênis como uma atividade lúdica, encaram os filhos como empregados e o esporte como uma profissão.

Mesmo para quem quer praticar tênis com o intuito de ser profissional, não há uma idade clara de quando se deve começar. Aos seis, oito ou dez anos? Depende muito da vontade e da aptidão do jovem. Mais importante do que a idade é a maneira como a garotada começa a jogar tênis. O esporte, nessa idade, precisa ser encarado por todos como uma grande brincadeira. O pai e a mãe precisam compreender que estão colocando seus filhos para exercitar uma atividade lúdica, nada mais.

Começar a jogar tênis é igual a começar a praticar natação. Quando colocamos nossos filhos para nadar não estamos visando transformá-los em campeões das piscinas. Não vemos a garotada como futuros Michael Phelps, Gustavo Borges, Fernando Scherer ou Ian Thorpe. Colocamos a criançada na natação por

TÊNIS É UM ESPORTE INCRÍVEL

causa da educação, do instinto de sobrevivência, do esporte e por uma infinidade de outros motivos, mas jamais pela competição e pensando na futura profissão deles. No tênis, devemos pensar do mesmo modo.

A escolha da prática do tênis deve ser pautada por motivos pessoais da criança. Ela tem de achar o esporte legal. Precisa se divertir brincando com a raquete. Por isso, não devemos nunca pressionar nossos filhos, exigindo deles uma quantidade mínima de jogos ou de treinos nem cobrando desempenhos espetaculares. A atividade em quadra precisa ser encarada como uma grande brincadeira. O tênis, no começo, quando somos pequenininhos, é para nos divertir. Tudo tem de ser adaptado à idade: a raquete tem de ser menor, do tamanho deles, a bola precisa ser de espuma e a quadra deve ter tamanho reduzido também. Ou seja, tudo adaptado para proporcionar a maior quantidade de diversão.

Não adianta querermos colocar nossos filhos de cinco, oito e dez anos de idade no tênis e criarmos uma rotina de profissionais para eles. É importante respeitarmos, nesse primeiro momento, a infância deles. Precisamos acabar com o tabu de que o menino que começa com cinco anos tem mais chances de ser um profissional de sucesso do que o menino que começou com oito ou dez anos. Isso não tem lógica! Comecei com oito anos, mas existem tenistas que jogaram comigo no circuito profissional que começaram depois ou antes dessa idade. Ao mesmo tempo, há uma quantidade absurda de jogadores que não chegaram a vingar, mesmo tendo começado com sete, seis ou cinco anos. Mais importante do que a idade é a aptidão, a vontade e as oportunidades que eles terão ao longo de sua vida. As suas famílias e os seus treinadores serão fatores essenciais para as evoluções dentro do esporte.

Acredito que nossos meninos com sete e oito anos não estão preparados para competir. Nessa idade eles não têm armas suficientes para entender o que é um campeonato. Aí você fala: "O quanto antes, melhor". Quanto antes, melhor, só se não for muito antes, porque isso pode prejudicar o desenvolvimento da garotadinha. Tudo o que é realizado muito precocemente, antes do tempo certo, pode prejudicar em vez de ajudar. Se a iniciação ao esporte não for bem-feita, a criança pode pegar um trauma da competição e não querer nunca mais entrar em quadra. A gente tem de tomar cuidado e entender quem é nosso filho e o que ele deseja.

Por isso, calma! Não tenha ansiedade de colocar a criança em quadra muito cedo e com uma grande carga horária de atividades. Tem muita gente que me pergunta sobre a carga horária ideal. Quantas horas a criança deve treinar? Tênis a essa altura da vida é para se divertir, certo? A definição se o menino e a menina irão virar profissionais é uma questão para daqui alguns anos e deve ser tomada por eles. Antes, você tem de colocar o seu filho para se divertir. Por isso a pergunta

Meligeni orienta jovem tenista durante 2ª Copa Fino de Tênis.

"Quantas horas a criança deve treinar?" está errada. Além de não haver um tempo certo, a molecada não treina, mas brinca. O correto seria perguntar: "Quantas horas meu filho deve brincar de tênis?". Minha resposta é: o quanto ele quiser.

Na infância, devemos incentivar novos filhos a praticar o maior número possível de esportes. Curiosamente, alguns pais evitam fazer isso com medo de desviar a atenção do tênis. Eles tiram a garotada dos outros esportes com medo de que eles gostem de futebol, vôlei, basquete e judô. O sonho desses pais é que seus filhos virem bitolados ou maníacos por tênis. Não é por aí! Eu comecei a jogar tênis com oito anos, mas jogava também futebol de salão, fazia judô e jogava handebol na escola. Depois de alguns meses praticando tênis, comecei a falar: "Pai, não quero mais ir ao handebol, eu não quero mais praticar judô e não quero mais jogar futebol de salão. Eu prefiro jogar tênis. Só quero o tênis a partir de agora". Isso faz parte do amor que você vai nutrindo pela modalidade esportiva. Repare que a escolha de concentrar as atenções no tênis foi minha, unicamente minha e de mais ninguém.

O grande problema não ocorre quando o filho quer jogar mais tênis ou quando ele sonha em ser um profissional. A principal complicação surge quando os pais do tenista querem impor suas vontades ao filho, sonhando em torná-lo um campeão.

TÊNIS É UM ESPORTE INCRÍVEL

Muitas vezes não percebemos, mas colocamos uma pressão enorme na meninada: eles passam a assistir às partidas pela televisão conosco, acabam jogando diariamente e ensinamos a eles como jogar. Esse tipo de pressão faz com que nossos filhos, que são "esponjas", absorvendo todos os nossos ensinamentos e nossas vontades, percebam o quanto ficamos felizes e orgulhosos quando eles estão em quadra jogando ou quando estão envolvidos com algo desse universo. Então, eles vão jogar mais e mais... No entanto, depois de certa idade eles começam a ter um pouco mais de discernimento e passam a perceber que não era aquilo que eles queriam fazer. Nesse momento o cenário para as brigas e as confusões entre pais e filhos já está armado.

Não consigo olhar para o esporte com a visão única da pessoa que quer se tornar profissional. Para mim, isso é uma consequência natural do gosto dela pela atividade e não o motivo fundamental da sua entrada. Por isso, repito: não há idade para se começar a jogar. Qualquer idade é idade! Muitos me questionam: "Eu tenho treze anos!". Eu respondo: joga! "Oh, Fininho, você não está entendendo. Eu comecei com quinze...". Joga! Ninguém vai poder dizer para você se você começou cedo ou tarde. Tudo na vida tem o seu momento, e ele é variável de pessoa para pessoa.

Comecei a jogar em uma escolinha de tênis dentro do clube A Hebraica. Nessa época tinha mais oito ou nove crianças comigo. Isso é bem legal! Uma dica que eu gosto de dar é colocar sempre a criança para treinar com um grupo mais ou menos da idade dela. Outro conselho é tomar muito cuidado com a escolha do professor. Ele tem de ser muito mais um educador do que um cara competitivo. Ele deve ser mais um orientador de conduta do que um técnico da melhor maneira de aplicar uma direita ou uma esquerda. Nesta faixa de idade, de sete a dez anos, o professor tem de ser um cara que mostre para o seu filho todos os benefícios do tênis.

Tive muita sorte neste sentido. O meu primeiro professor se chamava José Flávio Nunes. Foi ele quem mostrou como o tênis era um esporte legal. Foi ele quem me ensinou todos os valores que eu falei na dica anterior. Lembro-me como se fosse hoje da primeira vez em que pisei em uma quadra. O Nunes olhou para mim e falou: "Seja bem-vindo à quadra de tênis. Este aqui é um local sagrado. Este aqui é um lugar que você tem que respeitar como quando você entra na sua casa". Isso ficou marcado em mim. Eu tinha oito anos de idade. Eu me lembro de que ele, mesmo sendo um professor muito jovem na época, com pouco mais de vinte anos, me mostrou vários valores importantes. Ele demonstrou fundamentalmente o quanto era legal jogar tênis. Ele também me estimulava: "Um dia você vai ser um campeão!". Ele me incentivava e me fazia sonhar. Ele falava de campeonatos que eu não nunca tinha ouvido falar: "Um dia você vai jogar em Roland Garros". Ele falava aquilo brincando, de maneira muito lúdica, muito suave e que entrava na minha cabeça sem nenhuma pressão.

O mais importante é que eu tinha de entrar em quadra e me divertir. O Nunes fazia isso para me mostrar que o tênis era maravilhoso. E ao meu lado tinha um monte de criança, o que tornava a experiência muito mais legal. Eram garotos que jogavam no clube, alguns que jogavam muito bem também, outros que pararam pouco tempo depois e outros que foram estudar. Naquele grupo entendemos, acima de tudo, qual era a importância do tênis. Um tinha sete, o outro tinha oito, o outro tinha dez anos de idade, e todo mundo podia jogar contra todo mundo. Jogávamos, mas não competíamos. O Nunes não colocava a gente para disputar um contra o outro dentro da quadra. A gente estava participando de uma grande brincadeira. Aprendendo a jogar tênis brincando e não aprendendo a jogar tênis competindo. Aquilo era uma grande festa dentro de uma quadra de tênis, com muito respeito ao esporte que estávamos praticando.

A vida lá fora já é muito competitiva. Se formos colocar nossos filhos com sete ou oito anos para competir, nós corremos o risco de frustrá-los ou, o que é pior, de criarmos pequenos monstrinhos em nossos lares. As crianças já nascem naturalmente competitivas. Se os colocarmos dentro de uma quadra de tênis competindo, eles podem não entender qual é a verdadeira essência do esporte. Antes de querer ganhar jogos, conquistar campeonatos, ganhar dinheiro, ter fama e ser reconhecida pelo público, a criança tem de amar o esporte. Essa é a parte mais importante do educador. O Nunes, como meu professor, fez isso comigo. Antes de pensar que eu podia ser um grande jogador, ele mostrou para mim os valores do esporte e por que eu deveria gostar tanto do tênis. A partir daí, comecei a amar competir, amar o dia a dia do tênis, amar treinar e amar sofrer dentro da quadra. Por quê? Porque eu amava o esporte de forma geral. Se não nutrisse este sentimento, com certeza seria muito difícil para mim gostar do cotidiano desse esporte tão difícil e desgastante.

Acredito que eu tenha virado profissional de tênis não porque tenha começado cedo, mas porque aprendi a amar e a me divertir praticando este esporte. E isso devo muito ao meu primeiro professor. Obrigado, José Flávio Nunes! Um beijo no seu coração.

DICA 3

Com qual frequência se deve praticar tênis para alcançar os objetivos?

As questões agora giram em torno da frequência de treino que devemos ter. Afinal, quantas vezes por semana devemos praticar tênis? Qual o tempo ideal para um bom treinamento ou para uma partida de final de semana? O tenista amador precisa ter algum cuidado extra em relação à pratica esportiva? Qual a intensidade de treinos para quem deseja algo mais no esporte?

Acredito que devemos, acima de tudo, respeitar muito o nosso corpo. Não dá para começar a jogar e logo nas primeiras semanas ficar em quadra por três, quatro, cinco horas seguidas. Jogar todo dia, no início, é arriscadíssimo. O tênis é um esporte que acaba mexendo com quase todo o nosso corpo. A raquete pode pesar entre 200 e 350 gramas. Isso não é pouca coisa, em especial se acrescentarmos a força necessária para impactar a bola. Corremos o tempo inteiro pela quadra, mudando de direção, dando piques e obrigando nosso corpo a constantes explosões. Mexemos os braços, as pernas, o pescoço, as costas e a cintura. Só percebemos isso quando, ao final do jogo, vamos para casa. Aí começamos a sentir os efeitos daquela partida: "Que dor no braço! Que pontada no cotovelo. Estou sentindo meu ombro latejar!". Na maioria das vezes, as dores aparecem com mais intensidade no dia seguinte.

Por isso, respeite o seu corpo. Quem nunca jogou deve começar devagar. Inicie jogando por meia hora, uma ou duas vezes por semana. Dê tempo para seu corpo se recuperar e se acostumar com a carga de exercícios. Jogue o primeiro dia e depois sinta como você está. Jogue mais uma vez, dois ou três dias depois, e sinta novamente os efeitos. Verifique onde está doendo. Faça alongamentos antes e depois dos jogos.

O tempo que você deve ficar dentro da quadra é variável. Ele depende da sua condição física, da disponibilidade da sua agenda e da sua experiência. Mesmo assim, não há um período exato que podemos determinar. Se alguém falar "Olha, o certo é você jogar duas vezes por semana, uma hora em cada dia", desconfie. Quem manda realmente é o seu organismo. Dependendo do preparo físico, jogar uma vez por semana por meia hora pode ser mais arriscado para determinado indivíduo do que jogar cinco vezes por semana por duas horas para outra pessoa. Quem mostrará quanto tempo você pode ficar dentro de uma quadra de tênis é o seu próprio corpo.

Não adianta querer passar por cima do seu corpo. É imprudente querer correr uma maratona sem nunca ter corrido na vida. Não adianta querer jogar uma partida melhor de cinco sets sem nunca ter jogado tênis antes. Precisamos respeitar a evolução do esporte, um pouco de cada vez.

Tênis é um esporte de muita repetição. Quanto mais você repete aquela direita na cruzada, mais chance terá de melhorar o golpe. A evolução passa diretamente pelo treinamento realizado. E a vontade de melhorar faz com que queiramos ficar mais tempo dentro de uma quadra. Contudo, é melhor treinarmos três dias da semana por uma hora do que achar que conseguiremos melhorar se concentrarmos tudo em três horas ininterruptas de treino. Vá com calma! A evolução se faz um pouquinho por dia, um pouco por semana, um pouco mais por mês, bastante por semestre e absurdamente em um ano. Respeite os prazos. Priorize a regularidade à intensidade.

Também não se empolgue: "Pô, consegui colocar a bola lá do jeito que eu queria, com o *spin* que eu pretendia e com a força que desejava. Agora que estou jogando bem, por que parar? Vou prosseguir!". Se você exagerar hoje, pode ser que amanhã você não tenha condições de jogar. Seu corpo se manifestará contra as suas pretensões.

De fato, precisamos cuidar bastante da nossa preparação física. "Ah, mas eu sou juvenil" ou "Sou amador, só jogo de final de semana". E daí? Todos precisam cuidar do corpo para jogar tênis. Todos! Não adianta apenas querer ser tenista e ter a vontade de correr atrás da bola para rebatê-la. Você precisa ir a uma aca-

TÊNIS É UM ESPORTE INCRÍVEL

demia, deve estar bem preparado fisicamente e, obrigatoriamente, precisa estar clinicamente saudável. Suas pernas e os seus braços precisam ter a força necessária para aguentar o tranco, e suas articulações devem estar em condições para aguentar o desgaste natural das partidas.

Tênis é um esporte muito desgastante. Como é muito repetitivo, você acaba machucando bastante as articulações. Imagine você ficar rodando o eixo do joelho o tempo inteiro ou o braço e o pulso constantemente. É óbvio que você sentirá dor depois de uma hora, uma hora e meia de atividade. Cuide bastante do seu corpo para evitar lesões. E não se preocupe tanto com o tempo que você deve ficar dentro da quadra.

Conheço numerosas histórias de meninos e meninas que precisaram parar precocemente com o tênis por causa de lesões sérias ocasionadas pelo excesso de atividade. Muitos quebraram, literalmente, por negligência do técnico ou por medo de falar que estavam com algum problema. Às vezes, o tenista acredita que pode treinar mesmo sentindo muita dor, pois esse seria um sinal de que poderia aguentar as pressões da partida, porque a dor seria apenas psicológica ou porque teme ser visto como um "jogador chinelinho". Ledo engano! A medicina está muito evoluída e pode nos ajudar a detectar lesões e a realizar tratamentos. Ir contra os princípios medicinais e contra as orientações dos médicos apenas coloca em risco a integridade física e a vida dos atletas.

Não é porque você viu um jogo de Copa Davis de seis horas ou uma partida do Rafael Nadal contra o Novak Djokovic com seis horas e meia de duração que você deve repetir uma loucura dessas. É muito mais legal você jogar uma hora bem jogada, divertida e suada, resguardando-se para o próximo jogo e, de repente, poder jogar no dia seguinte, do que ficar em quadra por três horas seguidas no mesmo dia. Essa história de que o tênis é um esporte de atletas bem preparados fisicamente é um pouco perigosa. A quantidade de jogadores machucados e que precisam abreviar suas carreiras é enorme, justamente por não respeitarem o princípio básico de avaliar os recados enviados pelo seu corpo. E não estou falando apenas de tenistas profissionais. Vejo muitos atletas amadores com problemas parecidos.

Tome muito cuidado e vá com calma! Comece devagar e, aos poucos, vá aumentando a dose. Comece sentindo o seu corpo e sentindo a bola. Isso evita lesões, machucados e dores. Lembre-se de que se o seu corpo não quiser acompanhá-lo, você não conseguirá jogar. Ele será seu principal parceiro em quadra por toda a vida. Por isso, ouça-o regularmente. Respeite as vontades dele e não queira fazer apenas o que sua cabeça desejar.

Quanto tempo, afinal, devemos ou podemos ficar em quadra? Essa resposta não será dada por mim, mas pelo seu organismo. Pergunte a ele! E tenha inteligência e maturidade para compreender e obedecer a resposta.

DICA 4

Quais as diferenças para quem quer competir e para quem quer apenas se divertir?

Quando falamos sobre a idade ideal que um jogador deve iniciar a prática do tênis, na dica 2, comentamos rapidamente sobre as diferenças de quem joga por diversão e de quem joga com a intenção de se tornar profissional. Agora vamos aprofundar um pouco mais essa análise. Quando você coloca um jovem para jogar tênis, ou você mesmo começa, qual é a intenção de estar dentro da quadra?

Vamos começar pelo lado da criançada. Quando você coloca uma criança para praticar tênis, acredito que sua ideia inicial esteja ligada muito mais à educação e ao aprendizado que ela terá do que à esperança de ela se tornar no futuro um novo Roger Federer ou uma nova Serena Williams. Pelo menos esse deveria ser o caminho mais lógico e natural. O tênis propicia muitos ensinamentos aos seus praticantes, e conhecer tais valores é muito legal para a meninada. Muitas vezes é mais fácil a criança incorporar determinadores valores jogando tênis do que ouvindo você repetir diariamente determinados mantras. A prática é muito mais impactante e intensa do que a teoria.

TÊNIS É UM ESPORTE INCRÍVEL

Quem pensa apenas na vitória, na salvação financeira da família ou na ideia de usufruir do futuro sucesso esportivo do filho está totalmente enganado, indo por um caminho muito obscuro e perigoso. Não é possível saber na infância se os filhos serão bons tenistas, assim como é quase impossível determinar se eles serão bons médicos, ótimos engenheiros ou excelentes arquitetos. Só o tempo, a dedicação, aptidões e vontades deles determinarão seus caminhos profissionais. Por isso, não se precipite. Muitas vezes, a consequência mais imediata dessa ansiedade é a briga com o filho. Ele, cansado da pressão e das exigências paternas, passa a ver o pai como um inimigo ou alguém que quer prejudicá-lo, obrigando-o a fazer coisas chatas e sem sentido.

Eu, como já falei antes, tive a oportunidade de começar a jogar tênis ainda garoto. Minha iniciação foi ao lado da minha irmã em uma brincadeira de família e, depois, com meus amiguinhos no clube. Entretanto, não me recordo do meu pai ou da minha mãe falando: "Fernando, tomara que você chegue lá. Olhe aquele jogador porque um dia você pode ser como ele. Jogue para virar um profissional". Não! Meus pais encararam nesta época o tênis apenas como um esporte. Lembro-me de assistir pela televisão às partidas do Björn Borg e do John McEnroe na final de Wimbledon. Eu tinha dez anos e acompanhava aquele jogo como algo interessante, uma partida impressionante de dois caras que jogavam muito. Contudo, não encarava aquela experiência como ensinamentos para uma futura profissão. Nessa época, eu não sabia o que eu queria ser. Jogar tênis profissionalmente nem aparecia entre as minhas prioridades. Eu sonhava em ser fotógrafo como o meu pai.

O esporte é, sim, uma possibilidade de caminho profissional para a molecada. Quando somos pequenos, porém, não devemos acreditar só nisso. O caminho é muito longo até o profissionalismo para você queimar todos os cartuchos nessa ideia fixa, acreditando piamente que isso acontecerá. A frustração é muitas vezes a consequência principal dessa prática. Você tem de colocar seu filho e sua filha para jogar tênis e incentivá-los pelo prazer de praticar um esporte legal e divertido. Tênis é isso. Você não pode olhar o esporte apenas como uma ferramenta para ser um profissional.

Com o tempo, à medida que você começa a perceber que você ou seu filho estão jogando muito bem, ganhando muitos campeonatos, aí a coisa muda de figura. Com treze, quatorze e quinze anos, já conseguimos visualizar com mais precisão o que desejamos fazer na vida. Com essa idade o tênis pode ser encarado de maneira mais séria. Aí, passamos a treinar e a trabalhar para evoluir nosso jogo. De certa maneira, ficamos com a obrigação de nos tornar a cada dia melhores. A brincadeira, então, vira coisa séria. A diversão vira nosso ganha-pão.

Decidi virar jogador de tênis com quatorze anos. Naquele momento, eu gostava tanto de estar na quadra que queria aquela vida para mim para sempre. Comuniquei minha decisão para meus pais que, a partir daquele instante, passaram a me apoiar e me ajudar no caminho da profissionalização. Repare que essa decisão não foi tomada quando comecei a jogar tênis, aos oito anos. Ela também não foi tomada pelos meus pais. No meu caso, eles até ficaram muito assustados com a minha escolha.

Quer um exemplo disso? Quando tinha quatorze anos acompanhei minha mãe e minha irmã, quatro anos mais velha, para pegar o resultado do vestibular dela. Quando elas estavam passando pela porta principal da universidade, chamei minha mãe e apontei para a entrada daquele lugar: "Mãe, você está vendo aquela porta? Você nunca vai me ver entrar neste lugar! Eu vou ser tenista". Eu me lembro do rosto horrorizado da minha mãe e dela chegando em casa e comentando com o meu pai: "Nosso filho está louco!". A insegurança deles era compreensiva: não havia ninguém na família que tivesse escolhido antes aquela opção de carreira. Além disso, eles sabiam que o caminho até minha profissionalização seria árduo. Mesmo assim, ao enxergarem minha determinação em concretizar esse sonho, embarcaram na ideia.

Os pais têm esta função: auxiliar e apoiar seus filhos. Jamais devem impor ou obrigá-los a trabalhar em algo que não desejam. Perceba que, no meu caso, a iniciativa e a escolha de ser tenista partiu de mim. E assim deve ser. Jamais os pais devem influenciar ou determinar as escolhas. Como qualquer definição profissional, esta cabe à própria pessoa fazer, independentemente da pressão e da influência externa.

Se é a hora de você ou seu filho encarar o tênis de forma profissional, alguns cuidados devem ser tomados. A escolha de bons profissionais para assessorar o garoto ou a garota é fundamental. Ter um bom treinador e um bom preparador físico é parte essencial do trabalho. A escolha de um clube ou de uma escola com estrutura adequada também é importante. O treinamento deve ser realizado em sessões mais regulares e intensas. A evolução do jogo do tenista se dará pela qualidade dos exercícios feitos e pela dedicação da garotada aos treinos. A participação em bons torneios e a exposição do jogador em jogos difíceis também são necessárias.

Ficou interessado em ingressar no mundo do tênis profissional? Saiba que as dificuldades são enormes, mas também muito recompensadoras.

DICA 5

Em que nível você almeja chegar como tenista?

A grande pergunta que todo tenista deve fazer é: em que nível eu quero chegar como jogador de tênis? Existem vários sonhos possíveis. Há aqueles que querem ser líderes do *ranking* juvenil. Existem aqueles jovens que almejam chegar ao profissionalismo. Muitos jogam simplesmente por curtição. Há tenistas veteranos que sabem que não podem mais chegar ao circuito profissional, mas não querem fazer feio perto dos amigos e nos campeonatos amadores dos seus clubes e das suas empresas. Por isso treinam pesado e regularmente.

Acredito que essa pretensão, esse sonho e essa vontade influenciarão a maneira como você vai encarar o esporte e o dia a dia do jogo, com treinos, preparação física e a responsabilidade com o seu corpo. Quanto mais importante for o tênis para você, mais você estará inclinado a se dedicar à sua evolução e aos cuidados necessários para jogar em alto nível.

O tênis é um esporte muito dinâmico, bem versátil, extremamente justo e muito eclético, aceitando todos os tipos de jogadores. Você pode ser um jogador que está só curtindo o jogo, pode ser alguém que começou cedo e almeja chegar longe ou pode ser uma pessoa próxima dos cinquenta anos que joga com os amigos no clube aos finais de semana. Todos esses jogadores desejam melhorar o tênis praticado, progredindo de classe. O principiante quer chegar à quinta classe. Quem já está nesse estágio quer avançar para a quarta classe. Quem está na quarta quer ir para a terceira e assim sucessivamente.

Já falamos um pouco, em outras dicas, do quanto chegar ao estágio profissional está ligado à idade com que a pessoa começou a jogar. Alguém com trinta anos que nunca pegou em uma raquete dificilmente conseguirá chegar ao circuito da ATP ou da WTA. Por outro lado, nada nos impede de evoluirmos e sermos melhores a cada dia. Se disputar os Grand Slams é complicado, por que não almejarmos o título do campeonato amador da nossa cidade ou do nosso clube? Por que não vencer aquele amigo nosso que é uma fera nas quadras, que derrota todo mundo nos finais de semana no parque?

Só iremos melhorar e evoluir nosso jogo se tivermos em mente um objetivo claro. A partir daí, planejaremos nossos treinos e a carga horária de atividades que devemos ter diária ou semanalmente. A grande diferença entre o jogador que quer praticar tênis por lazer e aquele que quer seguir carreira é a meta estipulada. A pretensão do segundo são objetivos muito mais arrojados, que exigem intensidade e grau de dedicação superiores aos do primeiro.

Por isso, o jovem que quer dar uma suada depois do escritório ou o pai que quer colocar o seu filho apenas para fazer um esporte devem escolher um professor agradável. Esse profissional deve entender de tênis, mas seu principal requisito é ser divertido e dar uma aula legal. O lugar e os colegas de aula também devem ser legais, e o clima deve ser de descontração. Por sua vez, quem quer competir para valer deve escolher um treinador extremamente capacitado e experiente. Os treinos devem ser mais duros, voltados para melhora rápida do desempenho. Os colegas que compartilham os treinos devem ter os mesmos objetivos e possuírem qualidade para ajudá-lo a melhorar.

Existe, portanto, o tênis social e o de alto rendimento. Um não é melhor ou pior do que o outro. Disputar um e não o outro não é demérito para ninguém. Eles apenas estão situados em mundos diferentes, em planetas antagônicos. Apesar de a maioria dos tenistas desejar melhorar e trabalhar para evoluir, o patamar de saída e aonde cada um chegará depende de cada caso. Dessa maneira, não fique olhando muito para os lados. Não queira repetir os passos de ninguém. Siga seus próprios caminhos e seus sonhos. Eles são particulares e pertencem apenas a você. Suas conquistas são suas; as vitórias dos outros são deles. Cada tenista possui uma característica específica e tem sua história no esporte, que é impossível de ser copiada.

Se você é amador, corra atrás do que deseja. Assista aos vídeos no YouTube de como melhorar os golpes, vá atrás da literatura e da história do tênis, conheça os jogadores de hoje e de ontem, acompanhe os grandes jogos dos profissionais e, em especial, procure jogar a cada semana ou mês um pouquinho melhor do que você já vem mostrando em quadra. Faço muitas clínicas pelo Brasil e falo muito com os amadores. Vejo essa vontade louca de evoluir neles. Hoje você tem de estar melhor do que ontem. Todo dia precisa evoluir em algo. Essa é a regra de ouro do nosso esporte. Ontem você não acertava o saque muito bem e hoje você tem um saque poderoso porque treinou muito. É isso aí! Coloque todas as dicas deste livro em prática.

Se você tem mais idade ou começou muito tarde no esporte, tenha paciência. Você irá melhorar aos poucos. Sua curva de aprendizado tende a ser mais lenta, mas isso não quer dizer que você deva abandonar as quadras. Pelo contrário! Esse é mais um estímulo para você ser mais esforçado e perseverante no que deseja.

E se você é alguém que sonha em um dia disputar os grandes torneios da ATP e da WTA, saiba que você precisará viver para o esporte. Seu esforço precisará ser muito grande. Arregace as mangas e ponha a mão na bola. Quanto mais tempo você ficar dentro de quadra, mais você evoluirá. Escolha bem os treinadores e preparadores físicos que o assessorarão.

Quanto mais próximo você ficar dos seus sonhos, mais feliz você será dentro da quadra. Tenha certeza disso.

PARTE II
Tênis é técnica

DICA 6

Existe técnica para a batida de direita?

Assistir aos duelos com grandes jogadores é como acompanhar verdadeiras aulas práticas de tênis. Claro que é difícil repetirmos o *forehand* do Rafael Nadal, do Novak Djokovic, do Roger Federer, do Gustavo Kuerten e da Serena Williams, mas podemos tirar importantes lições das técnicas empregadas por eles para executar uma boa batida de direita.

Gostaria de dividir em três partes a técnica de execução do *forehand*. Para batermos bem de direita, precisamos estar atentos em como chegamos à bola, no equilíbrio corporal no momento do golpe e na velocidade do braço. Com a junção desses três elementos, melhoramos muito a nossa direita.

Para o golpe ter uma boa intensidade é preciso, primeiro, o tenista chegar muito bem na bola. Aí a dica para quem quer bater bem na bola é: não colocar nunca o calcanhar no chão. Repare na postura corporal dos jogadores profissionais durante os jogos. Eles não pisam com o pé inteiro no chão. Eles preferem jogar o tempo inteiro na ponta dos pés. Essa postura permite que se chegue mais rápido à bola. Aumenta-se, assim, a explosão do arranque. E, ao chegar mais rápido à bola, podemos aplicar um golpe com mais firmeza e precisão, ganhamos tempo para decidir o que fazer. Conseguimos ver a bola um pouco maior, temos mais tempo para nos posicionar e podemos soltar mais o braço.

A parte chata de não se colocar o calcanhar no chão é que a panturrilha se cansa muito. Tenista sofre bastante com a sua panturrilha...

Outra dica para se chegar mais rápido à bola é mexer bastante as pernas. O tenista precisa ter agilidade nas pernas para dar intensidade ao golpe. É curiosa essa questão: a velocidade e a precisão do golpe, muitas vezes, dependem mais da junção da força das pernas e do corpo do que da força apenas dos braços. O jogador precisa estar bem preparado fisicamente para executar um bom *forehand*.

Para bater bem de direita, de esquerda ou qualquer outro golpe, é preciso estar com o corpo bem equilibrado na hora da execução do movimento. Por mais força que queiramos empregar na raquete, se chegarmos desequilibrados na bola, não poderemos realizar o movimento da forma completa. Este é o segundo ponto a comentar: o equilíbrio.

Uma maneira prática para saber se estamos aplicando a direita de maneira correta é olhar onde nosso corpo cai após o movimento. O correto é ele se voltar para frente. Desse modo usamos a força nas pernas e sentimos o nosso pé fincado ao chão, elementos que nos fazem voar para cima da bola e disparar o *forehand*. Quando nosso corpo cai para trás ou tomba para algum dos lados, claramente estamos desequilibrados e perdemos precisão.

Equilíbrio é como seu corpo está posicionado na hora em que a bola chega perto de você para ser devolvida. Há atletas que são verdadeiras bailarinas, com uma postura corporal impecável. Outros, porém, ao pisar no chão no momento da rebatida, estão com um pé para lá, o outro pé para cá, um braço em uma terceira direção e o outro braço completamente torto. Aí a direita só sairá bem por um milagre. O importante é chegarmos muito bem na bola. Aquele último passo que bate no chão e faz aquele barulho: "pá!". Então a gente solta o braço depois.

Há outra maneira para saber se você está bem posicionado. Costumo brincar que a melhor postura é aquela que não permite que nenhum engraçadinho o empurre e derrube. Ou seja, se na hora da rebatida eu o empurrasse, o que aconteceria? Se você não estiver com os pés firmes no chão, com os braços bem voltados para a bola e com o corpo totalmente equilibrado, você cairá. Se, por outro lado, seu corpo estiver bem fixado no chão, não conseguirei derrubá-lo. Essa é a postura certa! Você conseguirá executar o movimento correto por estar totalmente equilibrado em quadra.

Outra boa dica para manter o equilíbrio é você cuidar do outro braço, aquele que não está segurando a raquete. Se você é canhoto, use o braço direito na frente, apontando para a bola. E se você for destro, coloque o esquerdo na frente.

TÊNIS É TÉCNICA

Pedro Castro Silva

Meligeni durante torneio de Algarve do Circuito dos Campeões de Tênis de 2007.

Muitos jogadores acham que o braço que não está segurando a raquete não serve para nada. Eles nem sabem o que fazer com esse braço durante o jogo, que fica completamente perdido no corpo. Mas ao ficar perdido perde-se muito do equilíbrio para bater na bola. E isso tem de entrar na bola. Se você não usa o equilíbrio do seu corpo, a sua bola não anda e começa a sair meio mascada. Então você começa a se questionar: "Por que minha bola não está andando?!". Às vezes, é por falta de equilíbrio na hora de bater. E o segundo braço tem sua parcela de culpa.

O braço que não segura a raquete não pode estar molenga. Ele precisa estar firme, deve apontar para a bola e precisa estar na frente do corpo. Repare como Rafael Nadal, Serena Williams, Roger Federer e Novak Djokovic fazem. Todos eles posicionam a mão na frente para rebater. É uma mão rígida, apontando com os dedos. Pode ser com a mão aberta ou fechada, isso é menos importante. O relevante é o jogador estar sempre com a mão na frente e a raquete lá atrás.

O terceiro aspecto para quem quer ter uma direita um pouco mais firme é acelerar a cabeça da raquete na hora de bater na bola. Existe uma grande diferença entre bater forte e acelerar a cabeça da raquete. É o que chamamos de velocidade do braço. A força com que a bola sai da raquete é fruto da força aplicada e, em particular, da velocidade do seu braço.

Gosto muito quando se acelera a cabeça da raquete e gira-a rápido. Aí você começa a bater bem. Você consegue bater aquele *spin*, e a bola entra. Nessa hora, a raquete vai passar rapidamente pela bola. Quanto mais em cheio você pegar nela, mais ela andará. Se você girar rápido o braço e pegar um pouco só dela, de baixo para cima, vai sair um *spin* arretado. Se você bater solto e reto, mais na cara da bola, ela vai sair mais chapada.

Portanto, o bom *forehand* é a combinação de intensidade das pernas, equilíbrio corporal e velocidade do braço. Para executarmos cada vez melhor esse movimento, precisamos praticá-lo bastante, até a exaustão. Lembre-se de levar estas dicas para a quadra no seu próximo treinamento ou no seu próximo jogo. Assim, quem sabe, um dia sua direita fique forte, precisa e incrível como foi a do chileno Fernando Gonzáles, o dono do melhor *forehand* que já vi na vida.

DICA 7

Existe técnica para a batida de esquerda?

Na dica passada falamos de *forehand*. Agora vamos falar do *backhand*. Acredito que muitos jogadores tenham dificuldade com esse golpe. Sofri demais, na época em que atuava no circuito da ATP, para executar uma boa esquerda. Acho que 99% dos tenistas também têm esta deficiência, em maior ou menor escala.

A primeira questão polêmica sobre esse tema é se devemos segurar a raquete com uma ou duas mãos. Quais são os benefícios e quais são as desvantagens de executarmos a esquerda com uma ou com as duas mãos? Para começo de conversa, precisamos entender que cada tenista tem suas próprias características e suas preferências. Há grandes jogadores que batem com uma das mãos. São os casos do Stan Wawrinka, do Nicolás Almagro e do Richard Gasquet. E há grandes tenistas que optam pelo golpe com as duas mãos. São os casos do Andre Agassi, do Marcelo Ríos e do Novak Djokovic. Ou seja, é preciso descobrir o que é melhor para cada um de nós. Precisamos realizar o golpe de esquerda da maneira que temos mais facilidade e da forma como conseguimos ser mais eficientes. Os dois jeitos possuem vantagens e desvantagens.

Vamos começar falando de quem bate com apenas uma das mãos. O primeiro grande problema para quem realiza a esquerda desse modo é quando a bola vem alta. Essa questão é tão importante e complexa que fiz uma dica exclusiva para tal situação, que será apresentada no próximo capítulo.

6/0 DICAS DO FINO

Meligeni em torneio Vale do Lobo em Algarve, em 2007.

Há alguns elementos que ajudam esse golpe. O primeiro é o nosso pé. Temos de nos lembrar de sempre colocá-lo bem fixado na frente — no caso dos destros, o pé direito e no caso dos canhotos, o pé esquerdo. Quanto mais para frente ele estiver em relação ao nosso corpo, apontando para o outro lado da quadra, mais fácil ficará a nossa batida de esquerda. Quanto mais de costas para o outro lado da quadra estivermos no momento da batida, mais difícil será conseguirmos mandar a bola com precisão e força.

Na verdade, para executar qualquer um dos golpes do tênis é preciso que o corpo do tenista esteja bem equilibrado na quadra. Essa característica, portanto, não é exclusiva do *backhand*. Nossa esquerda sairá com mais facilidade e com mais qualidade se nosso corpo estiver bem equilibrado no momento da aplicação do golpe.

Outra questão importante é o uso que fazemos da mão que não está segurando a raquete. Se você é canhoto, por exemplo, você segura a raquete com a mão esquerda, certo? Aí sua mão direita deve ser usada para fazer a alavanca. E como se faz a alavanca? Quando você estiver impactando a bola, a sua mão direita, no caso do canhoto, deve ir para o outro lado, em um movimento antinatural, contra o lado em que a bola vai ser lançada. A raquete vai para frente e a sua mão que "está sobrando" vai para trás, fazendo a alavanca. Assim, você abre o peito na hora em que estiver batendo na bola. É como se um ombro não gostasse do outro, e eles se afastassem.

Outro detalhe que pode ajudá-lo um pouco é tentar olhar por cima do ombro. Isso o fará ficar bem de lado no momento da batida. Outra dica é não bater em dois ou em três tempos. A esquerda precisa ser realizada em um único tempo, diretamente. Também não podemos ficar empurrando nosso braço. Colocamos o braço que seguramos a raquete para trás, em seguida o jogamos para frente com velocidade e rapidez, pegando a bola um pouquinho por baixo, criando um *topspin*, ou damos na cara dela, batendo mais chapado.

Outro elemento importante da esquerda é para qual direção nosso corpo cai no instante do impacto da raquete com a bola. Se não estou enganado, falei exatamente isso sobre o *forehand*. Isso se aplica, portanto, aos dois golpes. O jogador deve sempre cair para frente, nunca para trás. É só reparar no que os principais tenistas fazem em quadra. Todos caem para frente quando batem de esquerda. Assim eles vão com tudo ao encontro da bola, conferindo força e precisão ao golpe.

Até aqui falamos de quem utiliza apenas uma mão. E como é para quem utiliza as duas mãos no *backhand*? As dicas são basicamente as mesmas. A principal diferença está na utilidade da mão que anteriormente jogaríamos para trás. Agora, ela (direita para o canhoto e esquerda para o destro) ajuda a segurar o cabo da raquete. Ela também faz força, ajudando muito na execução do golpe. Contribui tanto que Juan Martín Del Potro, argentino que ganhou, em 2009, o US Open, precisou operar seu pulso esquerdo (ele é destro) de tanto que usava a mão para bater de esquerda.

O lado negativo é que temos de correr um pouquinho mais em quadra. Por quê? Porque o impacto da bola com as duas mãos é feito mais próximo ao corpo. Então temos de nos mexer mais e chegar mais perto da bola para bater. Outro problema é que o tenista que joga com apenas uma mão tem mais facilidade para dar um *slice*. Quem joga com as duas mãos está muito acostumado a usar a outra mão para ajudar no golpe. E quando precisa dar um *slice*, sente que a raquete é muito pesada. Aí acaba perdendo um pouco de força, e a cabeça da raquete se abaixa, quebrando o pulso, como a gente fala na gíria do tênis.

Por outro lado, o uso das duas mãos ajuda muito na devolução do saque. Acabamos devolvendo de maneira mais firme o serviço do adversário. A maioria dos grandes devolvedores de saque usam as duas mãos. Além disso, quando somos criança é mais fácil bater usando as duas mãos, pois ainda não temos tanta força no braço. Ao colocar as duas mãos na raquete acabamos facilitando a batida. Quando a criança bate com uma mão só, às vezes a raquete fica voando, passeando muito. Quando está com as duas mãos, a raquete fica mais firme.

É importante perceber essas diferenças e compreender que não existe, nesse caso, jeito certo e jeito errado de segurarmos a raquete. Usar uma ou duas mãos depende da aptidão e da facilidade com que o tenista se adapta melhor à aplicação do golpe. Não há regra ou diretriz apontando para o que é mais indicado.

"E você, Fininho, como preferia jogar? Você usava uma ou duas mãos para bater de esquerda?", alguém mais curioso pode me perguntar. Ao assistir aos meus jogos, você notará que não houve apenas uma maneira. Acabei variando bastante a esquerda durante toda minha carreira. Comecei jogando com uma mão. Depois, optei pelas duas. Sofri demais com essa mudança. Mais para frente eu quis voltar a jogar com uma mão só de novo. Aí fiquei com uma mão e meia, vamos falar assim. Começava o golpe com as duas mãos fixas na raquete e depois soltava uma delas no meio do golpe.

Essas mudanças acabaram me prejudicando muito na época em que eu jogava. Minha esquerda acabou ficando muito abaixo do nível do meu tênis. Preocupado com isso, meu treinador, o Pardal (Ricardo Acioly), convenceu-me a mudar da esquerda com as duas mãos para uma mão. Isso aconteceu no ano de 1995. Eu tinha vinte e quatro anos e já estava há algum tempo no circuito profissional. Foi o Pardal quem me ensinou a usar a alavanca, que comentei há pouco nesta dica. Somente nesse momento comecei a bater um pouco melhor. É claro que a minha esquerda jamais foi a sétima maravilha da humanidade, mas acabou melhorando um pouco.

Muitos professores, na época em que eu era criança e juvenil, tentaram mudar minha esquerda, visando melhorá-la. No entanto, sempre fui muito arredio a qualquer alteração na minha maneira de atuar. Assim acabei perdendo muito tempo. Se você tem um problema de esquerda, se sua esquerda não é tecnicamente tão boa, não hesite em procurar novos jeitos de bater na bola e de alterar a sua maneira de jogar. Porque se você começar a jogar bem e virar um profissional, lá na frente acabará tendo de fazer algumas mudanças. E as mudanças podem ser mais traumáticas quando postergadas. Afinal, quanto mais velho ficamos, mais difícil fica para nos adaptarmos às diferentes maneiras de executar um golpe.

Não seja tão teimoso quanto fui!

DICA 8

Quais são os segredos da batida alta de esquerda?

Uma das jogadas que eu mais temia quando jogava profissionalmente era a bola alta na minha esquerda. Acredito que vários jogadores até hoje tenham muita dificuldade para efetuar um bom golpe nessas condições. Qual é o segredo de um bom *backhand* como do Stan Wawrinka, do Richard Gasquet ou mesmo do Gustavo Kuerten quando a bola vem alta? Você entra ou sai da bola? Sabendo do temor geral, como podemos usar essa bola a nosso favor para agredir o adversário?

Gosto de dividir a técnica de execução do *backhand* quando a bola vem alta em duas partes. Em primeiro lugar, precisamos compreender qual o sentido dessa bola. Para que ela serve? Depois, devemos saber como nos livrar dela quando ela é jogada contra nós. Como devemos agir para devolvê-la para o outro lado da quadra de forma interessante?

Vamos começar pela primeira questão: para que serve exatamente essa jogada? Toda vez que mandamos a bola alta na esquerda do nosso adversário, o obrigamos a sair um pouco da quadra. São poucos os tenistas que conseguem entrar com as duas mãos ou com uma mão nessa bola e atacar. A maior parte apenas se defende. Assim, quando jogamos a alta na esquerda do nosso oponente, fazemos com que ele dê três passos atrás da linha. É muito difícil rodar a cabeça da raquete e fazer com que a bola seja bem profunda sem recuar o posicionamento. Com esse recuo, o outro jogador até consegue devolver a bola, mas ela retorna para o nosso lado com menos perigo. Na maior parte das vezes, conseguimos atacar com essa bola que volta. Ou seja, a bola prepara a jogada seguinte, em que poderemos atacar.

    A bola alta na esquerda também contribui para a parte estratégica do jogo. O tenista que deseja agredir e incomodar seu adversário precisa variar suas jogadas. Ele não pode ficar apenas jogando reto, repetindo as mesmas jogadas o tempo todo. Precisamos variar: jogamos uma bola angulada, depois uma rápida e uma alta na sequência. Assim, o outro jogador nunca saberá o que virá. Ao jogarmos a bola alta na esquerda do nosso adversário, quebramos um pouco o ritmo de jogo. Com isso, temos mais tempo para nos posicionar melhor na nossa quadra. Existem jogadores que gostam de jogar um passo atrás da linha e, quando jogam essa bola para o outro lado da rede, conseguem ficar no mesmo lugar para atacar com força.

    Este é o melhor dos mundos: quando jogamos a bola alta na esquerda do nosso adversário. Mas nem sempre vivemos em um cenário maravilhoso. E quando a bola vem alta para o nosso lado? O que fazer? Como sair dela? Vamos discutir agora como dar um bom *backhand* nessa situação.

    A primeira coisa que precisamos saber é que não podemos ficar no meio termo: ou atacamos ou nos defendemos. Você quer entrar e bater nesta bola? O. K. Ela vai vir alta, vai quicar, e você vai entrar nela com tudo. É uma bola muito difícil. Poucos tenistas conseguem ter a esquerda potente. É preciso ter muita rapidez no braço. A maioria dos jogadores – incluo-me neste vastíssimo grupo – prefere se defender. Eles dão três ou quatro passos para trás, rodam a cabeça da raquete rapidamente e fazem um *topspin*. Assim a bola volta a ganhar altura, adquire velocidade, quica no outro lado da quadra e também ganha profundidade.

    Muitas vezes acabamos mandando a bola no meio da quadra adversária. Por que isso acontece? Porque estamos caindo para trás e perdemos velocidade no nosso braço. Em geral usamos o nosso corpo para a bola ganhar peso e velocidade. Ao cair para trás, acabamos apoiando o pé direito no chão, no caso dos canhotos, ou o pé esquerdo, no caso dos destros. O outro pé acaba "voando", vindo para trás e não se fixando totalmente no solo. Com o corpo desequilibrado, é claro que a nossa bola não vai andar. Acabamos simplesmente mandando-a de qualquer jeito para outro lado. Assim ela volta para o nosso adversário sem pimenta alguma. Ao cair no meio da quadra, ele nos atacará com tudo na próxima bola. Aí é um Deus nos acuda!

    Para não devolvermos de qualquer jeito a esquerda que vem alta, precisamos apoiar firme o pé direito, no caso dos canhotos, e o pé esquerdo, no caso

TÊNIS É TÉCNICA

Marcelo Ruschel

Meligeni em jogo da Copa Davis de 2002 contra o canadense Frank Dancevic.

dos destros, e a partir daí voamos para frente, indo ao encontro da bola. Então é só rodar a cabeça da raquete com velocidade. O grande problema de fazer isso é quando a bola vem muito alta. Dessa forma não conseguimos rodar a raquete como desejamos. A bola fica curta e lenta nessa hora. Por isso, é preciso agilidade na hora de fazer o recuo. Ao decidirmos ir para trás, precisamos explodir com tudo, dando os três ou quatro passos necessários rapidamente. Quanto mais rápidos formos, mais tempo teremos para ver a bola chegar, apoiar nossos dois pés no chão, jogar nosso corpo para frente e bater na bola. Dessa maneira conseguiremos também rodar o braço com velocidade.

Admito que essa não é uma bola fácil. Apesar disso, precisamos tentar sair bem dela. Se nosso adversário perceber que temos muita dificuldade de superá-la, ele irá explorá-la ao máximo. Nesse caso nossos problemas serão potencializados. Para superar isso, a melhor maneira é treinar incansavelmente esse golpe. Vá para a quadra e realize-o dez, cem, mil, um milhão de vezes. Você verá que ele sairá mais "venenoso", e você não sofrerá tanto nas partidas com essa jogada. Quanto melhor você ficar, menos o seu oponente vai jogar a bola alta na sua esquerda.

DICA 9

Existe um modo correto de fazer o voleio?

Para começar a tratar do voleio, precisamos falar da empunhadura. Qual é a melhor empunhadura para usarmos no momento do voleio? Como os exímios voleadores seguram a raquete? A resposta para essas perguntas é uma só: a continental, a mesma empunhadura que usamos para sacar. Ela é a mais tradicional do tênis, pois no passado todo mundo jogava a usando o tempo inteiro. Naquela época, para bater de esquerda ou de direita, os tenistas só usavam a empunhadura continental para bater na bola. Chega a ser curioso imaginarmos hoje em dia essa situação. O *topspin* e os demais golpes que usamos com frequência durante as partidas só apareceram muito tempo depois. Atualmente, a empunhadura continental ficou em geral restrita ao saque, ao *smash* e ao voleio.

Existem alguns detalhes importantes para executarmos um bom voleio. Quando vamos à rede, intuitivamente queremos levar o braço para trás e depois jogá-lo para frente. Não! O voleio é como se fosse um "tapão". Não devemos recuar demais o braço. Para imaginar, vamos pensar que na hora do voleio estamos encostados em uma parede. Ela está atrás do nosso corpo. Se formos abrir o braço e levá-lo para trás, não vamos conseguir. Ele não passará do nosso ombro, pois bateria na parede. Esse é o limite que nossa raquete deve ter no instante do voleio. O braço não pode ultrapassar a linha do nosso ombro (a linha imaginária da falsa parede). Ao mesmo tempo, ele não pode ir muito para frente. Isso é o que chamo de "tapão", realizado com velocidade e firmeza, sem ir para trás e sem avançar muito para frente.

Outro ponto fundamental do voleio é a cabeça da raquete estar alta. Vemos algumas dúvidas surgirem, em particular entre amadores e iniciantes. Eles normalmente argumentam: "Se a bola estiver alta, fica fácil volear com a cabeça da raquete alta, tanto de esquerda quanto de direita". O problema começa quando a bola não vem tão alta: "E se ela estiver na altura da rede?". Devemos continuar com a cabeça da raquete alta. "E se a bola vier abaixo da linha da rede, o que eu faço? Abaixo a raquete, né?" Não, senhor! Nesse momento, abaixamos o nosso corpo, ficamos com os joelhos agachados e permanecemos com a raquete com a cabeça alta. É óbvio que se a bola estiver tocando o chão, não dá para ficar com a cabeça tão alta, mas devemos colocá-la junto ao nosso corpo com o máximo de altura que conseguirmos.

Outra questão é que o voleio deve ter um pouquinho de *slice*. Quando a bola vem, imaginamos dar um *slice* parecido com o que damos no fundo de quadra. Damos aquela cortadinha, jogando a bola bem no fundo da quadra, ou acabamos cortando, dando aquele *drop volley* e usando um pouco mais o pulso, a munheca.

Quando chegamos à rede, é normal nos afobarmos um pouco. Mesmo assim, há voleadores espetaculares que não se exaltam nem um pouco quando estão próximos da rede. O Radek Štěpánek é um deles. O voleio do tenista tcheco é incrível. Outro jogador que voleia muito bem é o Leander Paes, que jogou na minha época e continua jogando até hoje. Acho que quando este livro tiver cem anos, os leitores ainda estarão vendo o jogador indiano atuando. Paes é incansável. Apesar dos anos acumulados, o voleio dele continua impecável.

É possível perceber que esses grandes voleadores fazem o golpe naturalmente, como se fosse a coisa mais fácil do mundo. Eles sobem com mais frequência para tentar ganhar os pontos na rede. É possível notar também que eles voleiam, na maioria das vezes, em quadra aberta. E, para variar, eles acabam voleando de vez em quando no contrapé do adversário.

Em todos os momentos da partida precisamos pensar nas jogadas e calcular a sequência de golpes e de movimentação que devemos fazer. Existem horas que damos um bom *approach*, após um bom saque, e voleamos a bola que sobrou alta e fácil. Nesse caso, é preciso ser mais incisivo e firme no voleio, a fim de ganhar o ponto em um *winner*. Entretanto, na maioria das vezes recebemos uma porrada do outro jogador. Ele nos viu subindo à rede e não quis levantar a bola. Optou por nos enviar um torpedo rasante. Nesse caso, em vez de um *winner*, precisamos nos defender e colocar a bola longe do adversário.

6/0 DICAS DO FINO

Meligeni na etapa portuguesa do ATP Champions Tour de 2007.

A ideia, portanto, é ganhar o ponto em dois voleios consecutivos. O primeiro tem a função de preparar a jogada, o segundo deverá matar o ponto. Por isso a bola do primeiro voleio deve ser profunda e baixa. Voleamos quase como um *approach*, mas não é um *approach*. Damos um tapa e fechamos a rede. O próximo voleio, este sim, é para conquistar o *winner*.

Precisamos tirar da cabeça que a rede é território proibido ou perigoso. Se bem utilizadas, as subidas à rede podem se constituir em importantes armas do tenista. Para isso, a recomendação é jogar o mais simples possível. Se conseguirmos que o nosso braço fique bem curto, nosso pulso esteja bem firme e nosso corpo fique voltado para frente, as chances de sermos bem-sucedidos no voleio aumentam consideravelmente.

Outro detalhe fundamental é a postura dos nossos joelhos. Eles não podem ficar totalmente retos. Não podemos parecer uma vareta, bem eretos e duros. Devemos dobrar um pouco os joelhos. Não vamos exagerar, chegando lá embaixo. É para agachar um pouco para facilitar a mobilidade e o golpe. A partir daí, muito do voleio é colocação. Quanto melhor estivermos colocados em quadra e quanto melhor conseguirmos ler a batida do nosso adversário, melhor será nosso voleio. Portanto, olhemos bem para o nosso oponente e para o que está acontecendo no outro lado da quadra. Não devemos subir à rede como se estivéssemos passeando no shopping, olhando as lojas e os preços das mercadorias. Devemos subir concentrados na bola, olhando para os movimentos do nosso adversário e percebendo aonde ele teoricamente pretende mandar a bola. "Hum... Parece que ele quer mandar na paralela." Percebido isso, nos posicionamos fechando aquele ângulo. Aí quando a bola vier, devemos nos lembrar de estar com o braço curto e volear lá na frente.

Para o voleio sair como desejamos, não podemos nos esquecer de dar o *split step*, aquele pulinho antes da batida da raquete na bola. Não adianta pensarmos que só porque demos um bom *approach* e porque saímos correndo como caminhões sem freio vamos dar um bom voleio. Nada disso! Precisamos saltar, sim. O *split step* nada mais é do que o momento em que diminuímos a passada e fazemos o ajuste de pernas para o voleio. Trata-se, assim, de um movimento de ajuste.

De certa maneira, não há muitos segredos para realizar um bom voleio. Há, porém, alguns pontos relevantes na execução do golpe que precisam ser respeitados e observados. Lembre-se sempre deles. E não tenha medo de subir à rede. Ao dar bons voleios, você dificulta muito o jogo do seu adversário.

DICA 10

Como sacar?

Para jogar bem tênis, ter um bom saque é fundamental. O saque bem-feito maltrata nosso adversário e nos ajuda muito a vencer um confronto equilibrado. Contudo, muita gente se complica nessa hora, tanto no primeiro quanto no segundo serviço. Aí o jogo do tenista pode ficar prejudicado. Dificilmente se ganha uma partida contra um oponente de qualidade quando o nosso serviço não entra. Por isso é importante desmistificar um pouco o saque, dando algumas dicas para uma melhor execução.

O primeiro aspecto importante a que o tenista deve se atentar no momento do saque é o *toss*. O que é o *toss*? É o lançamento da bola para o alto, para que o serviço seja feito. Muitos saques são mal realizados porque o *toss* é executado incorretamente. Vejo muitas pessoas segurando a bola com muita força na hora de levantá-la. Está errado! Quanto menos aderência tivermos com a bola, quanto menos pegarmos nela, quanto menor for o contato, mais fácil será para atirar para cima, colocando-a onde queremos. Para isso devemos pegar a bola com pouca força e com as pontas dos dedos. Nada de encaixar a bola no meio da mão e segurá-la com firmeza.

Perceba como você normalmente segura a bola quando você saca. Pode estar aí o problema do seu serviço. Imagine ter de tirar a bola de dentro da sua mão, do meio dos seus dedos, e jogá-la direitinho lá na frente, em cima da sua cabeça. Esse é o primeiro passo para conseguirmos jogar a bola onde precisamos. Quanto mais correto for o lançamento para o alto, menor é o esforço posterior de correção do movimento. Afinal, jogar a bola um pouquinho para a direita, um tanto para a esquerda, ligeiramente para trás ou muito para frente exige um esforço extra para acertá-la na raquete depois. Com isso, perde-se força e precisão.

Outra dica importante ao sacar é notar em que lugar a bola, depois de lançada para o alto, cairia se não fosse interceptada pela nossa raquete. O saque tem de cair sempre na nossa frente. A bola não pode cair sobre a nossa cabeça nem atrás do nosso corpo. O ideal é sempre realizar o saque na frente. O quanto na frente? Depende de onde conseguimos alcançar a bola com um passo. Quanto mais jovem somos, mais para frente da linha da quadra conseguimos chegar. Eu, quando jogava no circuito profissional, caía lá para frente da linha que era uma beleza. Hoje em dia, porém, as coisas estão mais complicadas para mim... Ao ficar mais velhos, perdemos a explosão. É normal. Imagine que depois de lançar a bola para o alto e para frente, você terá de chegar nela. Por isso, não exagere.

Se depois de sacar, se o seu corpo se inclinar naturalmente para frente, para pegar a bola com um passo rápido, beleza. Seu *toss* está sendo bem executado. Se você tiver de dar um passo para trás para recuperar a bola, se você tiver de cair um pouco para a esquerda ou para a direita para corrigir a rota da bola, seu *toss* está errado. Nesses casos você está perdendo sua envergadura, sua altura ao sacar. O lançamento correto da bola é para o alto, reto e para frente. Para sacar bem, você tem de sacar em cima da sua cabeça como se fosse um relógio perto do meio-dia. Se você for destro, você pode ir para uma hora da tarde para sacar em um *slice*. Você pode ir para as onze horas da manhã para sacar um *spin*. Se você for canhoto, a lógica é oposta. Para sacar de *slice*, você vai até às onze horas. Para jogar de *spin*, o movimento é de uma hora da tarde. Tanto destros quantos canhotos, porém, não devem dar dois passos ou mais depois de sacar para chegar à bola. Se tiver de fazer isso, seu *toss* está péssimo e, por consequência, seu saque será pouco eficiente.

Uma dica fácil para se verificar como está seu *toss* é levantar a bola e deixá-la quicar no chão, sem rebater com a raquete. Ela tem de cair sempre na sua frente. Se ela cair um pouco mais para a esquerda, para a direita, para trás ou na sua cabeça, quer dizer que o seu *toss* não está tão bom quanto deveria. E aí você vai precisar treinar em especial o lançamento da bola. Treine segurando a bola com menos força e menos aderência.

Além do *toss*, o tenista precisa se preocupar com a velocidade do seu braço no instante do saque. A velocidade empregada no movimento é decisiva para um bom serviço. Existem dois elementos diferentes em um saque. Um é a força. "Eu vou sacar forte!", pensa normalmente o sacador. O outro é a

6/0 DICAS DO FINO

Meligeni em competição para ex-profissionais do circuito da ATP.

velocidade do braço. Esse elemento é tradicionalmente pouco considerado pelo tenista, em particular no segundo saque. Vejo muita gente sacando o primeiro saque forte e o segundo empurrando o braço. Tente pegar um pouco mais de efeito na bola, mas continue acelerando o braço quase na mesma velocidade do primeiro saque.

O melhor segundo saque que vi um jogador executar era do norte-americano Jim Courier. Ele conseguia realizar um segundo serviço firme, forte e preciso. Seu segredo era a velocidade do braço. Era quase impossível atacar o segundo saque porque ele acelerava o braço como se estivesse sacando o primeiro serviço. Em vez de bater chapado na bola, dava o *spin* nela. Sensacional!

Quando vemos o Roger Federer, Serena Williams e todos os grandes sacadores em ação, percebemos que eles sacam com a velocidade do braço e não com a força do movimento. A diferença é onde eles batem na bola. Se batem mais na cara da bola, em cheio nela, ela sai com mais força. Se você vem rápido na bola e pega em *slice*, de lado, você pode acelerar o braço que ela vai rodar, rodar e vai entrar. É difícil? Lógico que é. É preciso treinar muito o saque, até ele sair como você deseja.

Outra questão fundamental para quem deseja sacar bem é sair do chão ao sacar. Não podemos sacar com os pés cravados no solo. Ao batermos na bola, precisamos ir ao encontro dela, ganhando alguns preciosos centímetros com isso. Repare como os grandes sacadores fazem. Federer, Isner e Serena, por exemplo, explodem em direção à bola quando sacam.

Para chegar à excelência, você tem de treinar saque todo dia. Esse é um dos fundamentos básicos do tênis. Você tem de ir para a sua aula, para o seu treinamento e praticar intensamente. Uma maneira legal de treinar esse fundamento é colocar alvos para você acertar e estipular alguns objetivos. Por exemplo, acertar dez saques em cada alvo. Além disso, você também pode dar efeito na bola e conferir como seu saque saiu.

Sei que é chato pra caramba ter de ficar treinando saque, mas ajuda muito na hora de jogar. Um treino legal de saque é quando você pega alguém para devolver o seu serviço. Pode ser seu professor ou um colega de treino. Ele devolve e você bate a primeira bola. Assim, você vai conseguir se imaginar dentro de um ponto.

Espero ter ajudado aqueles tenistas que temem o instante de executar o saque. O saque é a hora de agredirmos nosso adversário. Não podemos ter um jogo produtivo em quadra se não tivermos um bom primeiro serviço. Treine o máximo possível esse fundamento. Seu jogo agradece.

DICA 11

Como devolver o saque?

Gostaria de falar agora sobre um assunto que é fundamental em um jogo de tênis: como devemos devolver um saque? É um pouco complicado tratar do tema sem estar em uma quadra e sem ter uma raquete, mas vou tentar ser o mais didático possível.

A primeira coisa que precisamos nos preocupar é com a empunhadura. Ao nos prepararmos para a devolução do saque, devemos escolher uma maneira de segurar a raquete. Existe a empunhadura continental, aquela mais reta. O problema de usá-la é que quando precisamos mudar a empunhadura para bater de esquerda ou de direita, acabamos demorando muito para efetuar a troca, comprometendo a qualidade do golpe. Por isso, muitos tenistas acabam escolhendo uma empunhadura só para jogar. Eu, por exemplo, gostava de ficar com a empunhadura do meu pior golpe, a de esquerda. Assim, já estava preparado no caso de a bola vir nela. Se tivesse de devolver de direita, mudava na hora para bater a direita. Isso não era um problema tão grande, pois a direita era o meu golpe forte. Apesar de perder um pouco de tempo como a mudança da raquete de uma empunhadura para outra, compensava depois com um golpe mais firme.

Todo jogador acaba dando preferência a um tipo de empunhadura. É importantíssimo escolhermos onde segurar na raquete e como segurá-la, em especial quando nosso adversário é um bom sacador. Alguns jogadores, em particular quando estão começando a jogar, perguntam-me: "Como se ajusta a empunhadura? Como funciona essa mudança, por exemplo, do seu caso, da empunhadura da esquerda para a direita?". Eu explico que tem jogador que consegue rapidamente fazer a mudança de empunhadura. À medida que passamos a jogar muito, esse comportamento fica praticamente automático e é naturalmente aperfeiçoado. Algo que ajuda bastante é usar a mão solta, aquela que não está sendo utilizada, para auxiliar na mexida. No começo, essa mão acaba ajudando mais no momento da batida, mas ela também é importante no instante de rodar a raquete.

Outro ponto importante da devolução de saque é a leitura que fazemos do nosso adversário. Quando ele levanta a bola para sacar, já precisamos entender onde e como ele vai mandar a bola. Ele vai mandar uma rápida na nossa esquerda? Então, armamos para trás, giramos a empunhadura, fazemos o impacto e damos o *follow through*, como chamamos. Jogamos a raquete para trás, mas não muito. Não adianta, nesse caso, armar lá atrás se o saque é rápido.

Você tem de pensar que o seu adversário irá sacar entre 80 e 200 quilômetros por hora. Se você for jogar contra o Andy Roddick, o Goran Ivanišević e, nos dias de hoje, o Ivo Karlović, esses caras sacam a 250 quilômetros por hora. É uma senhora pancada! Então para que jogar o braço muito para trás?! Não faz sentido. O cara sacou, jogamos um pouquinho para trás e seguramos a devolução com o nosso antebraço. Quando mais firme ficar nosso antebraço, mais a bola vai bater firme na raquete. Se a raquete mexer pouco, a bola vai ter um maior impacto, voltando com velocidade para o outro lado da quadra. Se não ficarmos firmes, podemos cometer erros. Nesse caso nossa devolução vai para qualquer lado, menos para aquele em que imaginamos.

Outra questão a ser considerada é o perfil do nosso adversário. O que ele faz depois do saque: ele avança à rede para volear ou prefere ficar no fundo da quadra? Identificada a característica principal do nosso oponente, devemos realizar uma devolução específica para cada caso.

Quando o jogador sobe à rede para volear, devemos devolver o saque no corpo dele. Assim, ele terá dificuldade de volear, pois precisará ao mesmo tempo se proteger da bola e realizar o movimento com pouco espaço. Meter a bola cruzada nessa situação também é interessante. Por que a cruzada? Porque obrigamos o outro jogador a volear na paralela, um golpe mais difícil de ser executado. Afinal, a rede é um pouco mais alta ali, e essa bola tenderá a escapar dele também. Ele precisará correr contra ela para alcançá-la. E quando ela retornar para a nossa quadra, virá reta, diretamente em nossa direção, facilitando um pouquinho a passada da nossa segunda bola.

Sempre que seu adversário subir à rede, seja no saque ou em um *approach*, é importante você fazê-lo jogar. Não queira passar por ele de primeira. Essa é uma mania que às vezes temos, de querer matar logo o ponto. Para que a afobação? Para que o desespero? Há muitos tenistas que ficam completamente desconcentrados quando veem o oponente próximo à rede. Calma! Às vezes, conseguimos pegar uma devolução na veia e damos um *winner*. É ótimo quando isto acontece! No entanto, na maioria das jogadas o melhor a fazer é mandar a bola no pé do adversário, obrigando-o a volear para cima, facilitando nossa segunda bola.

Quando o cara saca e fica no fundo da quadra, precisamos nos comportar de outra maneira. Agora teremos mais tempo para reagir. O nosso *swing* pode ser um pouquinho maior. Aí você tem duas opções. Na primeira, você fica em cima da linha de fundo para encurtar o tempo do seu adversário. Se você é um cara que joga bem, tem um bom tempo de bola, esquerda com as duas mãos ou mesmo com uma só, dá para você dar um tapa na bola e ficar pronto para a próxima bola. Isso vai encurtar o tempo que o cara tem entre sacar e pegar a primeira bola.

Outra tática para esse caso é devolver um pouco atrás da linha de base com bastante *spin* alto. Quanto mais firme, fundo e mais esta bola demorar a chegar ao outro lado, mais tempo você vai ter para se posicionar. Aí ficamos em igualdade de condições. Qual é a ideia de um devolvedor de saque? É tirar a vantagem do sacador. Se ele saca e você deixa a bola no meio, ele vai começar a atacar você para qualquer um dos lados. Então, quando você consegue jogar esta bola um pouco mais no fundo, com um *topspin*, você tem mais tempo para voltar e se preparar para a segunda bola. Enquanto isso, ele sai de cima da linha e você volta a ter chance de ganhar o ponto.

Tudo começa no saque e na devolução. A devolução é o fundamento em que devemos focar sempre. Temos de treiná-la sistematicamente. Para quem quer superar o adversário, ter uma boa devolução de saque facilita muito o caminho até a vitória. Já reparou em como Novak Djokovic devolve a bola? Ele realiza muito bem este fundamento, colocando uma pressão extra no jogador que precisa enfrentá-lo.

Para chegar nessa condição, precisamos treinar muito. A excelência técnica é atingida a partir da repetição e dos treinos constantes. Treine incansavelmente sua devolução. Coloque seu treinador, seus colegas de treino, um canhão, jogadores destros, jogadores canhotos, a torcida do Flamengo e tenistas com saque potente para dar o serviço nos treinamentos. E aí você vai devolvendo. Uma, duas, três, dez, cem, mil bolas. Com o tempo, você vai encontrando o tempo ideal da batida, além de condicionar seus reflexos e sua mente para tomar as melhores decisões instintivamente. Existem várias maneiras de devolver um saque. Somente treinando firme e intensamente é que conseguiremos melhorar todas as alternativas de golpes.

Tão relevante quando a devolução do saque é nos prepararmos para a próxima bola. Lembre-se sempre disso! Fazendo bem a devolução, precisamos estar prontos para a segunda bola. É nela que a gente consegue reverter a vantagem natural do sacador. Se quisermos ganhar o game, devemos sair da defesa e avançar ao ataque. Conseguiu devolver bem? Concentre-se e prepare-se para a próxima bola.

Que tal? Pronto para quebrar o serviço do seu adversário? Com tanta dica legal, dá até vontade de entrar imediatamente na quadra para jogar uma partidinha, não dá?

DICA 12

Como dar o *smash* (*overhead*)?

Esta dica é sobre o *smash* ou *overhead*, como você preferir chamá-lo. Esse é um golpe bem interessante, que nem sempre é tão fácil de ser executado como a maior parte do público acha. O *smash* pode parecer simples de ser realizado porque já preparamos o ponto antes, nas jogadas anteriores. E quando a bola sobra alta, só precisamos dar uma raquetada de cima para baixo nela. O golpe pode parecer em um primeiro momento singelo, mas se perdermos o *timing* da bola e não fizermos todos os movimentos corretamente, corremos o sério risco de passar vergonha na quadra. Precisamos, por isso, usar alguns expedientes que vamos discutir neste capítulo. Aí o golpe sai como desejamos e podemos comemorar a conquista de mais um ponto, além de levantar a torcida na arquibancada.

Há basicamente dois tipos de *smash*. O mais tradicional é aquele quando subimos à rede para aproveitar uma bola jogada alta pelo nosso adversário e nos posicionamos para pegá-la em cheio, sem deixá-la quicar na quadra.

Para executarmos bem esse golpe, o primeiro procedimento é ficarmos exatamente embaixo da bola. Se esticarmos o braço com o qual não jogamos (no caso do canhoto, o direito; no caso do destro, o esquerdo), ele deve ficar bem embaixo da bola. Vejo que muitos jogadores, nesse momento, acabam ficando longe da bola, ora atrás dela, ora um pouco na frente e às vezes ao lado. Esse equívoco acaba dificultando muito a execução do *smash*. O correto é ficarmos bem embaixo da bola.

A segunda questão é como devemos mexer nossas pernas até nos colocar embaixo da bola. Só podemos parar essa movimentação quando estivermos bem colocados, no ponto certo. Se pararmos de mexer antes as pernas, perdemos o equilíbrio corporal, pois não alcançaremos mais a bola, que vai estar mais à frente, ao lado ou atrás. E é aí que acabamos nos complicando. Uma boa dica, nesse caso, é mexermos bastante os pés, em passos curtos e rápidos. Evite passos longos e não faça paradas no meio da corrida.

Outro detalhe interessante é nos posicionar um pouco de lado em relação à bola. Estamos em baixo dela, mas nosso corpo está ligeiramente de lado, se tomarmos como referência as linhas laterais da quadra. É mais ou menos como se estivéssemos sacando. A diferença entre o saque e o *smash* é que no segundo estamos nos mexendo o tempo inteiro pela quadra, e a bola está viva. Já no saque estamos parados e podemos jogar a bola onde desejarmos.

O último aspecto importante para um bom *smash* é jogar a bola com um pouco de *slice*. Não precisamos queimá-la. Devemos escolher o lado em que vamos atacar, não nos preocupando muito com nosso adversário. É indiferente se ele vai sair para lá ou para cá. Na hora em que a bola estiver no alto, esperamos o momento certo para pegá-la de *slice*, batendo um pouquinho de lado nela. Assim conseguimos dar mais precisão ao nosso golpe.

O segundo tipo de *smash* é aquele feito em dois tempos. Quando a bola vem muito alta, muitos jogadores preferem esperar que ela dê uma quicada no chão, para só depois subir e bater. Isso acaba facilitando muito a aplicação do golpe. Essa bola que você pega de primeira lá no alto é mais difícil e arriscada. O *smash* requer muito treinamento para ser bem executado.

Sempre que possível, deixe a bola primeiro quicar na quadra e só depois bata nela. E como fazemos isso? Da mesma maneira como damos o *smash* tradicional. Ou seja, após deixar a bola quicar, ela vai subir novamente. Aí nos colocamos embaixo dela, colocamos o ombro na frente outra vez e estendemos o nosso braço. Precisamos mexer nossas pernas até o último momento, quando chegamos ao ponto exato da batida. Se possível, aplicamos o golpe com um pouco de *slice*. Não tem muito segredo. Quem consegue fazer o *smash* tradicional, consegue fazer esse também. Em ambos é necessário respeitar os três ou quatro procedimentos-padrão antes de bater na bola.

Essa é uma bola importante. Ela dá muita moral para quem consegue aplicá-la bem, mas também tem a propriedade de afundar mentalmente o jogador quando ele a erra. Afinal, ele preparou o ponto inteiro para chegar na hora do *smash*, e aí é só meter a mão na bola. Todo mundo acha que é fácil e ninguém percebe a quantidade de movimentos sincronizados que são necessários para o golpe ser bem executado.

Meligeni treinando em 2007.

Para mim, o grande tenista da minha época que sabia dar um *smash* perfeito, ou beirando a perfeição, era o Andre Agassi. Eu jogava a bola altíssima para ele, para me defender, e ele a deixava quicar na quadra. Colocava-se, então, embaixo dela e metia a mão quase sempre dando *winner* para tudo quanto era lado. O Agassi era um cara que usava muito bem essas bolas.

Normalmente, os jogadores de duplas e aqueles que jogam muito na rede têm mais facilidade de aplicar um *smash* ou um *overhead* do que os caras que jogam no fundo da quadra, como eu jogava. Não conte a ninguém, mas eu tinha dificuldade para dar *smash*. Acabava parando minhas pernas antes do tempo. Também não conseguia, muitas vezes, ficar bem embaixo da bola. E, com isso, acabava me complicando na hora de bater. Não é coincidência, portanto, que eu tenha errado muitos *smashes* importantes e considerados fáceis em momentos decisivos de grandes jogos. Isso acabava me abalando psicologicamente.

Não cometa você esse erro também. Treine bastante o golpe em suas sessões de treinamento para você se tornar um especialista em *smash*. Faça-o ficar fácil. Aí você conseguirá meter a mão na bola sem medo, fazendo um buraco no chão. Mostre para o seu adversário que ele não pode levantar a bola para a sua quadra em hipótese alguma. Se ele levantar, você fará numerosos buracos no solo.

DICA 13

Quando usar o *slice*?

Vamos entrar agora no mundo dos *slices*. Você sabe quando é a hora de usar um *slice*? Você sabe para que ele serve? Em minha opinião, esse golpe tem duas finalidades: servir de variação de jogada e ser um recurso de defesa. Vamos analisar as duas questões.

Gosto muito do *slice* como opção para a variação das jogadas. Acredito que nosso tênis cresce e incomoda mais nossos adversários quando conseguimos variar mais o jogo. Acabamos nos tornando, assim, mais imprevisíveis. O *slice* é um golpe que pode surpreender nosso oponente.

Gosto muito quando o jogador está jogando bem e tem um bom ritmo de jogo, batendo na bola tanto de direita quanto de esquerda, e aí a bola vem para o nosso lado, e damos um *slice*. Com isso, quebramos complemente o ritmo dele. O grande mestre em fazer isso é o Roger Federer. Ao darmos o *slice*, a bola fica um pouco mais baixa, perde velocidade e se torna difícil de ser batida. Nosso adversário, além de ter uma rebatida complicada, não pode meter a mão na bola. É a hora em que ele tem de enroscar mais e pegar um pouquinho mais de *spin*. Essa bola volta mais fácil para o nosso lado. Aí podemos atacar. Óbvio que se dermos um *slice* flutuador, um *slice* beija-flor, aí nosso adversário provavelmente vai atacar. Vamos partir, porém, do princípio que demos uma bola na cruzada e aplicamos um *slice* baixo. Nessa bola, o nosso adversário vai ter de jogar para cima. Ele não vai poder nos atacar. Por isso, sempre depois de darmos um bom *slice*, devemos atacar na bola seguinte.

A variação das jogadas, em especial quando inserimos o *slice* no conjunto de golpes aplicados, acaba tornando o jogo mais difícil para o nosso adversário. Ao aplicarmos o *slice*, ele precisa deixar a bola quicar na quadra. Com isso ela perde velocidade e torna-se uma bola lenta. Então em seguida mandamos uma bola rápida. Essa variação no ritmo cria um grande desconforto para o nosso adversário, que fica sem saber o que virá em seguida. Se vier um *slice*, ele terá de segurar a mão. Se vier uma bola rápida, terá de bater de outra maneira. Se a bola sobrar, precisa bater. Todas essas múltiplas possibilidades forçam o outro tenista a pensar muito no meio do ponto, confundindo-o e forçando-o a errar.

Outra possibilidade é usar o *slice* como ferramenta de defesa. O adversário nos atacou na nossa esquerda e parece estar no controle do ponto. Nesse momento, damos três ou quatro passos para o lado e aplicamos um *slice*. Com isso, a bola volta para o outro lado mais devagar e mais baixa. Temos, portanto, tempo de regressar à nossa posição original e de nos posicionar melhor para a próxima bola. Além disso, diminuímos o ímpeto ofensivo do nosso oponente. Dificilmente ele poderá nos atacar na próxima bola com tanta intensidade.

O *slice* também serve para todos os instantes em que chegamos muito mal na bola. Sabe aquela boa que vem na nossa esquerda e estamos com o corpo meio desequilibrado para devolver? Dependendo do golpe que formos dar, a bola acaba flutuando, e damos toda a quadra para nosso adversário atacar. Assim, ao usarmos o *slice*, ganhamos tempo para nos restabelecer.

Para dar um bom *slice*, precisamos treinar muito. Peça a seu treinador para orientá-lo e aumentar o número de exercícios dedicados a esse golpe. E lembre-se: o *slice* é feito com a empunhadura continental. Quanto mais continental, mais fácil será a batida. Peça para algum amigo ou colega de treino ajudá-lo a praticar. Fale para ele ficar a um passo da linha do meio e mandar a bola lá longe para você. Você corre, dá aquela escorregada, se estiver no saibro, e manda o *slice*. Se estiver na quadra rápida, você se posiciona e dá o *slice* cruzado. Esse golpe como defesa é excelente. Se você dá o *slice* cruzado, a próxima bola do seu adversário será provavelmente na paralela. Ou seja, ela não fugirá tanto de você. Assim, você não precisará correr muito na próxima jogada, podendo ser um pouco mais agressivo. Por outro lado, se você se defender com uma esquerda na paralela, a próxima bola do seu adversário será uma cruzada. Ou seja, a bola tende a escapar de você. Você terá mais dificuldade para chegar nela e terá de correr mais, dificultando o próximo golpe. Opte pelo *slice* cruzado, mesmo que a bola vá para a direita do cara. Se você jogar essa bola baixa, ele terá dificuldade de entrar por baixo e dar um *winner* na paralela. É uma bola de alto risco para ele. De certo modo, você o estará forçando ao erro.

Há algumas outras utilidades para o *slice*. No *approach*, por exemplo, temos aquela bola alta em que podemos entrar e dar um *slice* cortando aquele spinzão. É verdade que se trata de uma bola muitíssimo difícil de aplicar. O Roger Federer vive tentando usá-la contra Rafael Nadal e não consegue. Se ele tem dificuldade, imagine a gente...

Gostou das dicas sobre o *slice*? Preparado para usar e abusar desse golpe tanto nas suas defesas quanto nas suas variações de jogadas? Treine essa jogada e veja o quanto ela pode ajudá-lo durante os jogos.

DICA 14

Como se faz a aproximação (*approach*)?

Agora vamos falar do *approach*, aquele golpe de aproximação à rede que diminui os ângulos do adversário e, muitas vezes, antecede a aplicação do voleio.

A primeira questão que precisamos entender é quando o *approach* é recomendado. Ele é, normalmente, indicado depois de uma troca de bolas em que nosso adversário deixou a bola mais curta. Aí corremos para frente para aproveitar e atacar. Assim, o melhor *approach* é aquele realizado após a sobra de uma bola. Damos aquela corrida em direção à rede, preparando o voleio que virá na sequência. Para esse voleio ser executado de maneira mais fácil, temos de ser um pouco mais contundentes no nosso *approach*.

Existem aproximações que são mais agressivas e existem aquelas mais conservadoras. Patrick Rafter, Tim Henman, Peter Sampras, Boris Becker e Stefan Edberg, por exemplo, são jogadores mais agressivos. Como eles vivem ou viviam mais do jogo de rede, eles acabavam dando o *approach* com mais frequência, não se preocupando tanto em jogar a bola mais no fundo. Os tenistas de fundo de quadra são geralmente mais conservadores. Eles preferem fazer o *approach* apenas nas bolas mais fáceis, não se arriscando a subir à rede quando o ponto ainda está em aberto.

Outra maneira eficiente de realizar o *approach* é quando obrigamos o nosso oponente a dar dois ou três passos para realizar a passada. Se ele bate paradinho, vai ter uma facilidade muito grande de nos passar. Se não consegue bater tão na mão, acaba ficando mais difícil para ele. Dessa maneira, é importante percebermos em que lugar mandamos a última bola antes do *approach*. Se mandamos uma cruzada de direita, imaginando que somos destros, tiramos nosso adversário, e a bola sobrou de novo na nossa direita. Onde subir? Se jogarmos de novo na direita dele, ele vai estar parado lá. Portanto, jogamos do outro lado, obrigando o outro tenista a dar três, quatro passos para bater essa bola na corrida. Fazemos a aproximação e fechamos a rede. Esse *approach* não precisa ser uma bola tão arriscada, tão pesada e tão perto da linha. Devemos, nesse caso, ter uma margem de segurança e ficarmos prontos para dar o primeiro voleio.

Já se o nosso adversário estiver mais no meio da quadra, acabamos gerando um pouco mais de força, dando mais de *topspin*, abrindo um pouco mais de ângulo ou usando o *slice* com mais eficiência.

O grande segredo não está apenas no *approach* em si, mas em como nos colocamos em quadra após a aproximação à rede. Se formos reparar nos tenistas que voleiam muito bem, notamos que eles se posicionam com maestria ao fazer o *approach*. Eles fecham muito bem a quadra, dificultando a vida dos adversários. Se dão um *approach* na paralela, vão basicamente atrás da bola, fechando aquele ângulo do rival.

É impossível quando subimos à rede fecharmos todos os ângulos, não deixando nenhum buraquinho em nossa quadra. O que podemos fazer é diminuir ao máximo as opções do adversário. É isso que significa fechar a quadra para o oponente. Se abrirmos a bola e jogarmos o nosso adversário para fora da quadra, por exemplo, é óbvio que teremos de fechar um pouco mais a paralela. Se jogarmos a bola mais no meio, não podemos fechar tanto a paralela porque, dessa maneira, vamos deixar toda a quadra aberta. Esse é um golpe mais complicado, pois além de realizarmos muito bem o *approach*, temos de nos posicionar muito bem também.

Só vamos compreender as dificuldades e as vantagens do *approach* se subirmos à rede. Admito que tinha muita dificuldade de realizar essa aproximação. Era do estilo mais conservador, preferindo subir apenas quando a bola estivesse realmente na minha mão. Não voleava tão bem de baixo para cima, gostava mais de volear de cima para baixo. Então esperava o momento certo. E essa é uma dica importante para quem tem essas mesmas dificuldades: suba na hora certa se você não voleia tão bem. Se você é um mestre no voleio, excelente, não está mais aqui quem falou. Se você é um jogador ou uma jogadora que, como a maioria, tem grandes dificuldades para realizar esse golpe, opte pela troca de bolas. Mande a bola de um lado para o outro. Prepare o ponto, esperando o momento em que a bola vai sobrar. Obrigue seu adversário a correr bastante e, com isso, a chegar mal a este *approach*. O resultado é a bola sobrar alta para você volear. Aí, seja incisivo e firme.

Outro aspecto importantíssimo que faz toda a diferença na aproximação é a escolha do momento certo para realizá-la. Uma boa dica é compreender que para darmos o *approach* normalmente precisamos estar dentro da quadra. Não fazemos uma aproximação quando estamos dois ou três passos atrás da linha. Quando damos o *approach*, precisamos estar com um ou dois passos dentro da quadra. Assim, por estarmos mais próximos da rede, a distância até a linha de fundo do outro lado fica menor, se compararmos a distância de quando estamos fora da quadra. Tomemos cuidado para não bater esta bola com a mesma força. Vamos dar um pouquinho mais de *topspin*. Ou podemos colocar um tantinho mais de veneno se dermos o *slice*.

Acredito que com essas dicas você conseguirá melhorar o seu *approach*. Pronto para colocá-las em prática? Vá para a quadra e exercite o fundamento no seu dia a dia.

DICA 15

Como dar um bom *drop shot*?

Já falamos aqui nas *6/0 Dicas do Fino* de tantos golpes: batida de direita, batida de esquerda, voleio, saque, devolução, *smash*, *slice* e *approach*. Vamos tratar agora do *drop shot*, aquela curtinha que damos para surpreender nosso adversário. Como gostava desse golpe quando jogava! Em particular quando mandava antes uma bola bem alta no fundo da quadra. Aí ela retornava para a minha quadra, eu ameaçava bater de direita bem forte e, de repente, saía uma curtinha. Ponto para Meligeni e aplausos da torcida!

A primeira questão relevante a ser discutida é sobre a utilidade da curtinha. Para que ela serve, afinal? Esse golpe deve ser usado como mais um recurso de variação de jogadas. Assim como o *slice* e a bola alta, por exemplo, o *drop shot* também serve como variação e visa surpreender o oponente. Estrategicamente falando, essa é uma jogada muito importante. Afinal, nosso adversário não pode saber o que vamos fazer em quadra: se vamos bater de *topspin*, se vamos jogar alta, dar um *slice* ou bater reto. E a curtinha é mais um dos ingredientes daquela caixa de ferramentas que temos, cheia de golpes dentro. Esse é o tipo de jogada que vai minando a cabeça do nosso adversário. Ele não sabe o que vem e a que horas que vem. E se for bem utilizada, acabamos ganhando muitos pontos.

O grande segredo da curtinha é conseguirmos escondê-la até o último instante. Se já sairmos correndo com a empunhadura, mostrando para o outro jogador o que vamos fazer, ele vai correr antes em direção à rede e vai chegar à bola sem muito problema. Aí não conseguiremos o ponto.

Para executar um bom *drop shot* precisamos nos ater a dois elementos: o momento certo de aplicá-lo e a técnica de execução. Se respeitarmos esses aspetos, a partir de amanhã ou logo mais já poderemos utilizar a curtinha nos jogos com bom índice de acerto.

Vamos começar falando da técnica. Gostava de mudar a minha empunhadura para dar a curtinha. Não conseguia aplicá-la com a empunhadura que batia normalmente a maioria dos golpes, que era mais virada, como eu dava de *topspin*. Para o *drop shot*, eu usava mais a continental. Gostava de ameaçar a batida de direita, armava-a como se fosse um golpe normal e, na última hora, eu mexia na minha empunhadura, trocando-a para a continental, e soltava a curtinha.

Saber o momento certo de mudar a empunhadura é uma dificuldade que quase todo jogador tem quando vai desferir esse golpe. Afinal, não se pode retardar demais a troca, pois assim o *drop shot* pode sair prejudicado. Também não se pode antecipar muito a troca de empunhadura, senão o adversário perceberá nossas intenções. O instante certo é aquele em que há tempo para se aplicar um bom golpe, mas não dá tempo para o adversário reagir. Por mais que ele corra em direção à rede, não conseguirá alcançar a bola.

O toque da raquete na bola precisa ser bem delicado. O tenista precisa ter muita sensibilidade para mandar a bola bem perto da rede. Além disso, é legal aplicar o golpe com um pouco de *slice* para a bola ganhar algum efeito. Nesse caso, é preciso pegar mais por baixo da bola, tirando um pouco da força. A bola vai girar, com mais efeito, e percorrer um caminho mais curto até a quadra adversária.

O enredo da curtinha é sempre muito parecido. A bola passa da rede vinda do nosso adversário em nossa direção. Armamos para bater de *topspin*, uma bola normal, como se fôssemos quebrar a bola ao meio. A bola quica em nossa quadra e se aproxima do nosso corpo. Nesse instante, mudamos a empunhadura e damos a curtinha. Não existe uma técnica tão diferenciada de um jogador para outro para executar esse golpe.

A curtinha de direita normalmente deixa o nosso adversário sem saber o que fazer. Como estamos ameaçando bater forte na bola, ele dá um passo para trás, preparando-se para devolver a pancada. Essa é a hora da variação repentina de jogada. O cara está esperando uma bola forte, e damos uma curtinha bem junto à rede. Se o golpe for bem aplicando, ele não conseguirá chegar por mais que corra desesperadamente atrás da bola. Algumas vezes, nem vai até bola, já sabendo que não conseguirá chegar.

Gosto muito da curtinha na paralela. Por que a curtinha na paralela? Porque estamos, desta maneira, melhor colocados para aplicar o golpe. Se dermos uma curtinha na cruzada, estaremos abrindo um pouco de ângulo para o nosso adversário. Fica, portanto, mais difícil fechar a quadra. Antes de dar o *drop shot*, eu normalmente jogava uma bola alta ou uma bola bem angulada. O adversário devolvia a bola flutuando. Eu ameaçava bater e dava a curtinha na paralela. Essa era uma jogada de que eu gostava muito.

A curtinha de esquerda tem basicamente as mesmas características. Eu tinha, contudo, alguma dificuldade para aplicá-la. Por quê? O meu adversário já não corria para trás quando eu batia de esquerda. Esse nunca foi um bom golpe meu. E quando eu dava de *slice*, normalmente meu adversário chegava um pouquinho mais perto da linha de fundo, pois já sabia que a bola não viria muito forte. Então a surpresa da curtinha não seria tão grande nessas condições. Nesse caso, não valia a pena eu aplicar o *drop shot*.

Quando o tenista tem uma boa esquerda, a curtinha de esquerda passa a ser um golpe interessante. Gostava muito de ver a curtinha de esquerda do Guga. Como o *backhand* dele era poderoso, ele armava muito bem esse golpe e escondia até o último segundo o *drop shot*. Aí ele quebrava o pulso e dava a curtinha quando o adversário menos esperava.

E quando devemos dar o *drop shot*? Qual é o melhor momento para o golpe? A resposta é: quando nosso adversário não está esperando e quando ele está no fundo de quadra. O uso excessivo da curtinha faz com que nosso adversário comece a jogar um pouco mais perto da linha. Nós estudamos nossos adversários e sabemos que esse é um jogador que dá muito *drop shot*, aquele não dá tanto, e o outro ali dá curtinha apenas de direita. De certa maneira, quando estamos há algum tempo no circuito, conhecemos nossos rivais e eles passam a nos conhecer bem. Se ficarmos aplicando o *drop shot* o tempo inteiro, tanto em jogo quando nos campeonatos, o fator surpresa desaparece. Também devemos priorizar as jogadas em que nosso adversário estiver no fundo da quadra. Assim, fica complicado para ele correr até a rede e devolver a bola. Quanto mais fora da quadra ele estiver, melhor.

Minha curtinha sempre foi venenosa porque eu sempre treinei esse fundamento. Esta é uma dica legal: treine regularmente o *drop shot*. Muitos tenistas acabam se esquecendo desse golpe no dia a dia de treinamentos e, quando precisam aplicá-lo na hora do jogo, não conseguem. Eu gostava de treinar a curtinha.

Pedia para o meu treinador mandar sempre três, quatro bolas e a última sempre era a curtinha, como se fosse uma bola de definição de jogada, para matar o ponto. Eu jogava a primeira bola na cruzada de direita, a segunda um pouco mais alta, a terceira abria de novo na cruzada e a quarta bola, que sobrava no meio da quadra, armava como se fosse bater forte e no final dava a curtinha. O treinamento recomeçava, e lá íamos para uma nova jogada. Eu jogava uma cruzada, mandava uma alta, abria o ângulo do meu adversário e de novo uma curtinha. Esse treinamento constante fazia com que eu tivesse muita confiança em aplicar o golpe na partida. Ao treinar muito um determinado fundamento, acabamos naturalmente adquirindo muita certeza de que iremos acertá-lo no jogo. Por isso, treine também a curtinha. Não se esqueça dela.

Pronto para dar aquela curtinha para surpreender seu adversário, matar a jogada, ganhar o ponto e levantar a torcida? Treine bastante que na hora da partida esse golpe sai naturalmente e com grande precisão.

DICA 16

Quais são as opções de posicionamento em quadra?

Ao assistirmos aos jogos dos principais tenistas do mundo nos torneios mais badalados, acabamos aprendendo bastante sobre o posicionamento em quadra. Você já reparou como os grandes jogadores atuam? Gosto de ver e analisar o posicionamento deles. Há atletas que preferem jogar um pouco mais atrás da linha, trocando mais bolas, como Rafael Nadal e Sara Errani. Existem os tenistas que optam por jogar mais perto da linha, com uma postura mais agressiva e tentando matar logo o ponto, como Jo-Wilfried Tsonga e Victoria Azarenka. Um tenista que mescla um pouco mais, jogando tanto atrás como na frente da linha é Stan Wawrinka. Federer, por sua vez, tem uma postura diferenciada, tentando ir sempre para a bola, indo lá para frente. Com tanta gente fazendo coisas diferentes, é comum nos perguntarmos: "Afinal, qual é o melhor lugar para ficarmos na quadra? Como podemos nos posicionar melhor?". Se você tem dúvidas a esse respeito, esta dica foi feita para você.

Se você é um cara muito agressivo, que joga muito reto e que não gosta de ficar trocando bolas com seu adversário, jogar muito atrás pode prejudicá-lo. Se você, por outro lado, for um jogador mais conservador, que bate com efeito na bola e prefere as trocas de bolas, atuar mais à frente pode dificultar o seu jogo. Normalmente, quem fica dois, três passos atrás da linha de base são tenistas que jogam com muito *topspin* e gostam da correria. Quem fica mais perto da linha

Torneio máster do
ATP Champions Tour de 2007.

geralmente são jogadores que mandam as bolas retas e as pegam de cima para baixo. Essa não é uma regra, é apenas uma constatação do que é mais comum.

O grande segredo do tênis é a variação de onde nos colocamos. Também precisamos fazer a leitura correta do comportamento do nosso adversário. Onde ele fica e como se comporta é fundamental para a parte estratégica do jogo. Jogamos uma bola aberta, e nosso adversário chega e manda de *slice*. O ideal é nos aproximar mais da linha para rebater, porque dessa maneira a bola vai flutuar e virá mais devagar para o nosso lado. Agora, se jogarmos uma bola no meio da quadra e o cara tomar posição para atacar, o melhor a fazer é darmos rapidamente dois ou três passos para trás e nos preparar para defender. Assim teremos mais tempo para chegar na bola, que virá rápida, e nos defender. Na quadra rápida, é normal jogarmos um pouco mais perto da linha. Como não conseguimos escorregar, precisamos estar um pouco mais dentro da quadra para chegar bem nas bolas. Se não fizermos isso, nossas bolas vão sem muita pimenta, sal, molho de tomate, mostarda ou qualquer outro tipo de tempero que você preferir.

É legal sempre repararmos onde estamos jogando. Paremos, de vez em quando, para analisar a que distância da rede ou da linha do fundo da quadra atuamos. No saibro é até mais fácil, pois deixamos nossos rastros e nossas pegadas na terra. Na grama e na quadra rápida temos que avaliar intuitivamente a nossa posição. A pergunta que precisamos nos fazer constantemente é: "Estou muito atrás ou muito à frente?". Às vezes, estamos muito dentro da quadra e falamos para nós mesmos: "Nossa! A bola está vindo muito rápida!". Precisamos recuar um pouco. Um posicionamento de que gosto muito é a dois passos, dois passos e meio da linha. Quando sentimos que estamos com dificuldades para alcançar as bolas, chegando sempre atrasados, normalmente precisamos avançar um pouco para diminuir o tamanho da quadra.

Outra dica interessante é analisar, depois de dois ou três games disputados, onde estamos mandando as bolas. Além de avaliar onde estamos ficando, precisamos conferir em que lugar nossa bola está quicando na quadra adversária. Dê uma olhada se ela está indo no meio ou se está sendo mais angulada. Veja se está saindo profunda ou se está mais curta. Novamente, o saibro nos ajuda a verificar essa questão.

Perceba que o posicionamento em quadra está intimamente relacionado ao aspecto tático do jogo. Se você é um tenista que gosta de avaliar estrategicamente seu jogo, precisa fazer constantemente essa leitura da partida. Entender onde estamos e o que fazemos em quadra nos ajuda a evoluir no nosso jogo e vencer confrontos difíceis. Pense nisso!

PARTE III
Tênis é estratégia

DICA 17

Qual é o seu estilo de jogo?

Você tem um estilo de jogo definido? Saberia me informar quais são suas principais características em quadra? Ter um estilo de jogo é algo muito importante para um tenista. Há aqueles que são mais agressivos, têm os que jogam mais nos erros dos adversários, há aqueles que se inspiram na escola tcheca, os que preferem atuar em cima da linha e jogar bem reto, os que mandam as bolas com *slice* etc. Encontrar sua própria maneira de jogar é o primeiro passo para se tornar um jogador competitivo. Essa regra é válida para todos os tenistas. Precisamos ter e conhecer nosso estilo de jogo.

O meu estilo era claro. Jogava três ou quatro passos atrás da linha, era um jogador que corria muito, que jogava com bastante *topspin*, rotação de bola alta, esperando a bola chegar e jogando muito de direita, fugindo o tempo inteiro da esquerda, o meu ponto fraco. Era especialista em saibro e tinha muita dificuldade na grama.

Ao saber como normalmente jogamos, podemos fazer algumas alterações em nossa proposta de jogo a partir das necessidades específicas da partida. Pare um pouco para pensar e tente definir seu estilo. Como você joga a maior parte do tempo? Qual é o seu DNA esportivo? A partir da nossa autoanálise, começamos a entender se estamos realizando bem nosso papel em quadra ou se estamos com dificuldades. Também é possível fazer previsões em relação às nossas próximas partidas. Conhecendo nosso jogo e conhecendo o perfil dos nossos adversários, conseguimos esboçar estratégias vencedoras.

É importante perceber que não existe um estilo certo ou errado. Basta olhar o ranking mundial, tanto masculino quanto feminino, para constatarmos isso. Há Rafael Nadal e David Ferrer que jogam de uma maneira. Temos o Novak Djokovic e Andy Murray que jogam de forma parecida, mas totalmente diferente dos dois primeiros. Roger Federer é um jogador totalmente versátil, diferente dos outros. Jo-Wilfried Tsonga possui um estilo bem específico de atuação. Ivo Karlović, por sua vez, tem uma proposta de jogo bem diferente do Tsonga e do Federer. E assim vamos... Cada jogador tem sua maneira própria de atuar.

A partir da identificação do nosso perfil, precisamos realizar o melhor tipo de jogo a que nos propomos. Se somos jogadores de fundo de quadra, gostamos de trocar muitas bolas com os nossos adversários. Com isso não podemos errar muitas jogadas. Do contrário, cederemos muitos pontos de graça para o oponente, dificultando nossa vitória. Nossos pontos virão, nesse caso, depois da quarta, da quinta bola. Precisamos construir as jogadas a partir dessa maneira de jogar e de buscar os pontos. Se formos jogadores mais agressivos, deixaremos o fundo de quadra e não aceitaremos as longas trocas de bola. Vamos subir mais à rede e tentaremos definir as jogadas nos primeiros pontos. Vamos assumir mais riscos e será normal errar mais.

Jogar respeitando nossas características é essencial, em particular nos momentos decisivos da partida. Nessa hora, precisamos dar o nosso melhor; e o nosso melhor está ligado geralmente ao nosso perfil de jogo, como estamos acostumados a atuar. Não adianta um cara como o Karlović, na hora do "vamos ver", querer jogar no fundo de quadra, trocando bola. Ele vai errar muitas bolas e perder o ponto, o game, o set e, por fim, a partida. Ao mesmo tempo, não adianta um cara como o Ferrer, que joga no fundo de quadra, querer ficar sacando e voleando. Ele não está acostumado a fazer isso e, provavelmente, errará muitas bolas, vendo a vitória escapar. Ao abandonarmos nossos pontos fortes e a maneira como estamos habituados a jogar para atuar de um jeito atípico, nosso desempenho tende a cair sensivelmente. Afinal, não estamos acostumados a treinar e a jogar daquela maneira.

Infelizmente, muitos tenistas não conseguem definir seu perfil de jogo, desconhecendo suas melhores jogadas e no que podem se agarrar nos momentos decisivos da partida. Isso é mais comum com a molecada que está começando a jogar e a competir. Eles gostam de ficar dando pancada na bola e se concentram apenas em sentar o braço, como se isso fosse o mais importante para vencer. Ao atuar sem uma personalidade própria, eles dificilmente chegarão a algum lugar. Para jogar em alto nível, é preciso ter uma cara definida. O estilo de jogo é nossa identidade, nosso DNA e nosso rosto em quadra.

Se pegarmos, por exemplo, a Serena Williams, sabemos exatamente como ela atua em quadra. Seu comportamento típico é: sacar a primeira bola e devolver em primeira bola, sendo agressiva no começo dos pontos e jogando a bola

TÊNIS É ESTRATÉGIA

normalmente para baixo, jamais para cima. Ela geralmente não corre muito, usando mais a força para definir os golpes. Essa é a sua maneira de jogar. Se pegarmos Francesca Schiavone, vemos uma forma totalmente diferente de atuação. A italiana é uma jogadora que corre muito mais, bate para cima e gosta de trocar bolas com as adversárias, "remando" o tempo inteiro para ganhar seus pontos.

Repito a pergunta: qual o seu estilo de jogo? Se você ainda não descobriu suas principais características, como você fará para treinar e para evoluir nesses elementos? Como não podemos ser excelentes em tudo, precisamos priorizar algo. Devemos concentrar nossos esforços de aprimoramento exatamente nos pontos em que temos mais facilidade. Temos de ser ótimos em algumas jogadas, pois o nosso jogo ficará sólido e consistente quando tivermos uma cara própria em quadra.

Quando começamos a conhecer o nosso jeito de jogar e sabemos o que fazemos bem e o que fazemos mal, tudo parece clarear em nossa mente. Se soubermos que não sacamos bem, para que ficar tentando *aces* durante os primeiros serviços? Não faz sentido! O melhor é dar um saque que prepare a primeira bola que será mandada para a nossa quadra. Se soubermos que não corremos muito pela quadra, para que optar pelas longas e lentas trocas de bolas no meio da quadra? Novamente, não faz sentido. O melhor, nesse caso, é ser mais agressivos e atacar mais nossos adversários, procurando definir o ponto logo.

Esses pequenos detalhes fazem uma diferença absurda durante a partida e podem representar a vitória ou a derrota de um tenista. Identificar e, principalmente, respeitar as características dos jogadores os torna mais competitivos. Costumo falar que no tênis entre setenta e oitenta por cento do jogo é igual. Se apegar a esse padrão é o ganha-pão do tenista. É o seu dia a dia. O cara que saca e voleia faz isso setenta, oitenta por cento das vezes. A menina que atua no fundo de quadra jogará setenta, oitenta por cento das vezes dessa maneira. As variações acontecem e são importantes. Mas variações, como o próprio nome diz, devem ser realizadas de vez em quando. Se fossem usadas sempre, não seriam alternativas para o jogo-padrão. Elas são como ramificações dentro do jogo principal do atleta.

Aceitemos nossas características, treinemos para melhorá-las e acreditemos na nossa maneira de atuar. Por que quando o jogo chegar no 4 a 4, no 40/40, precisaremos nos prender a algo. E a melhor opção é jogar como estamos mais acostumados. Se abandonarmos isso, vamos perder. Se não priorizarmos determinadas características e não buscarmos aperfeiçoá-las, perderemos os jogos por detalhes. Esse é um dos principais motivos de sermos derrotados por 6 a 4 e 6 a 4 ou por 7 a 6 e 7 a 6. O que faltou? Faltaram detalhezinhos aqui e ali. Se tivéssemos treinado e melhorado aquilo que já fazemos bem, poderíamos ter ganhado os confrontos mais equilibrados e difíceis.

E aí, qual o seu estilo de jogo?

DICA 18

Quais são as principais opções táticas do jogo?

Você é um jogador mais tático, que se preocupa com as estratégias e as variações de jogo dentro de uma partida, ou você é um peladeiro, que joga de qualquer jeito sem se preocupar muito com o que está acontecendo em quadra?

Ao enfrentar um adversário, precisamos planejar o que vamos fazer. A tática escolhida depende, basicamente, de duas variáveis: conhecer e entender que tipo de jogador nós somos e olhar para o nosso adversário e compreender que tipo de jogo ele faz. A partir daí estamos em condições para traçar as melhores estratégias para a partida.

As opções táticas dos tenistas e o perfil de jogo de cada um respeitam alguns padrões predefinidos. Há, por exemplo, os jogadores que sacam e voleiam a maioria das bolas. Esse é um estilo extremamente agressivo que está em extinção no circuito profissional. Hoje em dia, são pouquíssimos atletas que sacam e voleiam durante a partida inteira ou durante boa parte dos games. A principal razão para o desaparecimento desse tipo de jogador está nas mudanças de velocidade das quadras e das bolas impostas pela ATP e pela ITF (Federação Internacional de Tênis) nos últimos anos.

As bolas estão cada vez mais pesadas, e as quadras estão mais lentas. O objetivo disso é tornar o jogo mais interessante para o público que assiste às partidas nas arenas e pela televisão. O efeito colateral mais imediato dessas ações é, portanto, o desaparecimento dos tenistas que usam a tática do saque e voleio. Com as quadras mais lentas e a bola perdendo velocidade ao quicar, torna-se inviável chegar o tempo todo na rede. Assim, tenistas como Tim Henman, o próprio Stefan Edberg, Max Mirnyi e Boris Becker, que moravam junto à rede, desapareceram completamente nos últimos anos.

Outra opção tática é a escola do Leste Europeu. O jogador, nesse caso, gosta de atuar mais em cima da linha. A bola é jogada o tempo todo mais reta, chapadona, batida de cima para baixo e sem *topspin*. Temos nesse grupo de tenistas sérvios, croatas, eslovacos, russos e eslovenos. Os jogadores e as jogadoras desses países jogam quase todos dessa maneira. Eles evitam recuar e atuar de maneira mais defensiva. Existem aqueles que acabam se adaptando e jogando um pouquinho mais para trás, mas mesmo assim continuam jogando a bola de modo reto, chapado.

Novak Djokovic é um bom exemplo de tenista que joga atualmente de acordo com essa concepção. Lá atrás, na minha época de profissional, todos os tchecos jogavam assim: o Jiří Novák e Dominik Hrbaty são os mais famosos. Os eslovacos, como o Karol Kučera, também tinham tais características. Vários russos, e Yevgeny Kafelnikov é um bom exemplo, também jogavam assim.

A escola do Leste Europeu tem uma maneira muito agressiva de jogar. Ela é indicada em especial para jogadores que estão mais acostumados a jogar em superfícies velozes e se tornou praticamente a sucessora moderna da tática de saque e voleio, tão em desuso ultimamente, como já falamos. A tática da escola do Leste Europeu é normalmente usada por jogadores que não sacam tão bem e não são tão altos. São tenistas que se mexem muito em quadra, que usam a força do adversário e que gostam de encurtar o tempo do oponente.

Temos também os tenistas de saibro que jogam no fundo de quadra. Eles gostam de ficar dois ou três passos atrás da linha. Dentro desse grupo, existem dois estilos diferentes de jogo. Temos os jogadores mais defensivos, que jogam com muito *topspin* e gostam de muitas trocas de bola. É a filosofia espanhola. Àlex Corretja, Sergi Bruguera e Albert Costa eram adeptos desse tipo de atuação. Eles jogavam quatro passos atrás da linha, metendo muito *topspin*, com a bola um pouco mais alta da rede, tentando errar o menos possível e correndo muito. De certa maneira, essa também foi minha estratégia de jogo durante toda minha carreira profissional.

Existe também o jogador de saibro que, apesar de jogar atrás, gosta de meter mais a mão na bola. Mesmo sendo um tenista de fundo de quadra, ele também é um jogador que roda a bola, mais agressivo. Aí temos uma gama grande de tenistas. Guga era um jogador assim. O chileno Fernando González sempre jogou dessa maneira.

A partir das opções mais clássicas, vamos dizer assim, temos as adaptações que alguns jogadores fazem, conferindo particularidades para a sua forma de atuar. Roger Federer é um bom exemplo disso. O próprio Marcelo Ríos, que jogava muito dentro da quadra, mas sabia também jogar um pouco mais atrás quando necessário, é outro bom exemplo de variação. Costumo dizer que o tenista que tem uma caixa de ferramentas grande, com variadas ferramentas dentro, tem a possibilidade de mudar taticamente o jogo sempre que preciso. Ele, deste modo, acaba jogando de maneira mais agressiva quando encara um adversário que devolve muitas bolas. Quando precisa ser mais defensivo, também consegue, trocando mais bolas e ficando mais atrás da quadra. Esse é o melhor dos mundos para o jogador. Ele acaba tendo um jeito de atuar mais imprevisível e mais eclético, confundindo o adversário. Infelizmente, são poucos os atletas que têm essa habilidade absurda e essa versatilidade incrível, conseguindo jogar de todas as maneiras em um mesmo jogo.

Excluindo-se os gênios que conseguem atuar bem de todas as formas, o importante é encontrarmos um jeito próprio para atuar dentro das opções táticas apresentadas. Quem somos nós? Como é nosso jogo? Qual a nossa estratégia-padrão? Precisamos ter uma tática principal. A competição intensa e a disputa em alto nível exigem que nos especializemos em um tipo de jogo.

A partir daí, podemos adaptar nossa maneira de atuar para encarar determinados adversários. Às vezes, pequenas variações no nosso jogo já são suficientes para surpreender o outro tenista e complicar o jogo dele. Em outros casos, as mudanças na nossa maneira de atuar precisam ser mais profundas.

São poucos os jogadores que entram em quadra com a filosofia de que não precisam adaptar nada no seu jogo, ignorando por completo as características e o perfil do adversário. Esses tenistas normalmente pensam: "Eu vou jogar desta maneira do começo ao fim, independentemente do que aconteça na partida" e "Não vou mudar nada no meu estilo de jogo. Quem deve se adaptar é o adversário a mim, não eu a ele". Admito que é preciso muita coragem para agir assim. Em alguns casos, esse pensamento funciona. Outras vezes, não.

Lembro-me do Patrick Rafter na véspera de uma quarta de final do US Open de 1997. Ele enfrentaria naquela ocasião o Andre Agassi. O australiano tinha como seu melhor saque aquele golpe de *topspin*, alto, aberto e que caía na devolução de esquerda do adversário. Aí, aproveitando-se da má devolução do oponente, o Rafter subia à rede e voleava, conquistando muitos pontos. O problema dele para aquele próximo jogo do US Open era que o Agassi tinha a melhor devolução de esquerda do mundo. O norte-americano pegava aquela bola usando as duas mãos e botava-a onde e como queria na quadra adversária, fazendo um estrago danado no jogo do rival.

TÊNIS É ESTRATÉGIA

Sabendo disso, perguntei para o Rafter antes do jogo se ele manteria sua tática usual contra o Agassi. Para mim, era loucura não mudar nada na forma dele de jogar. Era impossível sacar e volear na esquerda do Agassi. Se ele fosse subir o tempo todo, provavelmente tomaria uma surra do norte-americano naquele dia.

O Rafter, com toda a serenidade de quem já foi o número um do mundo e sabia o que estava fazendo, me olhou e respondeu: "Vou jogar da maneira como sempre joguei. Vai ser o meu melhor contra o melhor dele. Vamos ver quem vai conseguir se sair melhor neste jogo. Eu não vou abandonar a minha tática só porque a esquerda dele é boa. O meu saque na esquerda dele também é muito bom. Ele é quem deve se preocupar com isso".

Esse é o caso típico de um cara que acreditava demais na essência do seu jogo e na sua maneira de jogar. Não é à toa que se tornou o número um do mundo. Naquele dia, Rafter ganhou a partida por 3 a 1 (6 a 3, 7 a 6, 4 a 6 e 6 a 3) e avançou para a semifinal. Naquele ano, ninguém conseguiu parar o australiano. Ele conquistou o US Open ao bater na final o britânico Greg Rusedski.

Há muitos estilos de jogo, e você precisa identificar qual deles é o melhor para você. E no momento em que você colocar isso em quadra não se esqueça das outras possibilidades e das adaptações necessárias para cada partida. Não quer dizer que ao ser um jogador de fundo de quadra, você nunca será agressivo e que não poderá chegar de vez em quando à rede. Se você for um tenista que saca e voleia muito, não poderá abdicar sempre do jogo de fundo de quadra. Quem não sabe trocar bolas com o adversário nunca ganhará de ninguém, porque não dá para vencer só sacando e voleando.

Escolha a sua tática e acredite nela! Treine o máximo para aperfeiçoá-la. E incorpore as demais opções dentro do seu jogo sempre que adaptações e mudanças de estratégias forem necessárias.

DICA 19

Como jogar em diferentes tipos de quadra?

A proposta desta dica é detalhar as características dos principais tipos de quadra para que possamos aproveitar ao máximo o que cada uma tem a nos oferecer. Quando não nos sentimos tão à vontade e não compreendemos as particularidades do piso em que jogamos, nossas chances de desempenhar um bom jogo se reduzem muito.

Existem basicamente três tipos principais de terreno em que a partida pode ser realizada: saibro, grama e cimento, o qual vamos chamar de quadra rápida ou quadra dura. "Fino, você está se esquecendo do carpete, não está?". Não, não estou. É cada vez mais difícil encontrar esse tipo de quadra e, por isso, preferi excluí-la da nossa análise. Raríssimas vezes, ao longo da sua vida de jogador, você terá a oportunidade de atuar no carpete, então não faz sentido o analisar aqui.

Vamos começar falando do saibro, que nós brasileiros tanto gostamos. O jogo nesse tipo de quadra é mais lento e cadenciado, pois a bola, ao bater na terra, acaba perdendo força e velocidade. Dificilmente conseguimos fazer muitos pontos rápidos. Os pontos são normalmente conquistados após longas trocas de bola com nossos adversários.

À exceção de exímios sacadores, não conseguimos fazer muitos *aces* nesse terreno. O importante, na hora de sacarmos no saibro, é colocar menos força e mais efeito no primeiro saque, dando mais de *spin* ou até um pouquinho mais de *slice*. A ideia é dificultar ao máximo a devolução do adversário, para que a primeira bola que nos chegue venha mais fácil. O melhor dos mundos é quando a bola cai na nossa direita. Nesse caso, podemos atacar com tudo. Para isso acontecer, precisamos ter um bom índice de acerto no primeiro saque. Se nosso saque não andar muito, é provável que nosso adversário nos ataque e nos agrida já na devolução. Nesse caso, em vez de comandarmos o ponto, será ele quem comandará.

Quando saímos do saque e vamos ao fundo da quadra, é muito importante entender que no saibro acabamos jogando mais de *topspin*. A maioria dos jogadores atua assim, trocando muitas bolas. Tente tirar um pouco da rede e jogue um metro, um metro e meio acima dela, com bolas mais profundas. Saiba que você precisará sofrer bastante para ganhar o ponto. Raramente jogamos apenas duas ou três bolas por ponto. O nosso adversário está com a esquerda pior? Jogue uma, duas bolas lá, tentando abrir para o outro lado. Quanto mais obrigarmos o outro tenista a se mexer e a correr, melhor. Ele se desgastará mais e terá mais dificuldades para aplicar os golpes. Por isso, no saibro, a questão da variação das jogadas ganha ainda mais importância. Não jogue toda a bola igual, com a mesma velocidade e o mesmo efeito. Jogue uma com *slice*, mande outra com *topspin*, pegue uma mais para dentro e depois entre na quadra. É importante mesclar os golpes o tempo todo.

Jogar no saibro exige consistência. Consistência! Não adianta querer jogar apenas na bola vencedora. Se jogarmos como se joga na quadra rápida, em cima da linha, assumimos muitos riscos desnecessários. Se fizermos isso, ao pegar um adversário que troca muitas bolas, passamos a errar muito, não conseguindo pontuar e dando pontos de graça ao oponente. A consistência está relacionada ao nosso posicionamento em quadra e à paciência que precisamos ter. O ideal é ficarmos um passo e meio atrás da linha. Temos de estar concentrados e ter tranquilidade para trocar muitas bolas. Devemos ficar atentos quando a bola está curta. Quando isso acontecer, devemos atacar, dando uma bela pancada na bola.

Outra questão fundamental é a devolução. Fique dois passos atrás da linha e dê um *topspin* bem alto. Assim, tira-se o adversário de cima da linha para que aquela segunda bola fique um pouco mais fácil. Muitas vezes vejo o tenista querendo dar muita pancada na devolução de saque. Mais importante do que a força é o efeito que damos à bola. De que adianta dar uma devolução com força se ela chegar fácil no outro lado da quadra? Aí o outro jogador mete a mão na bola e fica no comando da jogada. Passamos então a nos defender em vez de atacar. O mais importante, seja quando sacamos ou quando devolvemos o serviço, é sermos os donos do ponto, estar no controle da situação. Sacamos e queremos a primeira bola em nossa mão. Devolvemos e queremos a segunda bola em nossa mão. Se não conseguirmos isso, fica muito difícil conquistar o ponto. Sejamos, portanto, pacientes. Paciente não significa ser defensivo. Aceitemos a correria, aprendamos a escorregar em quadra e joguemos com garra.

Jogar na grama é completamente diferente. Sei que não temos tantas quadras desse tipo de piso em nosso país como há na Inglaterra, por exemplo, mas temos algumas. Nunca fui um exímio jogador na grama, mas tenho algumas dicas importantes para passar.

Antes de qualquer coisa, devemos atuar um pouquinho mais agachados. Diferentemente da quadra de saibro, temos de dobrar mais os joelhos, pois a bola, por escorregar mais e não ganhar altura ao bater na grama, fica mais baixa. Para pegá-la, temos de ficar mais perto do chão. Se ficamos muito eretos em quadra, perdemos o tempo de bater na bola, mandando-a na rede.

A segunda questão é sermos mais agressivos do que somos no saibro. Não dá para imaginar que conseguiremos trocar muitas bolas nesse tipo de terreno. Os pontos, nesse novo cenário, são normalmente decididos rapidamente. Se ficarmos mandando a bola alta e sem objetividade para o outro lado, nossos adversários vão pegar de cima para baixo e ficará difícil chegarmos nas bolas. Por isso, a palavra de ordem na grama é contundência. Contundência! Precisamos ter a agressividade necessária para definir o ponto antes do outro tenista.

Jogar na grama dificulta um pouco a nossa movimentação. Escorregamos mais, e nosso poder de explosão diminui consideravelmente. Para amenizar tais problemas temos alguns recursos, como o calçado com trava.

Na grama, é interessante darmos mais golpes de *slice*. Diferentemente da quadra de saibro, quando acabamos dando um *topspin* alto, a bola quica um pouco mais alta e conseguimos voltar a nos posicionar para a próxima bola. Na grama, a bola acaba perdendo altura e ganhando velocidade. Por isso, são poucos os jogadores que jogam de *topspin* nesse terreno, como Rafael Nadal, por exemplo. A maioria opta pelo *slice*, que é a melhor defesa a ser realizada em tais situações. A bola fica baixa e quando toca no chão, dá aquela escorregadinha traiçoeira, dificultando o golpe do adversário. Essa é uma boa tática para quando somos tirados da quadra. Em vez de dar uma pancada na bola, jogamos um *slice* cruzado.

Outra questão fundamental é o voleio. Precisamos chegar à rede para definir a jogada. Na grama é muito difícil, na corrida, conseguir achar o impacto certo para dar uma passada no adversário. Muitas bolas acabam sobrando fáceis para a

TÊNIS É ESTRATÉGIA

gente. E, nessa hora, precisamos aproveitar a oportunidade para atacar. Mas não devemos usar tanta força para realizar este golpe, como era necessário no saibro. O voleio na grama deve ser mais curto e rápido. Se já é difícil nos mexer, imagine só nos mexer enquanto corremos para o lado, dando aquele passinho para frente para tentar tirar bola da passada. Quase impossível! Por isso todos os grandes voleadores, como Patrick Rafter, Richard Krajicek, o próprio Peter Sampras e Roger Federer preferem dar estes voleios mais curtos e rápidos para liquidar a jogada. Não é dar simplesmente uma curtinha. É dar um tapa na bola, para ela ficar baixinha na quadra, e o adversário não conseguir subir muito.

Para terminar as dicas da grama, preciso falar do saque. Use mais o saque no corpo do oponente. Aquele saque com *slice*. Falei sobre o *slice* no fundo de quadra, mas aquele praticado no saque também é muito útil. Com o *slice*, a bola fica mais próxima do corpo do cara que está devolvendo. Ele fica em dúvida se bate encolhido de direita ou se tenta fugir um pouco para batê-la de esquerda. Nessa fração de indecisão, erros acontecem, e ganhamos tempo para nos preparar para a nossa primeira bola. Ingenuamente, muitas vezes acabamos querendo só meter a mão no saque, no chapado. Assim facilitamos para o nosso adversário. Ele bota a raquete na bola, se escora e consegue devolver com facilidade. No saque com *slice*, não corremos o risco. Usando menos força e mais efeito, em especial quando pegamos mais de lado na bola. Ela vai com mais veneno para o outro lado, exigindo mais do nosso adversário.

E jogar na quadra de cimento, como é? Enfim chegamos ao terceiro e último tipo de terreno. Também chamado de quadra dura ou quadra rápida, esse piso possui uma característica intermediária quando comparado ao saibro e à grama. Quando a bola quica, ela não perde tanta velocidade como no saibro, mas também não ganha tanta rapidez como na grama. A velocidade da quadra dura depende muito da última camada de tinta e do seu tempo de vida útil. As quadras podem ser mais velozes quando são mais velhas e menos velozes quando são mais novas. Esse é o piso mais popular em muitos países, como Estados Unidos e Canadá. Dos quatro Grand Slams disputados anualmente no circuito profissional, dois são realizados em quadras rápidas (US Open e Australian Open).

A primeira dificuldade encontrada na quadra dura é que não conseguimos escorregar. Tirando aqueles malucos que gostam de escorregar em qualquer piso, como o Novak Djokovic, normalmente não conseguimos realizar essa proeza. Temos de nos movimentar mais rapidamente para chegar à bola. Na quadra de saibro damos dois ou três passos, escorregamos e chegamos à bola. Aqui isso não é possível. Precisamos dar cinco ou seis passos para chegar em condição de usar a raquete.

Nesse caso, não podemos jogar muito atrás da linha. Como o caminho a ser percorrido até a bola é teoricamente "mais longo", precisamos jogar mais dentro da quadra. O ideal é ficar entre um passo e um passo e meio atrás da linha. A bola que mais machuca o tenista na quadra dura é aquela em que o adversário bate de cima para baixo. Falando em tênis amador, se ficarmos jogando só bola no meio da quadra, a bola quica na quadra rápida e cai exatamente na altura em que nosso adversário gosta de bater. Aí ele senta a mão e fica difícil para pegarmos a bola depois.

Na devolução de saque, o ideal é estar mais perto da linha para darmos um tapa na bola. O movimento deve ser mais curto e direto, tornando nossa devolução mais agressiva. A quadra rápida requer um jogo menos conservador. A palavra agora é agressividade. Se quisermos ganhar, precisamos agredir nosso adversário com jogadas mais incisivas. Devemos jogar um pouco mais dentro da quadra, abafando o outro tenista. É óbvio que é possível jogar lá atrás também. Não podemos nunca descartar essa possibilidade. Entretanto, ao ser menos agressivos, precisaremos jogar mais e teremos mais dificuldades.

Por ser necessário correr mais em direção à bola para se chegar nela, é legal não executar os golpes sempre no mesmo lado do nosso adversário. No saibro temos aquelas trocas na cruzada, volta na cruzada, vai na cruzada de novo, vem outra vez na cruzada. Aí trocamos de direção, e a bola vai e volta novamente. A jogada parece não acabar nunca... Na quadra rápida isso não acontece com tanta frequência. Se começarmos a jogar muito no mesmo lado, nosso adversário joga uma na cruzada e na hora em que ele manda a próxima na paralela, fica difícil chegar na bola. Quando conseguimos devolver essa bola, ela vai fácil para o outro lado da quadra. O outro tenista pode assim atacar e matar o ponto. Precisamos tomar a iniciativa. Joguemos na cruzada e, se já tivermos a oportunidade, mandemos a próxima na paralela. Ou joguemos duas na cruzada e a terceira na paralela. Assim, obrigamos nosso adversário a correr o tempo inteiro de um lado para outro, forçando-o a errar ou a mandar uma bola fácil para o nosso lado. Quando a bola sobra, temos tudo para ganhar o ponto.

O grande xis da questão na quadra rápida é quando a bola sobra. É importante sermos mais agressivos e não termos medo de atacar. Sei que há muita gente que gosta, nesse momento, de jogar de *topspin*. Eu adorava, mas é essencial pegar essa bola de cima para baixo. Quando aplicamos o golpe, a bola acaba quicando na quadra e escorregando no chão, dificultando para o nosso adversário.

Outro aspecto que ajuda muito é realizar o saque com *slice*, jogando de preferência no corpo do adversário. Aqui se deve usar exatamente o que foi falado na dica de saque na grama.

TÊNIS É ESTRATÉGIA

Como os pontos são concluídos de modo mais rápido na quadra dura, a primeira bola depois da devolução e a primeira bola depois do saque são ainda mais relevantes para o nosso jogo. Se conseguirmos dar um saque em que a primeira bola volte na nossa mão, temos muito mais facilidade de, na sequência, dar um *winner* ou iniciar a jogada de domínio do ponto. Quando estamos na devolução, é a mesma coisa. Se conseguirmos devolver mais dentro da quadra e impactar bem, a próxima bola volta na nossa mão.

Que tal esta dica, hein? Você já se sente pronto para jogar nos três tipos de piso? Se sim, agora é só esperar por Roland Garros, por Wimbledon, pelo US Open e pelo Australian Open para você desfilar sua técnica e os conhecimento aqui adquiridos. Bom Grand Slams para você!

DICA 20

Há um modelo ideal de raquete para o perfil de cada jogador?

Vamos falar agora sobre raquete. Ela é o principal equipamento de um tenista. E, acredite, a escolha correta do equipamento faz uma diferença enorme quando estamos em quadra. A raquete faz parte do jogo, em especial no momento decisivo, quando estamos no 4 a 4, no *tie break* ou no 40/40. De nada adianta você estar com um material em que não confia e que vai deixá-lo na mão na hora mais importante. A raquete pode fazer uma bola sair mais ou deixá-la muito curta, interferindo diretamente na jogada. A raquete é praticamente uma extensão do braço do jogador. Dependendo do tipo, temos um aliado ou um inimigo ao nosso lado durante toda a partida, por isso devemos analisar muito bem os critérios da sua escolha.

Minha ideia aqui não é fazer propaganda de nenhum fabricante nem defender um modelo ou outro de raquete. Há muitas opções de ótima qualidade no mercado. Sinceramente, acho que todas as marcas têm características específicas e, por isso, cada uma é importante à sua maneira, encaixando-se melhor aos diferentes estilos dos jogadores. Há raquetes que fazem a bola andar um pouco mais e outras que conferem um efeito maior na bola. Conhecê-las e compreender suas características é o primeiro passo para um jogador.

A escolha da raquete é uma decisão técnica do atleta. Ele deve optar por um modelo e por um fabricante que traga vantagens a seu jogo. Não se deve decidir por uma raquete simplesmente pela estética, pelo status da marca, por influência dos amigos ou porque um fornecedor está oferecendo três ou quatro de graça. Vale muito mais a pena comprar uma raquete com a qual o tenista se identifique do que fazê-lo usar uma que o desagrade, por uma imposição do pai, do patrocinador ou das circunstâncias.

Falo isso porque eu mesmo cometi erros nesse sentido. Depois de ganhar o Orange Bowl de 1989, um dos principais torneios juvenis do mundo, aceitei trocar de raquete porque uma conceituada marca resolveu me patrocinar. Ela me deu cinco raquetes e um contrato de bônus por vitória alcançada. Na minha cabeça valia a pena fazer a troca e assinar o contrato. O resultado? Fiquei um ano inteiro sem ganhar uma única partida, jogando muito mal. Então, calma! É importante usar o nosso equipamento favorito, em uma decisão estritamente técnica. Já vi um monte de jogador ganhando um caminhão de dinheiro com patrocínio e depois se arrepender profundamente, chorando para ter sua antiga raquete de volta. O dinheiro ganho no curto prazo pode ser pouco, se comparado às perdas de resultado e de premiação que o tenista deixará de conquistar.

Também não faça sua escolha a partir da opção dos profissionais e dos líderes do ranking mundial. "Ah, como o Rafael Nadal joga com a Babolat, eu tenho de jogar também com a Babolat"; "Se o Roger Federer joga com a Wilson, o meu filho tem de jogar com a Wilson, porque eles têm um estilo de jogo parecido"; e "Eu tenho de usar a Dunlop porque, hoje em dia, todo mundo está jogando com essa raquete". Por favor, saia dessa! Para começo de conversa, os modelos que os principais jogadores utilizam são diferentes daqueles encontrados nas lojas. Além disso, a escolha da raquete é algo muito particular. Defina seu carro, o local para suas viagens de férias, os móveis para sua casa e suas roupas baseando-se na opinião e nos hábitos dos outros. Tudo bem. Mas deixe a escolha da sua raquete ou da raquete do seu filho para quem realmente interessa: o jogador.

E como posso saber qual é a melhor raquete, afinal? Testando! Experimentando! Treinando! Jogue com ela para sentir seu efeito e suas características. Veja se a raquete é compatível com o seu estilo de jogo. Essa avaliação não pode ser feita em apenas quinze minutos de bate-bola. Não existe paixão à primeira vista no tênis. Treine com ela por alguns dias. Ela possui várias características que você tem de experimentar durante certo tempo. Adquirir uma opinião adequada e completa sobre uma raquete pode demorar um pouco. Tenha paciência. Jogue para valer e não apenas no bate-bola. Jogue um set no 4 a 4. Aí você começará a sentir a sua raquete de verdade.

Eu gostava de testar as raquetes da seguinte maneira: treinava por 20 minutos com a raquete antiga e depois pegava a que eu queria testar, jogando

6/0 DICAS DO FINO

Meligeni na véspera de partida na República Tcheca em 2002.

por mais 30 minutos. Nessa segunda parte do treinamento, aplicava efeitos, trocava muitas bolas, metia a mão nos golpes e ficava sentindo a bola na raquete. No dia seguinte, já começava o treino com a nova raquete e jogava alguns games. Aproveitava também para mudar sua libragem e seu peso. Uma raquete pode mudar muito a partir de uma corda diferente ou de um peso diferente, transformando-se em uma raquete completamente distinta daquela inicialmente usada. Por isso é importante testar todas as alternativas.

Às vezes, olhamos para uma raquete pela primeira vez e logo sentenciamos: "Nossa! Essa raquete não é muito boa para mim!". É importante você saber que a raquete vem junto com um *grip* (ou *overgrip*), com peso, uma corda e, em especial, com um balanço. Essas características combinadas definirão o perfil da raquete. Ao analisar um equipamento, você precisa conferir seu peso total, se ele é mais cabeçudo e se tem o peso a mais no cabo, por exemplo. Em vez de julgar rapidamente se gostamos ou não da raquete, devemos procurar avaliá-la em todos os seus aspectos.

A função do *grip* é conferir mais ou menos aderência à raquete. Ele absorve o suor da mão do tenista, conferindo mais conforto. E isso faz diferença na hora do jogo? Faz sim! Usar um *grip* mais ou menos aderente influencia no jogo do tenista. A corda também afeta a qualidade do jogo. Cada corda tem uma característica própria. A gente pode usar diferentes tensões de cordas e diferentes tipos de corda também. Uma raquete pode ter corda de nylon, de poliéster, de tripa, entre outras opções. Cada corda impacta a bola de modo diferente.

TÊNIS É ESTRATÉGIA

Outra coisa que os tenistas, em particular os amadores e os juvenis, não reparam como deveriam é no peso da raquete. Você já passou em uma loja especializada de tênis para pesar a sua raquete? Faça isso! Aproveite e veja como está o balanço dela: se ela está mais cabeçuda ou se está com mais peso no cabo. Esses detalhes fazem com que não consigamos jogar tão bem com ela e ainda corremos o risco de nos machucar.

Usar a raquete errada é um perigo! Não adianta você jogar somente aos finais de semana e desejar usar a raquete com o mesmo peso, com a mesma corda e com a mesma libragem das raquetes do Roger Federer e do Novak Djokovic, por exemplo. Você não tem braços preparados para aguentar o tranco como eles têm. Além de correr o risco de se lesionar, você verá sua bola andando bem menos durante a partida. Ao falarmos de raquetes profissionais, estamos nos referindo a equipamentos com peso entre 300 e 400 gramas. A minha raquete, para você ter uma ideia, pesava quase 380 gramas. Eu jogava com uma corda muito dura, com tripa e com um balanço de 31. Se você for jogar, nos dias de hoje, com o modelo antigo da Pro Staff que eu usava no início na minha trajetória profissional, você corre um sério risco de se machucar e não terminar o jogo.

É importantíssimo ter a noção exata do que se está botando nas mãos. Começou a doer o seu braço? Começou a ter algum tipo de lesão na sua mão? Pense imediatamente: "Troquei de raquete ultimamente? Alterei minha corda? Coloquei mais peso na raquete? Modifiquei a libragem?". Qualquer mudança na raquete pode levá-lo a se lesionar. E essas lesões de *Tennis Elbow* (no cotovelo), de ombro e de pulso são complicadíssimas. São chatíssimas de serem curadas.

Além do mais, a raquete precisa ser compatível ao estilo de jogo do tenista. Se você bate muito forte na bola, precisará de uma raquete mais rígida. Se não tem tanta força, é necessário escolher um equipamento mais flexível. Faça experimentos! Você pode colocar mais chumbinho, vamos falar assim, na cabeça da raquete, deixando-a um pouco mais cabeçuda. Então bata algumas bolas e perceba se isso ajudou ou não o seu jogo. Você pode mudar também a corda. Há a possibilidade de colocar mais tensão na corda ou deixá-la mais mole. Com isso, a característica da raquete muda completamente. Pegue a raquete do seu amigo e a do seu parceiro de treino. Bata com elas. Experimente-as. Peça emprestada por alguns dias. Jogue! Diversifique suas opções para conhecer a qual você se adapta melhor.

Na hora do jogo para valer, leve as raquetes em que você sente mais confiança e que você possa precisar. Só não exagere levando uma dezena de raquetes para a quadra. Essa, por sinal, é uma questão curiosa. As pessoas me perguntam: "Por que vocês, profissionais, levam seis, sete ou oito raquetes para um jogo?". Ora, porque cada uma delas tem uma libragem diferente que pode ser importante em determinado momento da partida.

Eu gostava de jogar com uma raquete de 60 libras. Usava mais ou menos isso, de 58 a 60 libras. Dentro do jogo, contudo, a gente sente muito nervosismo. Há dias que a gente está soltando o braço e a bola entra. Aí, beleza. Por outro lado, alguns dias que a bola está voando muito, saindo. Nesses casos, podemos resolver o problema trocando de raquete. Se eu tiver uma raquete com uma libragem mais dura na mala (uma de 62 libras), a bola vai andar menos, ficando mais dentro da quadra. Se estou com muita confiança, as minhas bolas estão entrando e estou jogando solto, posso pegar uma raquete com a corda mais frouxa (por exemplo, com 56 libras). Assim, a bola vai andar mais.

Essa é a brincadeira de poder mexer um pouco com a raquete durante a partida. Eu gostava de levar para os jogos oito raquetes: quatro com a libragem de que gostava, uma com duas libras a mais, uma com uma libra a menos, uma com três libras a menos e uma muito dura, para o caso nada dar certo naquele dia.

Aí você me pergunta se um jogador amador precisa levar, em sua mala, para um jogo entre amigos quatro ou cinco raquetes também. É claro que não! Ele não deveria nem comprar tantas opções para jogar apenas aos finais de semana. O ideal é levar uma de reserva, caso aconteça alguma eventualidade com a raquete principal. Esse preciosismo de ter uma raquete para cada momento da partida é apenas para quem disputa competições com mais seriedade. Na hora em que você começa a jogar bem, nada mais natural do que você usar todas as opções disponíveis para melhorar seu rendimento.

Por isso, o bom tenista não terceiriza os cuidados da manutenção da sua raquete. Em vez de pedir ao pai, à mãe e ao treinador para ir até a loja e colocar um pouco mais de chumbinho ou para ver o balanço da raquete, ele vai pessoalmente. O maior interessado é ele mesmo. Ele precisa saber como está seu equipamento de trabalho mais importante.

Existem raquetes maravilhosas disponíveis no mercado. Comecei a jogar com uma Head, que depois virou Kneissl. Na verdade, no começo era PZM, depois virou Head e mais tarde se transformou em Kneissl. Na sequência, entrei nas Wilson, com as quais joguei por muito tempo. Depois mudei para a Prince. Citei apenas algumas marcas. Há uma infinidade de outras ótimas opções à sua disposição.

Conheça em detalhes a sua raquete. Faça dela a sua melhor amiga. Trate-a com carinho. Durma abraçado com ela às vezes, por que não? A raquete é o principal equipamento do tenista, e é preciso entendê-la em sua totalidade. Não acredite que apenas o lado mental, a tática, o preparo físico e a técnica são fundamentais para a vitória. A raquete certa também ajuda a ganhar um jogo difícil.

DICA 21

O que é jogar ponto a ponto e ler o resultado da partida?

Escutamos nossos treinadores falarem do lado de fora da quadra: "Foque neste ponto! Jogue o ponto a ponto. Concentre-se nesta disputa. Faça a leitura do jogo!". O que isso quer dizer, afinal? Em várias dicas, a partir de agora, você perceberá que vou falar muito da importância de se jogar o ponto a ponto e de ter a leitura adequada da partida. Gostaria de aprofundar esses assuntos agora, desmitificando-os de uma vez por todas.

Não sei se você sabe, mas o jogador de tênis é meio um computadorzinho quando está jogando. Ele se lembra de quase todos os pontos da partida. Onde ele começou sacando nos games, onde nos 30/30 o adversário sacou e qual a tática de devolução dele e do oponente não saem facilmente da memória do tenista. Com essa bagagem de dados é possível montar um panorama real e fidedigno do jogo. Essas informações são usadas normalmente nos momentos de maior pressão e de grande complicação dentro da partida. É óbvio que um garoto de doze anos ainda não tem esta perspicácia totalmente desenvolvida, mas um profissional já conseguiu adquirir tal capacidade.

Quando falamos em jogar o ponto a ponto, imaginamos o treinador como um educador do garoto e da garota. Partimos do pressuposto que o jogador de tênis sabe o que está acontecendo em quadra. Ele precisa entender qual a estratégia que está dando certo e qual está dando errado. Se ele está jogando alto, mais rápido, mais pela esquerda, mais pela direita, cruzada ou na paralela, se está se mexendo mais para lá ou para cá. E ele precisa compreender o que o adversário está fazendo para ganhar seus pontos: "Pô, toda hora no 30/30, o cara saca na minha esquerda e ganha ponto". Opa! Sinal de alerta. No próximo 30/30, será que ele não vai sacar novamente na minha esquerda? Vamos proteger um pouquinho mais aquele lado. "Ele está sacando e voleando em todos os primeiros pontos dos games." Essa constatação é muito importante. Na próxima virada de quadra, vamos nos lembrar disso para devolver o saque de um jeito que possamos surpreendê-lo e evitar o voleio.

Quando chegamos ao final do quinto game ou no começo do sexto, já é possível fazer uma leitura objetiva do que está acontecendo na partida. Precisamos compreender, em primeiro lugar, qual é a tática do nosso adversário. Depois, qual é a nossa tática e o que está dando certo para o nosso lado. É preciso alterar a estratégia ou devemos manter a tática atual?

Se estiver 5 a 0 para o nosso adversário, precisamos saber os motivos de nossa derrota parcial. Por que ele está ganhando? Será que ele está jogando muito na nossa esquerda? Se estivermos ganhando de 4 a 1, também precisamos saber a razão da nossa vitória até aquele momento. Por que estamos vencendo? O que tem funcionado contra o oponente? O que o tem incomodado? Tudo isso precisa ser analisado.

Certa vez, vi uma entrevista do Guillermo Coria, jogador argentino, em que ele apresentou uma ideia de que gostei muito. Não me recordo exatamente das palavras exatas usadas por ele, mas era algo mais ou menos assim: "Eu demorava um pouquinho para compreender o que estava acontecendo em quadra. Ficava tentando achar a melhor tática para enfrentar aquele adversário. Quando identificava o que o estava incomodando, procurava, então, explorar incansavelmente aquilo. Se ele estava com problemas na esquerda, por exemplo, quando eu percebia isso, jogava mil bolas lá, até a cabeça dele pifar". Achei maravilhosa essa ideia. Às vezes, ficamos querendo jogar bonito e nos esquecemos de ser eficientes. O tênis é um jogo voltado totalmente para a vitória. De que adianta jogar bonito e perder? É melhor ser pragmático e ganhar os pontos e o jogo.

Não adianta pensar: "Estou sacando e voleando na esquerda do adversário e ganhando todos os pontos desta maneira. Agora vou sacar na direita só para ver como ele reage". Não! Para que mudar se nosso jogo está funcionando tão bem? Você até pode testar algo novo quando o placar do game estiver 40/0. Aí é até compreensível. Nunca quando o jogo estiver em 40/40 ou em 30/30. Nessa hora, precisamos usar o que está funcionando bem. Não devemos trocar o certo pelo duvidoso.

"Pô, Fininho, não é você quem vive dizendo que precisamos variar o jogo? Agora você vem com esse papo de que não é para mudarmos o que tem funcionado. Não estou entendendo mais nada. Afinal, é para variarmos as jogadas ou é para usarmos uma tática principal?" Devemos variar, sim, em especial ao atacar e

TÊNIS É ESTRATÉGIA

ao sacar. Precisamos, contudo, saber a hora exata de fazermos isso. Nos pontos decisivos e nos momentos importantes do jogo, é melhor sermos pragmáticos. Vamos nos concentrar nas jogadas que têm dado mais resultado. Quer variar o saque? Varie durante o game, mas não quando o jogo estiver 40/40. Quer variar as jogadas? Ótima escolha, mas não exagere quando a partida estiver no 5 a 5.

Quando o nosso técnico fala "jogue o ponto a ponto", ele quer que pensemos exatamente no que precisamos fazer para ganhar os próximos pontos. Vejo, infelizmente, a garotada com frequência jogando de qualquer jeito, sem analisar o que está fazendo. Costumeiramente passa na cabeça dos meninos e das meninas: "Ah, está tudo bem. Estou jogando bem. Acertei esta bola e errei aquela outra", "Estou perdendo de 4 a 1 e não tenho a menor ideia por que ele ou ela está ganhando de mim" e "O importante é que estou vencendo! Não sei como, mas estou ganhando esta partida". Vamos condicionar nossos filhos e nossos pupilos a entender os motivos da vitória ou da derrota deles. Se um técnico ou um pai perguntar no final do jogo "E aí? Qual foi a tática que você utilizou? Por que você ganhou ou perdeu este jogo?", a pior resposta que ele pode receber é: "Ah, não sei!". Quem estava lá fora vendo o jogo sabe exatamente os motivos que levaram à vitória ou à derrota, mas quem estava lá dentro da quadra não faz ideia dos motivos do placar! Ou seu filho fala: "Ah, pai, meti a mão na bola, subi à rede e voleei". Opa! "Será que ele está narrando outro jogo? Será que assisti à partida errada?", pensa o pai ou o técnico, surpreso com o choque de visões e de opiniões.

Vamos condicionar nossos jovens tenistas a ler corretamente o jogo. A evolução deles e a conquista de partidas difíceis passam obrigatoriamente pelo desenvolvimento dessa capacidade. Não é fácil, na maioria das vezes, ensinar nossos filhos ou nossos pupilos a entender essas nuanças e os segredinhos do tênis. Quem está falando isso é um cara de mais de quarenta anos, que já jogou por muito tempo e errou e acertou bastante.

Você, tenista, tem de aprender a ler o jogo. Faz parte da escola do tênis. Compreender os motivos de cada ato é importantíssimo. Acredito que a partir desse entendimento você passará a entender o esporte de forma global. O tênis não é só bater forte na bola. É saber o que você tem de fazer em todos os instantes e, em especial, identificar os motivos da construção do placar. Dessa maneira, evita-se ou minimiza-se o "oba-oba" pela vitória e a melancolia pela derrota.

A partir de agora, quando seu técnico o orientar dizendo "jogue o ponto a ponto", respire fundo e saiba que ele está falando isso para você se concentrar na partida e não porque ele não tem mais nada de interessante para dizer. Jogue, então, o próximo ponto, depois o seguinte, na sequência o próximo e assim sucessivamente. Faça isso até o final da partida. Jogando ponto a ponto, os resultados finais dos jogos deverão ser muito mais satisfatórios para você. Acredite nisso!

DICA 22

Quando é hora de mudar a estratégia de jogo?

Outro dia, assistindo a algumas partidas de *Grand Slam* entre grandes tenistas da atualidade, pude perceber a capacidade deles de alterar o jogo depois de perder o primeiro set ou depois de começar muito mal os primeiros games. Isso é muito legal! O jogador de tênis precisa saber mudar sua tática em uma partida que se configura complicada. Em um jogo difícil e com um cenário adverso, mudar a estratégia traçada inicialmente é fundamental para se chegar à vitória.

Ao entrar em quadra, em geral temos uma tática clara em mente. "Vou jogar contra este cara que saca e voleia com frequência. Por isso, vou devolver a primeira bola sempre baixa". Ou "Contra este jogador que devolve todas as bolas e não erra nenhuma jogada, vou tentar ser mais conversador e evitar me arriscar nas primeiras trocas de bolas". Estas são algumas possibilidades estratégicas. Contudo, os grandes jogadores têm mais do que uma tática em mente. Eles sabem que se o plano A não der certo, podem recorrer aos planos B, C ou D. Com isso não ficam presos a uma única alternativa durante todo o jogo.

"Isto pode embaralhar a cabeça do menino, da menina, do atleta amador", alguém poderia alegar. Não! O jogador precisa ter a inteligência de analisar a partida de modo estratégico e encontrar opções táticas para superar o adversário. Isso se aplica a qualquer tenista, tanto os juvenis quanto os jogadores de final

TÊNIS É ESTRATÉGIA

de semana. Às vezes, podemos encontrar atletas amadores mais inteligentes taticamente do que muitos profissionais. Também é possível achar jovens mais astutos nesse assunto do que muitos veteranos. Não podemos subestimar a inteligência de ninguém.

Você sabe quais são suas armas? Você conhece as principais deficiências do seu adversário? Essas características influenciarão sua estratégia, como entrar tocando mais a bola, jogar priorizando o ataque ou usar bastante o *topspin*. E a partir de quatro, cinco games, você já começa a entender como o jogo vai se desenhando. "Putz, o cara está jogando muito bem. O cara está ganhando de 4 a 1. Acho que é hora de mudar!". Você tem de usar o plano B. E se ele também não der certo? Parta para a tática C e para a D. Quando as coisas não dão certo em quadra, é preciso mudar. O que não faz sentido é manter a mesma estratégia quando as coisas não estão saindo como gostaríamos.

A primeira coisa que precisamos entender quando estamos perdendo um set por 4 a 1 ou 5 a 0 é: este placar está assim porque estamos errando todas as bolas ou porque nosso adversário está em um dia espetacular, acertando tudo? Se nossa análise indicar que estamos perdendo porque o estilo de jogo que resolvemos utilizar não está causando nenhuma dificuldade para o jogador do outro lado da rede, é preciso rever o plano tático. Precisamos mudar a estratégia o mais rápido possível. Assim, se você estava batendo forte, deve começar a tirar um pouco o peso da bola. Se você estava mais no fundo de quadra, precisa começar a subir um pouco mais à rede. Faça algo diferente! Mude seu modo de jogar.

Para mudar a estratégia, você precisa variar com mais frequência suas jogadas. Não adianta variar apenas uma vez ou outra. Em alguns casos, você acaba errando aquele ponto e pensa: "Esta tática também não deu certo". Calma! Não é assim. Você pode ter errado na execução do golpe ou ter dado azar de a bola ter saído ou ter caído na rede. Para avaliar corretamente a alteração de uma tática, precisamos dar tempo para ela se provar eficiente. Jogue com a nova estratégia por alguns pontos ou por alguns games. Você quer sacar e volear? Não adianta tentar uma só vez. Você precisa sacar e volear um game inteiro ou durante três ou quatro games consecutivos. Então você terá condições de avaliar o resultado da mudança proposta.

Tão importante quanto mudar é mostrar para o seu adversário que você está alterando o seu jeito de jogar. Ele precisa entender que você não está satisfeito com o placar e com o jogo. Precisa compreender que se sua nova tática der resultado, ele terá muita dificuldade a partir de então: "Nossa, o cara está mudando a tática. A bola dele está vindo de uma maneira diferente". Isso pode deixá-lo mais nervoso e levá-lo a errar mais. Ou seja, tudo o que você quer...

Foi exatamente isso o que aconteceu na final dos Jogos Pan-Americanos de Santo Domingo, em 2003, quando enfrentei Marcelo Ríos na decisão. O chileno havia sido número um do mundo e era um adversário dificílimo. Ele era o grande favorito para ficar com a medalha de ouro daquela competição. Depois de perder o primeiro set (7 a 5), resolvi mudar minha maneira de jogar. Adorava fazer isso no meio das partidas. Depois de um começo normal, resolvi ser mais agressivo. Depois passei a procurar um jogo mais longo e físico. Além de mudar, mostrava para o meu adversário que aquelas alterações de estratégia eram para complicar a vida dele.

Resultado: o Ríos começou a ficar nervoso e passou a errar bolas que normalmente não erraria. Ele desperdiçou dois *match points* no segundo set e consegui virar. Venci no *tie break* e a partida ficou empatada em 1 a 1. O terceiro set foi muito equilibrado e fomos novamente para o *tie break*. E lá consegui vencer a partida: 2 a 1. Se não tivesse mudado minha maneira de jogar na metade daquela final, com certeza não teria conquistado a medalha de ouro.

Tenista gosta muito daquela coisa certinha, sistemática. Quando você está ganhando, a melhor coisa é o cara do outro lado da quadra continuar mantendo a mesma tática. Quando o outro muda, você começa a se preocupar: "Pô, o cara mudou! As coisas estão diferentes agora. Será que o jogo vai mudar? Será que o placar vai virar também?". É importante blefarmos um pouco às vezes. Se estivermos perdendo de 4 a 1 e ganhamos um ponto, vamos lá e gritamos:"Vamos!". Precisamos mostrar para o nosso adversário que não vamos entregar a vitória para ele facilmente. Devemos mostrar que ainda estamos no jogo, mesmo estando bravos ou decepcionados pelo dia horrível que vivenciamos.

Quais os tipos mais comuns de mudança estratégica que podem ajudar um tenista? Você pode variar o local onde saca. Você pode alterar a maneira de devolver o saque do adversário. É legal passar a subir mais à rede, se você não estiver fazendo isso, ou ficar mais no fundo de quadra, se você estiver subindo muito. Você pode também mudar a velocidade e a altura das bolas. Jogar mais de *slice* é uma alternativa válida.

Costumo brincar que o tenista precisa ser um computador ambulante em quadra. Em pontos importantes, como o *break point* e o 30/30, ele tem de saber onde ele e o adversário sacaram com mais frequência e aonde estão mandando as bolas de devolução. Saber onde cada jogador costuma jogar nos momentos decisivos é uma informação valiosíssima. Precisamos computar esses dados e usá-los na hora certa. Por exemplo, chegamos a 4 a 4, e o placar do game está 30/40. Nosso adversário tem um saque potente. Você já esteve perto de quebrar o saque dele, mas na hora decisiva ele conseguiu confirmar o serviço. Relembrando o que aconteceu nos games anteriores: quando estava 1 a 1 e 30/40, ele fez um *ace* no

TÊNIS É ESTRATÉGIA

Marcelo Ruschel

Meligeni em partida da 1ª rodada do Grupo Mundial da Copa Davis de 2001.

meio. Hum... No 3 a 3 e de novo 30/40, ele sacou no meio. Novo *ace*!... Hum... Qual a chance de ele sacar outra vez no meio, agora no 4 a 4? Eu diria noventa por cento. Prevendo isso, você pode proteger um pouco mais essa região da quadra.

Não adianta você jogar tênis e pensar: "Ah, está 5 a 0 para mim e eu não tenho a menor ideia por que estou ganhando". Olhe onde a sua bola pinga. Veja onde ela está caindo. Repare onde o seu adversário está sacando. Note as devoluções dele. Saiba onde e por que você está errando. É fundamental compreender o que está acontecendo em quadra. Entender os motivos de suas vitórias e derrotas parciais demonstra maturidade do tenista e sua capacidade de leitura de jogo.

O tênis é um jogo muito estratégico. Sem uma boa concepção tática, o jogador terá muitas dificuldades para superar os melhores adversários. Por isso, procure se desenvolver estrategicamente também. Não pense apenas em termos técnicos e físicos. Um grande atleta também se faz na parte tática. E muitas das viradas de placar acontecem com a alteração do plano de jogo.

Quem sabe você consiga reverter aquele placar desfavorável daquela partida complicadíssima ao mudar sua estratégia. Uma simples alteração na sua maneira de jogar pode representar uma grande virada nos acontecimentos. Pense nisso!

DICA 23

Como ganhar de alguém melhor?

Você já teve a experiência de olhar para o outro lado da quadra e ver um tenista muito melhor do que você? Se sim, o que pensou na hora? Já vivenciei isso muitas vezes ao longo de minha carreira profissional. Em várias oportunidades, olhei para o outro lado da rede e quem estava lá como meu adversário era Pete Sampras, Andre Agassi e tantas outras feras. E como fazer para ganhar desses caras? Sim, é possível ganhar deles. Ou você é daquele tipo de tenista que já entra derrotado em quadra, pensando que jamais conseguirá vencer um oponente de qualidade excepcional?

Ao entrar em quadra, sabemos exatamente o tipo de adversário que vamos encarar, em especial quando já estamos familiarizados com o circuito. O garoto do juvenil sabe quem é o melhor menino do seu estado ou do seu país. A jovem garota tem consciência de quem lidera o ranking da sua categoria. O amador sabe no bate-bola inicial quem é o cara que vai encarar na partida de final de semana no parque. E o profissional muitas vezes enfrenta o líder do ranking mundial já nas primeiras rodadas do torneio.

Ao longo da minha carreira, venci adversários que eram muito melhores do que eu. Lembro-me muito bem da vitória sobre o Sampras no Masters de Roma, em 1999. Também me recordo da vitória na final dos Jogos Pan-Americanos de 2003, contra Marcelo Ríos no auge de sua forma física e técnica. E de outras tantas: contra Andy Roddick em uma quadra rápida e sobre Mark Philippoussis nas Olimpíadas de 1996. Em todos esses jogos, a torcida e a imprensa achavam que

TÊNIS É ESTRATÉGIA

era impossível eu sair da quadra com a vitória. E quem saiu vitorioso da partida fui eu. Qual foi o segredo? Tática e atitude! Existe um jeito de vencer alguém melhor do que você, mas para isso você precisa jogar com a cabeça a partida inteira. O nome desse segredo é tática, estratégia de jogo.

Infelizmente, muitos tenistas já entram derrotados em quadra. Nem eles acreditam ser possível vencer o adversário melhor qualificado. Vejo muita gente aceitando a derrota antes do jogo começar em vez de tentar encontrar uma maneira de jogar contra o temível adversário. Se nem você acredita na sua vitória, então perderá a partida. Não tem jeito! Não existe vencedor em qualquer modalidade esportiva que não acredite em seu potencial e na sua vitória, por mais difícil que ela pareça. Assim, a primeira coisa a fazer quando você tem de encarar um jogador excepcional, melhor do que você, é acreditar: acreditar em você, acreditar na zebra e acreditar no quase impossível.

Além de crer em sua vitória, o tenista precisa compreender que todos os adversários, por melhores que sejam, também são seres humanos, com defeitos e fraquezas. Como qualquer pessoa, eles também sentem a pressão por jogar e a obrigação de vencer. Eles também têm medo e se complicam na hora do "vamos ver". E para que eles se compliquem, precisamos dar um calorzinho neles. Ou seja, precisamos que joguem com um pouquinho de medo. Para isso, precisamos conseguir chegar perto deles no placar. Os primeiros games são fundamentais. Não podemos deixar que eles abram vantagem no marcador. O jogo precisa ficar no 1 a 1, 2 a 2 e 3 a 3 a maior parte do tempo. Se deixarmos um cara melhor do que a gente abrir dois ou três games de vantagem, se permitirmos que quebrem facilmente nossos saques, realmente o jogo fica muito difícil para a gente depois. Recuperar uma grande desvantagem é quase impossível. O jogador melhor acaba se soltando e metendo mais a mão na bola. Seu jogo cresce ainda mais, e ele acaba passando por cima da gente sem dó.

Para ganhar desses caras, não podemos jogar bonito. Esqueça aquela história de "priorizar o belo jogo" e "o mais importante é o espetáculo". Não! Meta a mão na bola. Jogue no erro do adversário. Precisamos jogar essencialmente na deficiência do nosso oponente. Todo cara, mesmo o Federer ou o Nadal, tem uma maneira de jogar e uma deficiência. Não existe atleta perfeito. Temos de saber qual é esta fraqueza. Devemos nos programar antes do jogo, conversar muito com o nosso técnico e precisamos estudar incansavelmente o nosso adversário. Essa é a lição de casa. Precisamos estudá-lo e conhecer os pontos fortes e os fracos. Devemos montar uma estratégia que evite destacar suas qualidades e que evidencie as suas fragilidades. Essa é a tática certeira!

Lembro-me muito bem da partida contra o Pete Sampras, em 1999. Para mim, aquele jogo foi emblemático. Encarar o melhor tenista de todos os tempos era algo dificílimo para qualquer um. Em uma conversa de bastidores, alguns dias antes do jogo, Ricardo Acioly, o Pardal, meu treinador, me falava: "Você quer ganhar do Sampras?! Ele é dezoito mil vezes melhor do que você. Ele foi o número um do mundo por anos e hoje ele é o número dois. Você vai jogar em uma quadra de saibro em que você pode de repente chegar perto dele. O que você vai ter de fazer para derrotá-lo? Noventa por cento das bolas, você vai ter de jogar na esquerda dele. Alta, angulada, com *slice* e forte. Você tem de mandar sempre a bola no lado esquerdo dele, que é o ponto fraco. Não o deixe bater de direita. A direita dele é perfeita. Ela pode acabar com o seu jogo".

O que fiz durante toda a partida? Joguei no lado esquerdo do Sampras. A bola sobrava no meio da quadra e mandava na esquerda dele. "Mas poderia ter aberto lá na direita?". Não! A estratégia era clara e precisava ser respeitada à risca. Era jogar na esquerda e jogar na esquerda. Era jogar o tempo inteiro no ponto fraco dele. Taticamente estava claro para mim como eu deveria atuar. E que se dane o jogo bonito e o espetáculo. Eu queria vencer da lenda viva do meu esporte.

Vejo muitas vezes o jogador mais fraco tecnicamente jogar de qualquer jeito, sem uma estratégia nítida na cabeça. "Ah, eu vou meter a mão na bola de qualquer jeito. Estou jogando com um jogador melhor, não vai fazer diferença". Não! Essa não é a maneira correta de atuar. Se você quer vencer, tenha uma tática eficiente e não saia dela. Para ganhar de alguém muito melhor do que você, só contando com a tática correta.

"Mas eu não posso ganhar dele!". Pode sim! Existem maneiras, existem dias em que o seu adversário não está tão bem. Você pode perder de 6 a 1 e 6 a 1? Pode. Você também pode vencer? Pode. O jogo contra o Sampras foi 2 a 0, parciais de 6 a 3 e 6 a 1. Para mim! Eu venci. Ninguém acreditava no que havia acontecido naquela quadra em Roma depois da partida. Acho que os únicos que acreditaram antes que aquilo fosse possível era o Pardal e eu.

Tenha um jogo mental forte. Acredite que você pode ganhar. A vitória e a derrota são elementos do esporte e só são definidos após o encerramento da partida. Jamais antes. Vencendo ou perdendo o jogo, não fuja da sua tática. Estude muito bem o adversário na véspera e tenha uma estratégia clara para o dia do jogo. Mesmo que você perca fácil, o que pode acontecer, encontre um jeito de incomodar o oponente. Você precisa ser a pedra no sapato dele.

Mostre para o seu adversário, mesmo ele sendo melhor, que você está ali para derrotá-lo. Mostre para ele que você acredita nisso e que fará de tudo para conseguir seu objetivo. Não precisa gritar na cara dele, xingá-lo, trapacear nem usar de

TÊNIS É ESTRATÉGIA

estratégias antiéticas. Mostre pela sua postura corporal que você sabe que pode derrotá-lo. A maneira como você entra em quadra, como você olha para ele e como corre atrás das bolas passam mensagens importantes: "Bom dia, hoje eu vim aqui para ganhar de você. Você está preparado para perder de mim?". Não importa o resultado depois da partida. O que você precisa mostrar durante o jogo com o seu corpo, com o seu físico e com a sua garra é que você acredita na sua vitória o tempo inteiro, do primeiro ao último ponto.

O que não pode acontecer jamais é você entrar em quadra e, no primeiro game, ao perder o saque, sair dizendo ou pensando: "Está vendo! O cara é melhor do que eu mesmo. Não tem jeito!". Não se comporte assim! Lute até o último ponto, mostre a sua estratégia para ele, tente várias coisas caso o plano A não funcione como você pretendia. Mostre para o seu adversário que você quer ganhar.

Lembro-me de quando enfrentei Mark Philippoussis nas oitavas de final dos Jogos Olímpicos de Atlanta, em 1996. Todos achavam que eu não teria qualquer chance de vitória. A imprensa brasileira já dava como perdido aquele jogo. Afinal, o australiano era um dos melhores jogadores do mundo e um exímio sacador. A partida ainda seria realizada em um piso rápido, a especialidade dele. O Acioly, conversando comigo, mostrou que Mark era um cara incrível, mas não era imbatível. Se eu conseguisse sacar bem e imprimir o meu jogo, na hora "H" ele forçaria demais o saque e cometeria erros. Quando pressionado, ele costumava sucumbir e dar muitas chances ao adversário.

Foi exatamente o que fiz. Fui levando meu saque e concentrava minhas oportunidades no segundo saque dele. Queria ganhar todos os pontos na devolução de saque dele. Fui minando sua confiança até chegar ao *tie break* do terceiro set. Nesse momento, ele cometeu uma dupla falta. Entrei com tudo na cabeça dele, e ele se desestabilizou completamente. Aí mostrei (para mim mesmo, para ele, para o meu treinador, à torcida, à imprensa e para todos) que era possível derrotá-lo. Alguns minutos depois, o jogo era encerrado: vitória de Fernando Meligeni por 2 a 1.

Espero que você se lembre dessa dica quando for jogar aquele campeonato importante e aquele jogo decisivo. Não importa o lugar no ranking do outro tenista e qual cabeça de chave ele é. Sua atitude ao jogar é o que importa. Seja aguerrido. Acredite em você. Eles, que são bons hoje, um dia também foram como você. Eles trabalharam, evoluíram constantemente, olharam taticamente a maneira de jogar. Isso não acontece naturalmente de um dia para outro. Requer muito esforço e dedicação. Quem sabe logo mais o seu adversário é quem vai olhar para o outro lado da quadra e se perguntar: "Será que consigo vencer este cara que é tantas vezes campeão?".

DICA 24

Como enfrentar um amigo, um colega ou alguém que se conhece muito bem?

Ao entrar em quadra, o tenista tem um só objetivo em mente: vencer o adversário. Para seguir no torneio ou para conquistar o título do campeonato, precisamos passar por cima do cara que está do outro lado da quadra. Sem remorso. Sem compaixão. Só um sobreviverá na competição, e esse alguém tem que ser você. Esse é o pensamento que norteia o esportista na maior parte dos jogos. Por que eu disse na maior parte? Porque há algumas partidas em que enfrentamos um amigo ou um colega. Como devemos nos comportar dentro da quadra nessa situação? Como agir?

Quem é atleta juvenil, quem está no começo do profissional e até quem é amador e joga de vezes em quando campeonatos por aí já viveu ou provavelmente viverá o dilema de enfrentar um amigo. Antes de qualquer coisa, é preciso reconhecer que não é fácil jogar contra um conhecido. Eu tinha muita dificuldade de jogar contra os caras de que eu gostava muito, como o Guga, André Sá, Sarettinha, Ricardinho Mello, Jaiminho e outros caras legais.

E qual é a maior dificuldade nessa hora? Você entra em quadra e não sabe se pode vibrar. Você faz um ponto muito legal e pensa: "Pô, será que eu posso

TÊNIS É ESTRATÉGIA

comemorar?". Minha opinião é a de que você deve fazer dentro de uma quadra de tênis contra o amigo tudo aquilo que você não se sentiria agredido se a outra pessoa fizesse com você. Gritar na cara? O adversário faz uma dupla falta e gritamos um "vamos". Acho que essa não é uma atitude legal, que um amigo gostaria. Provavelmente ninguém vai gostar. Tenha um respeito grande e um cuidado especial com o seu comportamento. Comemorar pode, mas com moderação. Provocar, catimbar, tentar desestabilizá-lo emocionalmente com algo que só você saiba e xingá-lo não são condutas aceitáveis de um tenista. Saiba que se você fizer algo assim, seu amigo do outro lado da quadra ficará surpreso e profundamente magoado com você.

Se você seguir os comportamentos éticos durante o jogo, não há com o que se preocupar. É interessante até mesmo esquecer quem está do outro lado da quadra. Sei que não é fácil, mas você precisa se esforçar. Você tem de esquecer quem é o seu adversário naquele dia. Você precisa continuar com a mesma vontade de ganhar. Seu objetivo é um só: derrotar o oponente, seja ele quem for. Se você entrar sem a mesma gana em quadra, dificilmente sairá vencedor. E aí mora o perigo. Tudo bem, você pode ter uma postura um pouco mais calma, menos agressiva em quadra. Isso é normal ao enfrentarmos um amigo. Mas não podemos perder o espírito campeão, de querer vencer sempre.

Tenho vários jogos memoráveis que disputei contra o Guga. Tem horas que acho que o único que repetiava a nossa amizade em quadra era eu. Por isso ele foi o gênio que foi. O Guga queria ganhar sempre, independentemente do adversário e do contexto da partida. Ele me batia sem dó nem piedade. Por mais que me esforçasse, ele nunca me deu qualquer chance. Ele venceu todos os confrontos que disputamos. Na única chance que tive de sair vitorioso, estava ganhando em Acapulco (venci o primeiro set e havia quebrado o saque dele no início do segundo set) e me machuquei. Na hora, o Guga ficou muito preocupado comigo. Quando percebeu que eu estava bem e que não era uma contusão grave (mesmo assim, eu não poderia seguir no jogo), ele me disse ainda na quadra: "Pô, querido, que pé frio, hein? Estou supertriste que você tenha se machucado justamente agora que você estava vencendo...". É claro que ele estava sendo irônico, proferindo aquelas palavras enquanto ria sem parar. Saímos da quadra e fomos jantar juntos, com ele radiante pela vitória. O pior é que ele nem pagou a conta como sinal de consideração.

Outro aspecto relevante é que sua amizade não pode ser abalada ou prejudicada pelo que ocorre em um jogo de tênis. O que acontece dentro da quadra, fica e morre dentro da quadra. "Pô, o cara correu demais, o cara lutou muito, o cara jogou como nunca para me vencer...". Legal! Era exatamente isso o que

6/0 DICAS DO FINO

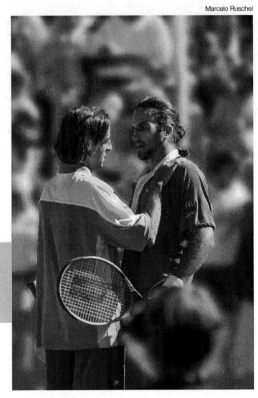

Meligeni e Patrick Rafter em semifinal da Copa Davis de 2000 na Austrália.

esperávamos de um tenista vencedor. Tudo isso faz parte do jogo. "Ah, o cara se excedeu um pouquinho nos gritos" ou "ele me provocou às vezes". Isto tem de ser deixado de lado quando o jogo termina. Não é porque é amigo, colega de treino ou porque é o seu maior inimigo que você vai levar para fora de quadra o que aconteceu dentro dela. Você vai perder uma amizade de tanto tempo por causa de um gritinho ou uma pequena provocação que aconteceu na partida? É claro que seu amigo não deveria fazer isso, mas você precisa entender se acontecer. E não reagir, não devolver a provocação. Lembre-se de tentar ser ético e educado o tempo inteiro, haja o que houver. Pelo menos tente, se esforce ao máximo.

Em Estoril, enfrentei certa vez o Saretta. Nós sempre fomos muitos amigos e raramente nos enfrentávamos. Não queria perder dele de jeito nenhum, pois ele era muito mais jovem do que eu. Ser derrotado para um moleque não estava nos meus planos! O Saretta esteve muito bem nesse jogo e teve dois *match points*. Era o terceiro set e a partida estava 5 a 2 para ele. Ele sacava no oitavo game e o placar estava 40/15. No primeiro *match point*, ele subiu na minha esquerda e eu dei uma passada linda na corrida dele. Foi um ponto sensacional! Ele não acreditou que eu salvei o jogo justamente com uma das minhas piores jogadas.

TÊNIS É ESTRATÉGIA

Aproveitei o momento e dei uma gritadinha: "Vamos!". O Saretta perdeu a concentração com aquilo, e ganhei o game e depois virei o set (7 a 5). O placar do jogo: 2 a 1 para mim. Obviamente, tiro sarro dele até hoje desta passada linda que dei com a esquerda. E ele até hoje diz que foi sorte minha e que errei a bola no momento de bater na raquete, acertando sem querer a jogada. Boas histórias entre amigos!

Você tem de tentar jogar o seu melhor, seja quem for o adversário. É óbvio que temos uma dificuldade maior ao enfrentar um conhecido. Afinal, se o conhecemos bem, ele também nos conhece. E aí está a grande questão: como jogar taticamente contra uma pessoa que nos conhece muito? Você arma para bater de direita, e o cara do outro lado da quadra já sabe que você gosta de jogar na cruzada. Se o game está 30/30, ele sabe que você gosta de sacar no meio. Como jogar contra um cara que conhece você tanto?!

Minha dica é: mesmo o seu amigo (e hoje adversário) sabendo o que você vai fazer em quadra, mantenha sua maneira de jogar. Mesmo que ele tenha consciência de que você jogará a sua melhor bola na cruzada ou na paralela ou na curtinha, você precisa continuar fazendo o que já está acostumado. Esse é o seu melhor jogo. Esse é seu "ganha-pão". Você não pode deixar de jogar da sua maneira só porque o adversário o conhece. Se fugir muito das suas características e do que está acostumado a fazer, você tem grandes chances de perder a partida. É óbvio que em certos momentos, principalmente no saque e na devolução, você pode surpreendê-lo. Mas isso deve ser feito de vez em quando. Se você mudar seu jeito a todo instante, deixa de ser surpresa, certo?

"Eu gosto muito de sacar, quando o game está 30/30, no meio" ou "Ah, toda vez que estou atrás no placar, gosto de sacar aberto". Cada tenista tem as suas características de jogo. Guga gostava muito de sacar aberto quando estava no 30/40. Ao enfrentá-lo, eu sabia que o saque dele ia lá. O que ele fazia? Ele variava de vez em quando, uma ou outra bola. Para me surpreender, ele sacava no meio nessas horas importantes. Mas noventa por cento das vezes, ele ia para o saque dele e fazia o que estava habituado. Ia para o saque que gostava. Eu também gostava de sacar aquele saque aberto no 30/40, aquele que pegava a esquerda do cara. Sabia que o adversário estava lá me esperando, mas era o meu bom saque. Era o saque em que eu tinha confiança. Ou o saque aberto no 15/15, eu adorava... Por que vou fugir dele? É importante a gente não perder nossas características.

Acredite no seu jogo! Mesmo jogando contra um amigo, alguém que conhece você bem, acredite no que você faz de melhor. A variação pode e deve acontecer, mas deve ser de vez em quando. Imagine só se Rafael Nadal, Novak Djokovic e

Roger Federer, por exemplo, fossem mudar seus estilos de jogo toda vez que se enfrentassem? Isso é impossível! Eles já jogaram várias vezes uns contra os outros e sabem detalhadamente o que cada um faz do outro lado da quadra. E mesmo assim, continuam aplicando o jogo deles. É bom mudar uma vez ou outra, para fazer com que seu adversário pense a respeito e não se sinta tão à vontade na partida, mas não mude totalmente a sua característica de jogar.

Para mim, o jogador mais difícil de enfrentar era Jaime Oncins. Além de ser um tenista incrível, ele me conhecia muito bem e sabia exatamente em que lugar eu ia mandar as bolas. De tanto conviver comigo, ele adivinhava sempre as minhas jogadas. Nossos jogos eram nervosos e, normalmente, decididos nos pequenos detalhes. Muitas vezes nós dois íamos até os limites do que era recomendável fazer em quadra. O mais legal, contudo, era que acabado o jogo, tudo voltava a ficar numa boa. A nossa amizade era restabelecida como se nada tivesse acontecido.

Depois de vencer o seu amigo em quadra, o que você deve fazer? Ora bolas, depois do jogo, você deve tirar muito sarro da cara dele. Essa é a melhor parte de vencer um conhecido. Tem coisa mais legal do que ganhar de alguém que você vai encontrar várias vezes depois. Se o amigo ficar bravo que perdeu, o problema é dele. Amigo é amigo fora das quadras. Dentro dela, temos de fazer nosso papel e ganhar. Sempre com ética, sempre respeitando as normas do jogo de tênis e sendo educado. Tirar sarro depois, vale sim! E como vale. E está aí mais um motivo para você vencer essa partida...

DICA 25

Como ganhar de quem devolve todas?

Esta dica é para quem vai enfrentar um baloeiro. Tem adversário mais chato do que aquele jogador que devolve corretamente todas as bolas que você manda para o outro lado da quadra? É muito difícil jogar contra um adversário que raramente erra. Eita parada indigesta! Há vários tenistas com essa característica. Você mete a mão o tempo inteiro, e o cara vai lá e devolve a bola. Devolve uma, duas, três... dez vezes. Até que chega uma hora em que você força um pouco mais a jogada para defini-la e acaba errando. Ponto para o seu oponente.

Como podemos jogar contra um cara assim? Gosto de falar sobre esse tema porque eu adorava fazer o papel de baloeiro quando jogava no circuito. O meu adversário queria quebrar a bola no meio e enfiava a mão. Eu ia lá, corria como um doido e devolvia a bola. O cara novamente sentava a mão e eu devolvia outra vez. Não tem nada mais desesperador para um tenista do que um adversário que é uma parede. Existem, entretanto, algumas táticas para jogar contra esses caras chatos. A questão é compreendê-las e utilizá-las nos momentos mais pertinentes.

O grande segredo para você ganhar dos jogadores que dificilmente erram é não entrar no jogo deles. Esse é o primeiro passo. Ao mesmo tempo, precisamos entender que não teremos uma partida fácil pela frente. O jogo deverá se estender por algumas horas e será longo, muito longo... É impossível ganhar de um cara que coloca todas as bolas dentro da quadra em uma hora, uma hora e quinze minutos. Tire da cabeça que você conseguirá derrotá-lo rapidamente, pois não conseguirá. Você precisará ter calma nas próximas duas ou três horas.

Sabendo da dificuldade da partida, da longa duração do confronto e da importância de não se entrar no jogo do adversário, a próxima medida é saber escolher muito bem a bola para atacar. Se o adversário mete muitas bolas para o nosso lado sem errar, normalmente é um jogador que não ataca muito. A agressividade está diretamente relacionada ao risco. Quanto mais se ataca e quanto mais agressivo se é em quadra, maiores são as chances de erro. Quanto menos se ataca e mais conversador é um tenista, menores são as chances de erro. Isso é natural.

Ao saber que seu adversário não ataca tanto, você não precisa mandar a bola o tempo inteiro perto da linha ou rente à rede. Pode trocar bolas com uma margem de segurança maior. Deixe para arriscar e para atacar quando encontrar o momento certo. Tenha a tranquilidade para esperar essa hora chegar. Saiba que as bolas acabam sobrando para você definir, em particular em um jogo disputado com um cara que não bate tão forte. Contra jogadores que ficam empurrando a bola e dando muito *topspin*, a bola fica rondando o meio da quadra. As escolhas de quando e como atacar são as mais importantes.

Você não pode permitir, contudo, que a jogada vá para a sexta, sétima ou oitava troca de bolas. Nesse caso, a chance de seu adversário ganhar o ponto é maior (afinal, ele dificilmente erra, enquanto você...). Você não pode ficar adiando eternamente o ataque. Ao mesmo tempo, não pode se desesperar e estourar na primeira ou na segundo bola. Encontrar o momento certo de atacar é o xis da questão.

Outra questão relevante é dificultar a vida do nosso adversário. Se ele está devolvendo todas as bolas com muita facilidade é porque não estamos com uma estratégia correta. Precisamos variar as jogadas. Devemos meter as bolas com mais ângulo e em diferentes direções. Assim, nosso adversário vai precisar correr atrás da bola. Quanto mais ele estiver correndo em quadra, maiores serão suas dificuldades para aprofundar a bola. Mesmo os caras que erram pouco não aguentam ficar para lá e para cá o tempo inteiro. Se você jogar sempre no mesmo lado, fica muito fácil para ele rebater, dando *topspin* sem cometer erros. Na hora em que o forçamos a se mexer intensamente, o jogo fica bem mais complicado para ele.

Também precisamos trocar a velocidade da bola. Não podemos ficar na mesma batida, no mesmo ritmo, todo o tempo. O cara que normalmente ataca fica dando pancada sempre. Porrada, porrada e porrada! Para defender é a melhor coisa do mundo. Adorava jogar contra caras que batiam no mesmo ritmo toda hora. O jogo fica previsível e menos cansativo. Dava dois ou três passos para trás, metia um *topspin*, e a bola subia. Ela caia lá nos três quartos da quadra adversária e estava vivo de novo.

TÊNIS É ESTRATÉGIA

Quando o oponente consegue dar um *slice*, joga uma alta, depois varia uma jogada mais rápida e tenta em seguida um golpe mais angulado, esse cara está complicando nosso jogo. Se antes ficávamos escorados no fundo da quadra só devolvendo a bola, agora precisamos correr para todos os lados da quadra e variar nosso repertório de devoluções também. Porque tem hora que você tem de bater, outra que não pode bater e momentos que você tem de se defender. É muito mais difícil jogar assim. Por isso varie a velocidade das suas jogadas. Quanto mais variável for a intensidade dos seus golpes, mais dificuldades o adversário terá para devolver as bolas sem errar.

Outra coisa importante: se você tiver oportunidade, suba à rede! Óbvio que esses caras passam bem e sabem se defender, mas não adianta ficarmos trocando cinco mil bolas com eles lá no fundo da quadra. Primeiro porque nosso oponente vai ganhar no lado físico. Esses jogadores baloeiros normalmente têm um excelente preparado físico. Se bobearmos, eles podem ficar rebatendo por dias ou semanas sem parar. Então você tem de procurar o jogo. Suba à rede e mate o ponto sempre que for possível.

Surpreenda seu adversário. Mesmo que você não voleie muito bem, saque e voleie de vez em quando. O jogador do outro lado da quadra precisa estar desconfortável, não sabendo o que faremos. Odiava quando o cara me deixava desconfortável durante a partida. Não adianta ficar só na mesma batida. Saque e voleie. Devolva e voleie. Faça o cara passar você. Se você estiver temeroso dessa tática, faça-a quando o placar estiver 30/0 ou 0/30 para você.

Lembre-se também de ter paciência. Tenha controle emocional para não se desesperar nem para cair na armadilha do jogo do adversário. Saiba que contra um cara que erra pouquíssimo, você vai errar mais do que está habituado. Isso é normal. Peço, ao mesmo tempo, para ter paciência e incentivo você a ser agressivo. Como assim? "Tenha paciência e suba à rede. Tenha paciência e voleie. Não é possível unir essas duas características tão opostas!", alguns poderiam reclamar. Ser agressivo não quer dizer estourar a bola no meio, enfiar a mão na raquete ou dar *winner* toda hora. Ser agressivo significa tomar a iniciativa para matar o ponto. Significa não esperar o adversário tomar a dianteira do jogo. Essa iniciativa precisa vir de você, mas com moderação e tranquilidade. Não podemos atuar como camicases ou como loucos inconsequentes em quadra.

Quando conseguimos pegar o ritmo certo, dificilmente seremos batidos pelos baloeiros. Ao inutilizar o estilo de jogo do nosso adversário, o forçamos a mudar de estratégia. Saindo de sua condição habitual, ele tenderá a cometer mais erros e, assim, teremos mais chances de vencer a partida.

E aí, preparado para encarar um baloeiro agora?

DICA 26

Como derrotar um adversário extremamente agressivo?

Não é nada fácil enfrentar um adversário extremamente agressivo. Esse tenista é aquele que agride o tempo todo, vai para cima, mete a mão na bola e parte para o risco durante a partida. Para exemplificar, podemos citar Jo-Wilfried Tsonga. Dos tenistas atuais, o francês é um dos mais agressivos do circuito. Dos meus contemporâneos, Fernando González jogava dessa maneira, agredindo o tempo inteiro. Era muito difícil enfrentar o chileno, pois não podíamos mandar a bola na direita dele. Se fizéssemos isso, ele nos queimava com um míssil muitas vezes indefensável. Então como enfrentar um jogador desse tipo? O que fazer para anular o seu jogo e entrar em sua cabeça?

A primeira medida é analisar se temos golpes para enfrentá-lo no *mano a mano*. Outro tenista muito agressivo da atualidade é o theco Tomáš Berdych. Se formos enfrentá-lo, devemos calcular: "Eu tenho bola para segurar a pancadaria do Berdych?". Nós e 99% do circuito da ATP não temos bola para encarar diretamente esses caras que batem tão forte. Ou seja, para vencer esse jogo precisamos usar alternativas que evitem o confronto direto e que ajam nos pontos fracos desses jogadores.

Vamos pensar com a cabeça de quem joga batendo forte na bola o tempo inteiro. Por ser muito agressivo, o que esse tenista faz muito? Erra! Não existe milagre no tênis: quanto maior for o risco, menor será o índice de acerto. Sabendo que

TÊNIS É ESTRATÉGIA

o jogador erra muito, o que devemos fazer? Ora, a saída é errarmos o menos possível. Devemos arriscar o mínimo possível. Vamos jogar bolas no fundo da quadra, profundas, a um metro da linha, tendo uma boa margem de segurança.

Outra característica do tenista que gosta de bater forte é preferir jogar as bolas que venham na altura da sua cintura. Quando elas chegam nessa altura, é mais fácil para ele meter a mão na bola. É muito mais fácil jogar assim do que quando a bola vem alta, na altura do ombro, ou quando vem baixa, na linha do joelho. Sabendo disso, o que vamos fazer? Vamos tirar a bola da cintura dele. Devemos mandar só bolas altas e baixas. Precisamos tirar nosso adversário da sua zona de conforto.

Quem bate forte também gosta de bater parado. É mais fácil encher a mão na bola quando não estamos em movimento. A precisão e a força são maiores. Sabendo disso, vamos mexer o nosso adversário, vamos fazê-lo correr por toda a quadra. Não podemos deixá-lo parado um instante que seja. Se estivermos enfrentando um Berdych da vida e jogarmos a bola na esquerda dele, o ideal é enviar a próxima na direita. Podemos jogar, no máximo, duas bolas consecutivas no mesmo lado. Obrigatoriamente a terceira bola deve ser enviada no lado oposto. Com isso, conseguimos evitar que ele bata as bolas parado. Vamos esparramando esse jogador pela quadra.

Outro ponto muito importante para ganhar de quem bate forte é jogar "comendo pelas beiradas", como normalmente falamos. Um jogador que dá muitos pontos de graça é alguém que também sente muita pressão nos momentos decisivos do jogo. Se errarmos pouco, se tirarmos a bola da cintura dele e se o fizermos correr muito pela quadra, automaticamente entramos na cabeça do nosso adversário. Aí, além de controlar o jogo na questão tática, passamos a dominar também o lado psicológico da disputa. Mais nervoso, nosso oponente tenderá a errar muito mais.

Quem joga agredindo espera que nos desesperemos e passemos a também bater forte na bola. Essa é a primeira coisa que passa em nossas cabeças: "Ah, você está metendo a mão? Vou mostrar que também posso! Vou meter a mão também". É normal esse pensamento surgir. Na verdade, quando passamos a jogar dessa maneira estamos seguindo nossos instintos em vez de analisar racionalmente o cenário. Será mesmo que encarar diretamente esse tipo de jogador é a melhor estratégia? Infelizmente, não! Se passarmos a meter a mão, estaremos fazendo tudo o que nosso adversário deseja. Ele bate, nós batemos. Ele manda a 300 quilômetros por hora e nós devolvemos assim também. Ele erra muito e nós erramos muito mais. Ele adora quando isso acontece.

Mas quando nosso adversário percebe que não caímos no jogo dele, as coisas mudam de figura. Quando não damos pontos de graça, e ele percebe que para ganhar um ponto terá de bater cinco, seis bolas, aí quem se desespera é ele. Ele quer quebrar a bola ao meio para nos superar de primeira e, por isso, acaba errando ainda mais. A bola sai por dois ou três centímetros. E sair por dois, três centímetros ou sair por quatro metros é a mesma coisa. O ponto é nosso.

Assim, vamos colocar mais pressão sobre o nosso adversário, entrando em sua cabeça. Se estivermos devolvendo o saque de um cara que joga forte, joguemos alto, firme, com bastante *topspin* e tirando a bola da cintura dele já na primeira jogada. Precisamos mostrar que chegaremos a todas as bolas, que vamos "remar" o jogo inteiro, que vamos devolver todas as bolas para o outro lado da quadra e que se ele não mandar a bola na linha, não conseguirá ganhar o ponto. Ao tentar bater mais forte na bola, há grande chance de ele errar ainda mais.

Se você conseguir colocar em prática essas pequenas dicas, poderá enfrentar qualquer um desses jogadores que queimam a bola. Que tal agora encarar um Berdych ou um Tsonga?

DICA 27

O que fazer quando o saque não entra?

Há dias em que nosso índice de acerto no primeiro saque cai absurdamente. E aí nos desesperamos. Entramos em uma espiral de constantes erros que parece interminável. Erramos o primeiro serviço, erramos outro, cometemos dupla falta, continuamos errando e nosso saque teima em não entrar. Com isso, a confiança desaparece. Passamos a tentar de tudo para acertar. Começamos a sacar mais forte, com a esperança de conseguirmos ao menos um *ace*. E os erros só aumentam. O que fazer nessa hora? Como vencer uma partida quando nosso saque nos deixa na mão?

Na dica 10 sobre saque, na parte II deste livro, comentamos as questões relacionadas a como sacar. Como pegamos na bola, a importância desse golpe, como efetuar um bom *toss* etc. Agora vamos tratar da parte mais emocional. O que fazer quando o que programamos e planejamos não está funcionando durante a partida?

A primeira coisa que preciso falar é: seja bem-vindo à dificuldade de sacar! Um problema que os tenistas sofrem, independentemente da idade, dos níveis de jogo e de treino de cada um. É normal e muito corriqueiro. Todo mundo, em algum momento do jogo ou em determinado dia, acaba se perdendo e perdendo um pouco o *timing* da bola, errando mais do que deveria e mais do que está acostumado.

6/0 DICAS DO FINO

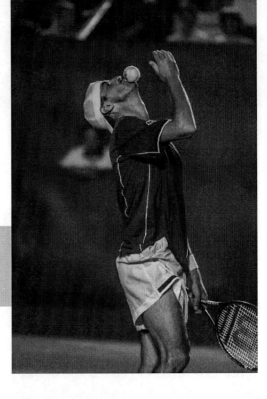
Marcelo Ruschel

Meligeni em partida pelo ATP Tour de Acapulco no México em fevereiro de 2001.

Sabendo que isso é normal, precisamos estabelecer alguns parâmetros ou certas medidas para esse momento complicado. A proposta é resolver ou minimizar o problema. Afinal, é quase impossível vencer um jogo de tênis se nossa bola não estiver entrando no saque. Quando nosso primeiro saque não entra, nosso adversário acaba nos agredido já na devolução. Ele ganha confiança e, normalmente, encontra mais facilidade para devolver o nosso segundo saque. Aí ele fica a meio caminho de quebrar o nosso saque e conquistar aquele game que deveria ser nosso.

Antes de qualquer coisa, precisamos nos controlar e jogar para longe o pensamento de sentar a mão na bola. Curiosamente, a primeira ideia que surge na nossa cabeça nesta hora é: "Vou dar uma porrada violentíssima e conquistar o ponto no *ace*". Não! Não devemos quebrar a bola ao meio, em particular quando estivermos com pouca confiança. O normal de acontecer, nesse caso, é em vez de conseguir um *ace*, é ganharmos mais uma dupla falta. Quanto mais forte for o saque, mais difícil será acertá-lo. São poucos os tenistas que conseguem enfiar a mão e acertar o serviço o tempo inteiro. A maioria acaba dando aquele *slice*, com rapidez de velocidade de braço, pegando a bola lá em cima. Portanto, não tente desesperadamente conseguir *aces*.

TÊNIS É ESTRATÉGIA

Até pensei em desenvolver, para este livro, uma dica só sobre o *ace*. Como conseguir fazer *ace*? Mas não há muita técnica envolvida. Ele acontece naturalmente. Ele surge quando você joga a bola perto da linha. Esse saque é firme, preciso, na hora certa e, muitas vezes, feito na variação. Ou seja, surge a partir de um bom saque e de pegar o adversário desprevenido. Assim, mais importante do que fazer um capítulo sobre *ace*, era fazer uma dica voltada para como executar um belo saque. Além disso, a busca desenfreada pelo *ace* pode levar o jogador a errar demais, em especial quando o saque dele começa a não sair como o desejado. Em vez de sentarmos o braço na bola, vamos colocar um pouco mais de efeito nela. Vamos tirar a sua velocidade. Coloquemos uma margem maior de segurança, tirando bastante da rede e evitando jogar muito próximo da linha.

Outra questão fundamental, nessa hora, é entendermos o tamanho do nosso problema. O ideal é ter um percentual de acerto de primeiro saque de no mínimo cinquenta por cento. O legal é acertar sessenta, sessenta e cinco por cento. Quanto mais alto for esse indicador, melhor. Também é natural os tenistas terem valores de acerto do primeiro saque compatíveis com a sua estratégia de jogo. Existem jogadores que sacam muito forte e usam o saque violento quase como um ganha pão dentro da partida. A conquista dos seus pontos vem por meio desse golpe, que pode chegar a 180, 200 quilômetros por hora. Outros tenistas preferem usar o saque como preparação da primeira bola. Assim, é natural os primeiros errarem mais saques do que os segundos. O erro anda lado a lado com o risco. Quanto mais se arrisca, mais se erra. Nenhum desses dois tipos de jogadores, contudo, pode se dar ao luxo de jogar com um nível de acerto muito abaixo do que estão acostumados a executar. Não podem dar tantos pontos de graça nos saques para seus adversários. Seja um saque forte ou mais estratégico, precisa cumprir corretamente sua função: colocar a bola em jogo.

Algo interessante que o meu antigo treinador, o Pardal, vivia me dizendo era: "Em nenhum aspecto você pode errar três primeiros saques seguidos". De certa maneira, isso faz sentido. Podemos errar o primeiro saque e, com isso, sacamos com o segundo. No ponto seguinte, em um 0/15, vamos lá e sacamos o primeiro saque com mais violência. Queremos, assim, agredir mais nosso adversário para compensar o que aconteceu no último ponto. E aí erramos novamente. Já no terceiro saque, o que devemos fazer? Sacar com força para errarmos outra vez? Não! Devemos diminuir a velocidade. O importante é o golpe entrar, custe o que custar. Vamos dar um pouquinho mais de *slice* na bola. Nosso saque pode ter um pouco mais de *topspin*. O importante é colocar a bola no outro lado da quadra e evitar jogar com o segundo saque. Mostrar, nesse caso, para o nosso adversário que alteramos taticamente o nosso jeito de sacar não é uma demonstração de fraqueza da nossa parte. Apenas indica que estamos neutralizando o ataque dele.

Quando jogamos contra um adversário que está errando muito saque, ficamos com muita confiança. Temos certeza de que em algum momento quebraremos o saque dele. Por outro lado, quando o nosso rival saca com uma porcentagem alta de acerto no primeiro saque, a coisa fica muito difícil para o nosso lado. Temos de estar naquele game legal para conseguirmos acertar uma ou duas boas devoluções e termos alguma chance de quebrar o saque do outro jogador. Esses mesmos pensamentos passam pela cabeça do nosso adversário. Usemos, então, o lado psicológico a nosso favor. Não vamos deixar nosso oponente crescer no jogo por causa dos nossos erros.

Quando começamos a errar sucessivamente os saques, geralmente a razão fundamental não é tanto técnica. O problema maior está no nervosismo que sentimos. Essa pressão é a responsável principal pelos nossos erros. Precisamos tirar os pensamentos negativos da nossa cabeça e tentar diminuir a tensão. "Meu Deus, será que vou acertar? Será que vou errar? Se errar o primeiro saque, meu adversário vai me agredir e vou perder o saque. Se quebrar meu saque, vou perder o set e o jogo". Quanto mais caraminholas colocarmos na nossa cabeça, pior será. Tiremos esses pensamentos negativos e passemos a pensar exclusivamente naquilo que precisamos fazer para ganhar o próximo ponto. Tenhamos a certeza de que se conseguirmos nos acalmar, nosso primeiro saque voltará a ser nosso aliado em vez de ser um inimigo tão cruel.

Outro reflexo do nervosismo acentuado é pular menos na hora do saque. A tensão faz com que acabemos não subindo atrás da bola como deveríamos. De certa maneira, ficamos meio pregados no chão, que é uma grande demonstração de tensão da nossa parte. Então vamos jogar a bola para cima e vamos pular! Vamos ao encontro da bola lá em cima!

Garanto que se realizar todas essas medidas, você conseguirá afastar a "zica" do saque e voltará a acertar o golpe como antes. Aí o problema deixará tanto de ser como confirmar o serviço e passará a ser como quebrar o saque do adversário. Por mais que nos esforcemos, os desafios sempre continuam.

DICA 28

Como jogar um *tie break*?

Nos jogos mais equilibrados, a última alternativa para o desempate é, muitas vezes, a disputa em um *tie break*. Depois de uma hora ou mais de confronto intenso, o set (ou mesmo a partida) será decidido em poucos pontos. Se é justo ou não definir o destino do set ou do jogo dessa maneira, não vem ao caso agora. É regra do tênis e precisamos segui-la. A grande questão é saber jogar bem essa parte da partida. Para vencer os grandes desafios, é fundamental saber jogar este tipo especial de game. O *tie break* possui particularidades e segredos, e conhecê-los é um atalho importante para o tenista sair vitorioso de quadra.

A principal característica do *tie break* é a emoção que aflora pela quadra e pela arena. Jogadores, treinadores, público, juízes, imprensa e todos os demais envolvidos ficam mais nervosos durante essa disputa. Cada jogada torna-se de vida ou morte. Erros passam a ser imperdoáveis. A vitória e a derrota nunca estiveram tão próximas uma da outra quanto nessa etapa da partida.

Antes de qualquer coisa, gostaria de dizer que acho que nenhum jogador gosta do *tie break*. Ao longo da minha carreira não conheci um tenista que falasse: "Que legal, o set foi para o *tie break*! Estava esperando tanto por este momento. Agora que ele chegou, estou feliz". Essas palavras parecem um absurdo. Ninguém fica feliz ou se sente confortável durante essa disputa.

Há dois aspectos que precisam ser comentados sobre o *tie break*: o lado mental e o lado estratégico. Em relação ao fator psicológico, precisamos entender que naturalmente essa é a etapa de maior nervosismo do jogo. Nós ficamos mais apreensivos, e nosso oponente também fica. Afinal, jogamos doze games na última hora para ao fim definirmos tudo em até sete pontos. Muita coisa passa pela nossa cabeça nesse momento. É preciso manter a força mental o tempo inteiro. Se o nosso psicológico fraquejar nessa hora, tchau vitória.

Uma coisa que jamais pode acontecer em um *tie break* é desanimar e baixar a cabeça se perdermos um ou dois pontos logo de cara. Em relação ao aspecto psicológico, os primeiros três ou quatro pontos são cruciais. Nós estamos lutando muito e, de repente, o adversário abre 3 a 0 ou 3 a 1 de vantagem, conseguindo um *break* ou um *minibreak*. Se não estivermos bem preparados psicologicamente, podemos dizer que a partida já foi decida nos primeiros pontos, entregando o set ou o jogo de bandeja para nosso rival. Quem disse que essa diferença é grande? Quem foi que falou que a virada não é possível? Devemos nos manter calmos e confiantes até o final.

Quando começamos perdendo dessa maneira o *tie break*, uma dica legal é tentar jogar mais lentamente. Ao cadenciar o jogo, diminuímos o ímpeto e o moral do nosso adversário. Se, por outro lado, formos nós que abrimos a vantagem, precisamos aproveitar o momento e jogar mais rápido.

E como jogar no *tie break*? Gosto de dizer que não apenas nas partes finais dos sets, mas também nos momentos decisivos e mais nervosos da partida, devemos jogar como nos sentimos mais confortáveis e como estamos mais acostumados a fazer. Vamos mandar a bola aonde sabemos que acertamos mais. O saque e a devolução devem ser feitos considerando nosso histórico dentro daquele jogo.

Do lado estratégico, não podemos ser extremamente agressivos nesse momento. Agora cada ponto vale muita coisa, e não podemos errar de maneira nenhuma. Nada de assumir riscos desnecessários! É diferente, por exemplo, de quando estamos em um game normal: "Errei esta jogada e a bola anterior. Tudo bem, o placar está 0/30, mas agora eu vou lá, saco bem os próximos dois saques e empato novamente o game. 30/30. Eu me garanto no saque...". No *tie break*, se dermos duas porradas para fora, o adversário abre 2 a 0 no placar. Aí ele saca e amplia a vantagem para 3 a 0. E, nesse momento, a vitória começa a escorregar por entre nossos dedos. Recuperar fica muito mais difícil.

Não podemos ser muito agressivos, mas também não podemos ser excessivamente defensivos. Não é legal ficarmos esperando o rapaz ou a moça do outro lado quadra errar a bola. E se ele não errar nada, como conquistaremos nossos pontos? Não podemos contar com a sorte. Precisamos nos ancorar em nossos próprios méritos.

Eu gostava, na época em que jogava e disputava o *tie break*, de pensar durante aqueles vinte e cinco segundos antes de retornar à quadra: "Em que meu

TÊNIS É ESTRATÉGIA

adversário está sendo mais deficiente? O que ele está errando mais?". "Ah, é na esquerda dele. Toda vez que jogo a bola alta na esquerda dele, ele erra". Identificada a fragilidade, eu explorava este golpe durante o *tie break*. Outra coisa que eu procurava refletir era: "O que estou fazendo de produtivo? Como tenho ganhado mais pontos?". "Estou sacando no meio e está dando certo. Estou ganhando a maioria dos pontos ali. Ótimo! Vou continuar sacando no meio, então". "Estou subindo à rede e ganhando a maioria dos pontos ao volear. Excelente! Vou continuar indo à rede e voleando". Procurava jogar com a tática que estava dando mais certo, que estava me ajudando mais.

Assim, se você for sacar, opte pelo seu melhor saque. Se você gosta de sacar e volear, vá atrás do seu golpe mais efetivo. Se você prefere dar saque no meio, vá pelo meio. "Ah, quero surpreender". Pelo amor de Deus! No *tie break*, você tem de pensar exclusivamente em ganhar. Nada de querer jogar bonito ou de querer surpreender o adversário. Nada de testar novas jogadas ou alternativas...

Outra coisa que eu procurava fazer era não dar pontos de graça para o adversário. Jogador que deseja vencer os sets e a partida não pode errar quase nada no *tie break*. Para que arriscar e correr riscos nesse momento? Só um louco pensaria diferente. Todo risco ali é perigoso. Então, tomemos muito cuidado. Joguemos com mais paciência. Atuemos com mais tranquilidade. Mandemos também um pouco da responsabilidade para o nosso adversário e vejamos como ele reage. E se a bola sobrar, metemos a mão. Vamos mostrar para ele que quem manda na quadra somos nós.

Queiramos ou não, a disputa dos cinco primeiros pontos é fundamental. Se estivermos perdendo, o placar não pode se dilatar. Ele precisa ficar sempre próximo, parelho — 3 a 2, por exemplo. Dessa maneira, colocamos pressão no nosso adversário e o forçamos a errar. Precisamos ficar perto dele, cara a cara, encurralando-o. Se o placar estiver desfavorável — em 4 a 1 ou 5 a 0—, o outro jogador se sentirá à vontade e confiante para vencer o set. Não podemos deixar que isso aconteça.

Uma boa maneira de botar mais pressão no nosso adversário é blefando. Mesmo não sendo um jogo de pôquer ou de cartas, o tênis tem muito de blefe. Estamos muito bravos conosco: "Estou jogando muito mal, caramba! Cheguei ao *tie break* contra um cara que eu deveria ter vencido facilmente ou contra uma menina de ranqueamento bem inferior ao meu e agora estou correndo risco de perder o jogo. Como pude deixar a partida caminhar para este fim dramático?!". O. K. A decepção é natural. Mas não podemos demonstrar nossas frustrações e nossa raiva para o nosso adversário. Precisamos mostrar frieza total nessa hora. Precisamos ter "cara de geladeira", como eu gosto de dizer. Temos de fazer aquela cara enigmática do Björn Borg, para ninguém perceber o que está se passando no interior da nossa cabeça. Se o nosso adversário suspeitar do nosso medo e da nossa fraqueza, ele crescerá no jogo. Aí ficará difícil segurá-lo.

O *tie break* é feito para tenistas com personalidades fortes e com muita coragem. Quem ganha normalmente são jogadores e jogadoras com fibra, decididos e com grande força mental.

Um jogo em que me lembro bem de ter perdido um *tie break* foi a semifinal de Roland Garros, em 1999. E como foi dolorida aquela derrota! Eu enfrentava, na ocasião, o ucraniano Andrei Medvedev, que na rodada anterior havia eliminado Gustavo Kuerten, adiando o bicampeonato do Guga e frustrando a realização de uma semifinal totalmente verde-amarela em Paris.

Estava perdendo o jogo por 2 a 1 para o Medvedev quando fomos para a disputa do desempate no quarto set. Aí não fui nem agressivo nem conservador. Acabei deixando o meu nervosismo falar mais alto durante o *tie break* inteiro. Ao sentir a pressão, acabei jogando mais curto e no meio. O resultado foi que o Medvedev foi agressivo e comandou o game de desempate todo o tempo. Saí arrasado da quadra por ter errado mentalmente e por não ter sido corajoso quando mais precisava ser.

Entretanto, aprendi a lição. Quatro anos mais tarde, joguei dois *tie breaks* na final dos Jogos Pan-Americanos de Santo Domingo contra Marcelo Ríos e os venci (e, com isso, a partida e o torneio também). Ou seja, um dia você perde e aprende com os seus erros. No outro, mais experiente e ciente do que precisa fazer, joga sem cometer tantas falhas e vence. Nosso esporte é assim! Nada como um dia depois do outro.

DICA 29

Como se fecha uma partida?

Uma questão que incomoda muitos jogadores de tênis, sejam profissionais ou amadores é como fechar aquele jogo em que nos preparamos há tanto tempo para vencer. Esse é um grande tabu e, de certa maneira, um grave problema para muitos atletas. Como devemos nos comportar na fase final da partida, quando estamos próximos da vitória? Muitas vezes, estamos sacando com o placar a nosso favor, 5 a 4 ou 5 a 3, e falta muito pouco para vencermos. Nesse momento bate o medo e a insegurança. O jogador teme colocar tudo a perder justamente na hora mais decisiva do duelo. Por isso vamos analisar detalhadamente que atitudes um jogador deve ter no instante crucial de fechar o jogo.

    O primeiro ponto importante a ser considerado é que você deve descartar todos os pensamentos que possam atrapalhá-lo durante a partida. Como assim? Existem pensamentos que podem atrapalhar nosso desempenho em quadra? Sim, há muitas coisas que passam pelas nossas cabeças durante um jogo e são prejudiciais ao nosso desempenho. E, na reta final de uma partida, quando estamos muito próximos de vencer, é justamente quando tais pensamentos costumam ficar mais intensos. Nessa hora refletimos sobre a importância daquela conquista. Pensamos no esforço e em tudo de que abrimos mão para chegar até ali. Quando somos profissionais, calculamos o valor do prêmio e do dinheiro a ser recebido, já imaginando as contas que vamos pagar e o que poderemos comprar. Às vezes pensamos em alguém para quem desejamos telefonar para avisar sobre a vitória. Também consideramos aquele triunfo como um "cala a boca" aos críticos e às pessoas que não nos apoiaram como deveriam. Muitas coisas passam pela nossa mente nesse momento. Infelizmente, esses pensamentos podem tirar nossa concentração e atrapalhar o jogo. Se isso acontecer, estamos dando uma chance de ouro para nosso adversário virar a partida. Não podemos permitir isso!

O ideal é nos concentrar apenas na partida. Devemos refletir sobre como chegamos até ali e, em especial, sobre o que devemos fazer para ganhar o próximo ponto. Você tem de focar exclusivamente no que deve ser feito em quadra, precisa se concentrar na próxima bola. Quando vamos sacar com o placar favorável (5 a 4, vindo de uma recente quebra de saque do adversário, por exemplo), temos uma chance formidável de fechar a partida. O que eu normalmente pensava era: "preciso ganhar os primeiros dois pontos do game". Afinal, é muito mais confortável e tranquilo sacar e definir o jogo no 30/0 do que quando estava 0/30 ou mesmo 15/15. Se estivesse sacando, eu tentava repetir o que havia feito anteriormente e o que havia dado certo até aquele momento. Ou seja, sacava no mesmo lugar em que havia ganhado a maior parte dos pontos. Fazia os mesmos movimentos que me ajudaram a abrir a vantagem no placar. O objetivo era sacar e ganhar o primeiro ponto. Depois, ia atrás do segundo ponto. Só isso interessava.

O bom tenista é mais ou menos um computador ambulante em quadra. Ele, nas viradas, antes de sacar ou de devolver o serviço, sabe exatamente aonde deve mandar a bola. Ele tem consciência do que tem acertado mais e onde tem perdido a os pontos. Essa rápida análise é fundamental para saber o que fazer nos momentos mais delicados e difíceis da partida.

Precisamos pensar, acima de tudo, na tática. Mas acabamos pensando apenas no resultado final do jogo. É muito difícil, nessas horas decisivas, focar no ponto a ponto. Eu escutava muito os técnicos falarem: "Ah, jogue o ponto a ponto". Admito que, em muitas oportunidades, ficava bravo com eles, achando que os técnicos não entendiam nada de tênis por falar aquilo. Onde já se viu ficar pensando apenas no ponto?! Mas eles tinham razão. O elemento mental mais importante a ser considerado na etapa final de um jogo é pensar exclusivamente no próximo ponto. Pensar no que estamos fazendo e no que precisamos fazer. Quando nos concentramos no que fazer, automaticamente os pensamentos estranhos, de medo e insegurança (o famoso: "ai meu Deus, e se eu errar essa bola?"), desaparecem de nossas cabeças. Portanto, a primeira e mais importante atitude a ser tomada no momento decisivo do jogo é pensar no que temos de fazer em quadra. Só assim estaremos em boas condições para fechar aquela partida.

O segundo elemento relevante é jogar de maneira solta. Jogue naturalmente, acreditando no seu potencial e na concretização da vitória. Se você está vencendo, é porque está fazendo um jogo melhor do que o do seu adversário. Se mantiver o ritmo assim, a vitória virá como consequência. Não há motivos para se desesperar. Bata na bola com confiança. Não ache que o seu adversário vai entregar o game facilmente para você. Poucos são os jogos em que o nosso adversário, sacando ou devolvendo, joga a bola para fora. Normalmente, ele está fissurado em virar o jogo e vai aproveitar cada jogada para reverter o placar. Tudo bem, pode acontecer de o adversário errar, mas isso é muito raro. Isso acontece, às vezes, nas partidas entre juvenis. Nós precisamos treinar os nossos meninos e nossas meninas, no entanto, para eles já terem uma postura de profissionais. Eles precisam estar preparados, desde já para encarar os desafios mais difíceis. Assim, devemos ser um pouco mais agressivos nessa fase do jogo. É nossa responsabilidade procurar o game, tentar defini-lo. Procurar o ponto a todo o momento, esse é o nosso desafio.

Outro aspecto essencial é mostrar para o nosso adversário que queremos ganhar e estamos prontos para isso. O jogo psicológico contra nosso adversário é importantíssimo. Devemos sair do 5 a 4 com a cabeça erguida. Precisamos passar pelo nosso oponente demonstrando que estamos confiantes e que o jogo está em nossas mãos.

O maior gênio em relação a esse comportamento confiante era o austríaco Thomas Muster, meu contemporâneo. Ele passava pelo adversário e dizia "Vamos! *Let's play now*". Além disso, sabe como ele saía do banco quando o jogo estava 5 a 4 ou 4 a 5? Ele saía correndo como um louco. Saia pulando e se mexendo freneticamente. Ele dava aquela olhadinha de "só quero ver como você está" e seguia pulando, mostrando que estava bem firme na quadra e que não perderia aquele game por nada neste mundo. O adversário do outro lado da quadra, se não estivesse mentalmente fortalecido, caía no truque e entregava os pontos. No geral, essa atitude intimidava o outro jogador, que começava o game em desvantagem psicológica. Não estou dizendo para termos uma atitude arrogante, de provocação ou de catimba. Não é nada disso! Estou falando para passarmos pelo oponente dando a impressão de que estamos no controle total da situação. Mesmo se estivermos nos borrando de medo, ele não pode perceber a nossa fraqueza.

A coisa mais importante nessa hora decisiva da partida é o aspecto mental do tenista. Precisamos ter uma postura de tranquilidade e confiança. O nosso corpo fala e passa milhares de mensagens para os outros o tempo inteiro. Não adianta estarmos vencendo por 5 a 4 e nosso corpo demonstrar nosso nervosismo e insegurança. Mostre serenidade, mesmo que a pulsação esteja a 200 batidas por minuto. Olhe para frente e com a cabeça erguida. Encare seu adversário nos olhos com firmeza. Não é encarar por encarar nem falar besteiras, provocar ou procurar tumultuar o jogo. Não é isso o que estou dizendo. É dizer por meio da sua postura: "Vou ganhar este jogo. Você não terá chance de me derrotar hoje" ou "Hahaha. Acabou! 5 a 4 e o saque é meu? Vou ganhar agora mesmo".

Só com o olhar e com a nossa postura corporal conseguimos passar a mensagem de que vamos vencer o jogo. E, acredite, esse tipo de comunicação é mais poderoso do que se nos expressássemos verbalmente. Quando falamos que estamos confiantes, a mensagem tem um tom de provocação e, às vezes, de blefe. Quando demonstramos essa confiança, a mensagem tem uma característica de presságio ou de antecipação dos acontecimentos futuros. Ela ganha uma conotação de verdade absoluta.

O oposto ocorre quando estamos assustados e andando com a cabeça baixa. "Ai meu Deus, será que eu vou ganhar? Será que consigo derrotá-lo ou vou morrer outra vez na praia, tão perto da vitória?". Não fique pensando bobagens. Postura! Postura ganha jogo. Muitas vezes, passamos pelo 5 a 4 sem perceber. Ao piscarmos os olhos, o cara do outro lado da quadra jogou quatro bolas para fora e a partida terminou. Por quê? Porque ele não acreditou que você estava com medo.

Se você errar o primeiro ponto, não fique pensando: "Meu Deus, isso sempre acontece comigo. Será que vou morrer na praia de novo?". Não! Não fale nada, pense o menos possível (concentrando-se no que é necessário fazer) e olhe nos olhos do seu adversário, mostrando-se confiante. Indique que você é um jogador de pôquer, não um jogador de tênis. Demonstre que você tem muitas cartas disponíveis na mesa para serem usadas e que irá utilizá-las corretamente naquele momento decisivo da partida.

Jogue! Jogue para valer. Vá para cima do seu rival sem medo porque normalmente você consegue ganhar. Quando acuamos nosso adversário nos momentos importantes da partida, mandamos um recado para ele. E, aí, ele acaba pensando: "Ih, este cara está com sangue nos olhos. Esse rapaz ou essa menina está jogando muito bem. Acho que eu não vou ter chances de vencer hoje". Se ele pensar assim, sua vitória está quase garantida. Se você, por outro lado, demonstrar para o oponente que está com medo, ele pode crescer na partida e reverter o cenário. E derrotar um adversário com desempenho crescente em quadra e psicologicamente melhor na partida é muito mais difícil. É melhor matar o mal pela raiz.

Na hora de definir devemos ser mais agressivos ou mais defensivos? Essa dúvida ronda normalmente a cabeça do tenista. Se formos agressivos, acabamos partindo para cima do adversário e tomando a iniciativa de concluir as jogadas. Quando ficamos na defensiva, optamos por não errar e não arriscar tanto. Qual a melhor maneira de agir? Gosto de pensar que o jogador deve ser, antes de tudo, corajoso.

Ou seja, ele pode ser tanto agressivo como conservador, mas não pode se acovardar. Qualquer que seja a opção estratégica, o tenista precisa manter a coragem. Se decidirmos atacar, podemos atacar. Se decidirmos não errar nenhuma bola, vamos fazer isto da melhor maneira possível. Sempre com coragem! É diferente, por exemplo, de ficar apenas empurrando o braço para a bola passar para o outro lado sem erro. Isso não leva a nada. Precisamos rodar a cabeça da raquete, fazendo a bola pegar bastante efeito, e bater firme com nossa direita ou nossa esquerda.

Outra coisa fundamental: se estamos ganhando é porque nosso adversário está pior do que a gente. Se estivermos preocupados porque o jogo está 5 a 4 a nosso favor, imagine como está a cabeça do outro jogador que está perdendo de 4 a 5? É ele quem deve se desesperar, não a gente. Por isso, olhe nos olhos do seu oponente para ver como ele está reagindo à situação. A decisão entre ser mais agressivo ou um pouco mais conservador passa por essa análise do comportamento do nosso adversário.

Muitas vezes ganhamos os jogos porque conseguimos ver que o nosso adversário já não acreditava na vitória dele. Se não estivermos atentos ao que acontece no outro lado da quadra, acabamos desperdiçando desnecessariamente muitas oportunidades, fazendo duplas faltas e errando bolas fáceis. Enquanto isso, nosso adversário estava completamente acabado do outro lado. Era só jogar a bola que ele se encarregaria de se suicidar. Mas não olhamos para ele e não percebemos o seu pavor. Olhe para o seu adversário! Encare-o com firmeza e segurança. "Mas não estou me sentindo tão seguro assim". Então blefe! Você não pode demonstrar para o cara a sua insegurança. Você tem de blefar.

Para completar as dicas sobre como fechar uma partida, não mude o jogo só porque ele está 5 a 4. Se você está jogando de fundo, continue atuando assim. Se você está subindo à rede, não deixe de ir lá. Seja agressivo, mas dentro da mesma tática empregada até então. Mudar a estratégia de jogo quando as coisas estão dando certo e quando falta tão pouco para terminar a partida pode ser muito arriscado. Para que arriscar e mudar a maneira de jogar? Para que trocar o certo pelo duvidoso? Nesse finalzinho, vamos repetir a tática vencedora.

Não desperdice esta chance de ouro e feche a partida o mais rápido possível. Tire os pensamentos que possam atrapalhá-lo. Concentra-se na partida. Pense apenas no ponto a ponto. Seja agressivo e confie em você, mantendo a tática que vem dando certo. E jogue de forma natural.

Nada como uma vitória para lavar a alma e consagrar uma boa atuação.

PARTE IV
Tênis é mente

DICA 30

Por que se treina melhor do que se joga?

Você já percebeu que quase sempre treinamos melhor do que jogamos? Durante os treinos, acertamos um número considerável de bolas. Durante o jogo, quando a coisa é para valer, acabamos errando mais. Por que isso acontece? Por que treinamos muito bem e, na hora de jogar, acabamos não rendendo o nosso melhor tênis? Se isso acontece com você e essas dúvidas o deixam incomodado, esta dica é para você!

Para começo de conversa, é legal saber que isso ocorre com quase todo mundo. É perfeitamente normal alguém treinar melhor do que joga ou jogar pior do que treina. A explicação para essa evidência está na pressão que recebemos durante as partidas e que não existe durante as sessões de treinamento. Acabamos, assim, atuando nos treinamentos mais soltos, leves e sem responsabilidade. Afinal, nada está sendo colocado em jogo. Se perdermos aquele lance ou aquela disputa de set, não tem problema. Era só um treino mesmo. Agora, quando entramos em quadra para disputar a partida para valer, a coisa muda totalmente de figura. Ficamos mais nervosos porque o compromisso tem maior importância. Sempre há algo em disputa. Aí, eu, você e qualquer um — seja um garoto de dez anos, um profissional ou um amador — sentimos a pressão sobre os nossos ombros. E sempre que ficamos nervosos, nosso desempenho cai um pouco. Essa queda de rendimento é proporcional à apreensão, ao medo e à pressão que sentimos.

Lembro-me bem da final dos Jogos Pan-Americanos de 2003, em Santo Domingo. Eu disputava a final contra o Marcelo Ríos. O chileno foi um dos melhores tenistas da nossa geração, tendo conquistado o primeiro lugar do ranking mundial alguns anos antes. Ele era, portanto, o franco favorito ao título. Nós costumávamos treinar juntos, e nunca tinha ganhado dele nessas sessões. A partida ali, no entanto, era um jogo para valer. Não era treino. E valia medalha. Nós, além de jogarmos por nós mesmos, estávamos representando nossos países. Ou seja, a pressão era maior do que o normal. Sabíamos que nossos conterrâneos estavam grudados na frente da televisão ou com os olhos arregalados nas arquibancadas da arena, torcendo pelos nossos lances. A nossa conquista naquele dia seria também a vitória de nossos países. Era Brasil *versus* Chile naquela tarde.

A partida estava muito disputada, mas meu adversário, admito, estava ligeiramente melhor. Perdi o primeiro set: 7 a 5. O Marcelo conseguiu quebrar o meu saque no segundo set, quando o jogo estava 4 a 4. Ou seja, ele fez 5 a 4 e foi servir para a vitória. O chileno estava, portanto, com o jogo na mão. Acredito que, nessa hora, muitos brasileiros acharam que a final já estava perdida. Imagino que o povo em Santiago estava em festa com a conquista antecipada pela medalha de ouro do seu conterrâneo. Aí, aconteceu algo incrível. Quebrei o saque dele e empatei novamente: 5 a 5. O set foi para o *tie break* e, novamente, Ríos teve tudo para vencer. Ele conseguiu um duplo *match point*. Para piorar as coisas para mim, o próximo saque era dele. Novamente a sensação de que tudo estava indo por água abaixo voltou. Agora não tinha como o Marcelo perder, pensaram muitos torcedores. E, mais uma vez, o imponderável aconteceu. Marcelo cometeu uma dupla falta. E, no lance seguinte, errou de maneira infantil, cometendo um erro não forçado. Salvei, assim, o duplo *match point*. Ganhei moral e meu adversário se desesperou. Acabei virando o game (8 a 6), ganhei aquele set (7 a 6) e, depois, fechei a partida no *tie break* do terceiro set (7 a 5), conquistando a medalha de ouro: 2 a 1 (5 a 7, 7 a 6 e 7 a 6). A final durou quase três horas.

"Pô, o cara foi o número 1 do mundo! Como ele pode errar bolas como aquelas em momentos decisivos do jogo e do torneio?". É, acontece até com os profissionais mais experientes. Ríos sentiu a pressão e perdeu o jogo. Os grandes esportistas também sentem a pressão. Somos todos seres humanos, portanto falíveis. Se estivéssemos em um treino, não sei se teria ganhado dele. No jogo para valer, contudo, eu ganhei! O tênis não é apenas o lado técnico. Este jogo é uma combinação de técnica, físico, estratégia e força mental. Muitas vezes, esse último elemento acaba influenciando os demais durante a partida. O que será que Marcelo pensou que o desestabilizou? Só ele poderá responder essa pergunta.

Quando jogamos uma partida, acabamos ficando nervosos. Isso é normal e perfeitamente natural. A grande questão está em como lidamos com a pressão. Alguns tenistas conseguem minimizá-la, executando um jogo próximo do seu melhor. Outros, infelizmente, não conseguem, jogando partidas muito distantes do seu verdadeiro potencial. Eles não ficam à vontade em quadra e erram exageradamente. Foi mais ou menos o que aconteceu com Marcelo em Santo Domingo. "Ah, Fininho, não vai me dizer que você não estava nervoso também?" Sim, estava. Admito. Consegui, no entanto, minimizar esse sentimento melhor do que meu adversário. Afirmo categoricamente: ganhei aquele jogo por ter sido mais forte mentalmente do que ele. A medalha foi decidida no aspecto psicológico.

Para diminuir o nervosismo, uma dica legal é sermos mais conservadores no começo do jogo. O ideal é evitar assumir muitos riscos. Se começamos errando muito, ficamos mais nervosos e acabamos errando mais ainda. É uma bola de neve. E o contrário também é verdadeiro. Quando percebemos que estamos errando pouco, ficamos mais calmos. Ao ficar mais tranquilos, passamos a errar menos ainda. Nesse caso, a bola de neve é positiva para o nosso lado e invertemos a lógica.

Outra questão interessante é entender que o tênis é um esporte de erros. Ou seja, erraremos muitas bolas durante as partidas. Nosso adversário também. Compreendendo que isso faz parte do jogo, tendemos a permanecer calmos ou não nos exaltarmos tanto com as nossas duplas faltas, com nossos erros de direita e nossas deficiências de esquerda. Não adianta nada termos a falsa pretensão de realizar o jogo perfeito, porque raramente ele acontece. Em apenas dez, vinte por cento das partidas saímos completamente satisfeitos com nossas atuações. Nessas ocasiões, sabemos que tiramos o melhor de dentro da gente. "Nossa! Acho que nunca mais eu vou jogar tanto tênis como hoje", pensamos, radiantes. Nas outras oitenta, noventa por cento das vezes, ganhamos o jogo na garra, na luta, na perseverança, na tática, na força mental e no ponto a ponto. A técnica passa longe de ser decisiva para a vitória.

Precisamos, portanto, nos acalmar. Não dá para disputarmos um jogo importante e encarar os momentos decisivos da partida se não estivermos minimamente calmos. "E como eu posso fazer isso?". Uma ideia é usar bem o tempo que temos entre os pontos. Nos vinte e cinco segundos de intervalo, devemos aproveitar para relaxar e colocar a cabeça em ordem. Tudo bem, nos primeiros dez segundos podemos xingar, brigar conosco mesmos e extravasar: "Ah, nossa como eu sou ruim!". Isso passa pela nossa cabeça também. Terminada a fase de catarse, é o momento de nos restabelecermos. Nos demais quinze segundos, devemos tirar os pensamentos ruins da cabeça e passar a pensar no que temos de fazer no próximo ponto ou no game seguinte. Quando passamos a pensar em como devemos jogar, automaticamente os maus pensamentos somem de nossas mentes. O ideal é entrar no próximo game completamente recuperados psicologicamente dos fatos ocorridos no game anterior.

O grande problema da galera jovem que vejo jogar por aí, nos clubes e nos campeonatos juvenis e profissionais, é que eles jogam três, quatro ou cinco pontos sem pensar. Ficam tão bravos com aquela bola do 15/15 que acabam chegando ao 15/40 sem refletir sobre que deveriam ter feito. A cabeça deles fica, nesse momento, impregnada de reclamações, protestos, raiva e culpa. O adversário já está sacando no outro game, o placar está 30/0, e eles continuam pensando: "Cara, como foi possível errar aquela bola? Eu em geral não erro essa jogada nos treinos! Como pode ter acontecido justamente na hora do jogo. Se eu tivesse acertado, eu teria feito 30/15. Quem sabe isso não foi decisivo para ele (ou ela) ter quebrado o meu saque e ter vencido o último game". Pelo amor de Deus! Concentre-se na próxima jogada. Pare de pensar bobagens! Aquele ponto não voltará. E se continuar pensando fixamente nele, o que você conquistará é uma derrota acachapante.

Só nos sentiremos realmente à vontade em quadra para praticar nosso melhor jogo quando conseguirmos canalizar nosso nervosismo e espantar os maus pensamentos. "Isso na teoria é uma maravilha, senhor Meligeni. A prática, porém, é completamente diferente. Estou morrendo de medo, estou muito nervoso e não sei o que fazer". Está bem. Você está muito nervoso? Alongue, então, os pontos. Diminua os riscos. Comece a jogar um pouco menos na linha e passe a mandar a bola um pouco mais longe da rede. Opte pelas jogadas que você costuma acertar mais. Evite as que você costuma errar. Se você normalmente não acerta a esquerda na paralela, agora que você está nervoso as chances de acertá-la são ainda menores. Você só deve jogar uma esquerda na paralela quando está realmente confiante. Se você está com problema de saque e acaba de fazer uma dupla falta, coloque o primeiro saque dentro da quadra. Não queira dar outra pancada de saque, pois você provavelmente vai errá-lo.

É um equívoco achar que não temos capacidade de controlar nosso nervosismo e que não possuímos estratégias para influenciar o estado da nossa mente. Ficar esperando que nossa cabeça se acalme sozinha ou ficar rezando para que as coisas melhorem para o nosso lado não me parece muito proveitoso quando estamos desequilibrados psicologicamente. Devemos, sim, tentar nos acalmar ao máximo possível. Essa é uma das nossas obrigações durante o jogo e nos momentos mais importantes da partida.

Uma coisa legal para lembrar nessa hora é que se estamos com medo, imagine só como está se sentindo o nosso adversário no outro lado da quadra! Estamos com receio de errar a bola no 30/30? Será que nosso adversário também não está? Será que ele não está até mais desesperado do que a gente? Por que não jogamos a bola para o outro para sentir isso? Por que não jogamos a bomba na mão dele? É como se falássemos: "Vai lá, amigão! Ganhe o ponto você, parceiro. Oh, querida! Você não é corajosa? Quero vê-la ganhar o ponto agora! Vamos ver se você consegue dar mesmo um *winner*". Vamos parar de errar nessas horas. Vamos deixar nosso oponente errar primeiro. O tênis não é um esporte de erro? Vamos contribuir para que o nosso adversário erre o máximo possível.

Vamos administrar nosso nervosismo. Mesmo sabendo que é muito difícil, vamos tentar jogar a partida com o desempenho o mais parecido possível com o dos nossos treinos. Se conseguirmos nos aproximar desse ideal, com certeza ganharemos muito mais jogos do que já estamos ganhando.

DICA 31

Qual a diferença entre jogar contra o adversário e jogar contra si mesmo?

Em 2015, a decisão do Australian Open foi entre o sérvio Novak Djokovic e o escocês Andy Murray. E que jogo foi aquele! Não tenho nada para comentar sobre o aspecto técnico dos dois jogadores, eles são espetaculares, o que me chamou a atenção nessa partida foi o elemento mental. Não é errado afirmar que Djokovic bateu Murray por ter permanecido com a cabeça no lugar durante toda a final, enquanto seu adversário se desesperou, perdendo a cabeça em muitos momentos decisivos. Ou seja, estamos novamente falando do aspecto psicológico do jogo...

O controle mental faz grande diferença e acaba sendo responsável por levar um tenista à vitória ou à derrota em um campeonato muito equilibrado. Muitas vezes, acabamos jogando tênis contra nós mesmos em vez de jogar contra o nosso adversário. Foi mais ou menos o que aconteceu com o Murray na Austrália. Ele jogou dois sets e meio incríveis, impecáveis. Até ali a partida estava muito equilibrada, com os sets sendo decididos nos detalhes. O placar apontava 1 a 1 no final do segundo set (parciais de 7 a 6 e 6 a 7). Ou seja, os dois jogadores estavam jogando muito! E, de repente, no meio do terceiro set, o escocês começou a,

TÊNIS É MENTE

surpreendentemente, brigar consigo mesmo, falando que era horrível, que não sabia jogar e que estava colocando tudo a perder. A cada erro, ouvíamos no áudio da televisão ele se xingando: "Você é muito ruim! Você é horrível! O que você está fazendo aqui?".

O que aconteceu com Andy Murray serve de exemplo para todos nós. Muitas vezes, quando entramos em quadra, acabamos esquecendo que o tênis é um jogo de erros. Erra-se muitíssimo em uma partida, e isso é normal. Se Murray, Djokovic, Rafael Nadal, Roger Federer, Serena Williams e Victoria Azarenka erram bastante durante o jogo, pense então na gente. Imagine você que é amador e joga no fim de semana no clube: é claro que pode errar. Se não entendermos essa característica do jogo de tênis, podemos cair na tentação de nos culparmos por tudo o que der errado na quadra: "Eu não posso errar! Sou ruim... Como errei esta bola? Sou horrível! Vou perder este jogo...".

Enquanto estamos jogando "só" contra nosso adversário, pensamos no que temos de fazer para ganhar o jogo, e assim, jogamos de determinada maneira. No momento em que começamos a brigar contra nós mesmos, acabamos pensando em coisas ruins, nos autodepreciando e deixando de nos concentrar no jogo. Dessa maneira, nosso jogo muda e passamos a ter um desempenho muito inferior ao que tínhamos antes.

Costumo falar que tenista tem de pensar. Mas deve ser em coisas boas. Se for para focar em coisas ruins, é melhor nem pensar... Nesse caso, jogue no automático que é melhor... Durante os dois primeiros sets da decisão, Murray estava agindo corretamente e, por isso, desempenhava um excelente tênis. Ele provavelmente estava pensando no que tinha a fazer. Qual estratégia seguir, como poderia superar o adversário. Ele estava tão concentrado que não se abalou com a derrota no primeiro set. Foi lá, no segundo, e venceu, empatando a partida.

Quando começou a ficar bravo com os seus erros, no entanto, colocou tudo a perder. O escocês começou a se criticar, a se autodepreciar e a duvidar que venceria. Na certa, irrigou o cérebro com um monte de besteiras e pensamentos negativos. Provavelmente, Murray também se lamentava pelas chances desperdiçadas. Em vez de procurar aproveitar as novas oportunidades que apareceriam para ganhar pontos, resolveu relembrar e reclamar das que tinham ficado para trás. Qual o resultado disso? Ele se desconcentrou e começou a errar cada vez mais. Como uma bola de neve, uma coisa puxava a outra. Quanto mais reclamava consigo, mais errava. Quanto mais errava, mais se sentia culpado e mais reclamava.

A primeira atitude quando percebemos que estamos bravos conosco é parar a partida. Pare-a! Interrompa o jogo imediatamente. Respire e tente se recompor. "Ah,

6/0 DICAS DO FINO

Em setembro de 2002, jogando a Copa Davis.

é difícil, Fernando...". Eu sei que é muito difícil. Se fosse fácil, não estaria comentando essa questão aqui. Na hora em que ficamos muito reclamões, no momento em que passamos a bater muito a raquete no chão e, em especial, quando começamos a perder muitos pontos seguidos, é hora de pausar a partida. Precisamos parar por trinta segundos, vinte e cinco segundos, que é o tempo que temos entre os pontos. Pare de alguma maneira.

Tem várias maneiras de interromper um jogo. Vá mexer no saibro da quadra que está ondulado. Discuta com o juiz. Encontre maneiras e desculpas. O que você não pode é deixar o jogo transcorrer com a cabeça na lua. "Ah, mas aí estamos sujando o jogo! Isso não é catimba?". Não! Estamos apenas pegando um pouquinho mais do tempo disponível. Não estamos indo contra as regras, estamos utilizando as regras a nosso favor. E no tênis amador, não tem esta coisa de relógio o tempo inteiro, temos mais liberdade para retardar o jogo.

E para que devemos parar o jogo? Para pensar o que fazer no próximo ponto. Se não jogarmos os pensamentos negativos para longe e não passarmos a pensar exclusivamente na partida, perderemos. Murray não fez isso. E saiu derrotado de quadra. Ele teve um apagão mental no meio do terceiro set (quando estava 3 a 3) que durou até o final do quarto set. As parciais dos dois últimos sets da final compravam isso: 6 a 3 e 6 a 0 para o Djokovic. Ou seja, o sérvio venceu nove games consecutivos.

Muitas vezes, acabamos nos desconcentrando e esquecendo o jogo exatamente nos momentos mais importantes da partida. Aí ficamos remoendo nossos pensamentos: "Pô, vou perder daquele cara que não suporto. Vou ser derrotada por essa menina de quem não queria perder de jeito nenhum. Perdi aquela oportunidade, errei um *smash* fácil... Como eu sou burro! Errei uma direita no meio da quadra que nem as crianças erram.... Sou mesmo um tenista horrível. Mereço perder o jogo".

Quando eu jogava, também ficava um pouco irritado comigo mesmo quando cometia algumas besteiras. É verdade e admito. Isso, no entanto, me prejudicava e agora estou aqui para tentar ajudar você. As *6/0 Dicas do Fino* são conselhos meus para você. Não quer dizer que eu fazia exatamente tudo o que proponho aqui. Afinal, se tivesse a maturidade que tenho hoje e pudesse colocar em prática naquela época tudo o que acredito atualmente, com certeza teria ido muito mais longe do que fui. E hoje admito que a reclamação é muito mais uma fuga e uma desculpa pública para os erros cometidos.

Vamos esquecer a irritação e os pensamentos negativos e focar no próximo ponto. Precisamos zerar a cabeça de alguma maneira, eliminando todos os maus pensamentos. Só assim teremos chance de jogar bem. Não adianta querer jogar no automático. Não existem milagres em um jogo de tênis. A vitória vem da somatória entre os lados técnico, tático, físico e, principalmente, mental.

Espero que esta dica e o exemplo da final do Australian Open possam ajudá-lo. O jogo entre o Djokovic e o Murray foi a demonstração mais evidente nos últimos anos de como um tenista absurdamente bom pode desmoronar psicologicamente em quadra e perder a partida. Não cometa essa falha, por favor.

DICA 32

Como se deve olhar para o adversário?

Você já ouviu falar do tenista avestruz? É aquele que olha para baixo durante todo o jogo. Se houvesse um buraco na quadra, ele não pensaria duas vezes e enfiaria a cabeça ali. Com isso, ele desperdiça um importante componente do lado psicológico e perde a oportunidade de entender aspectos relevantes da estratégia da partida. "Para onde devo olhar, então?", algumas pessoas me perguntam. Para o seu adversário! Quando ficamos olhando para o chão, deixamos de notar o que está acontecendo do outro lado da quadra. Ao captarmos as mensagens emitidas pela postura e pela reação do outro jogador, recebemos informações valiosíssimas que podem ser usadas a nosso favor durante os games.

Quantas vezes não chegamos a uma virada de lado, 5 a 4 no placar, e vemos nosso adversário morrendo de medo do outro lado? Conseguimos ver o seu pavor em quadra. Você já parou para assistir ao momento de tensão do seu oponente? É muito legal! Ele nessas horas bate raquete, xinga, reclama e esperneia. Ou você é daqueles que acreditam que na hora em que seu rival está brigando consigo mesmo não podemos olhar? Não apenas podemos como devemos observá-lo!

É claro que não devemos ficar encarando o outro jogador ou a outra jogadora como na pesagem de uma luta: olho no olho, sem piscar. Não é para tanto. O nosso esporte é tênis, não boxe. O que estou dizendo é que precisamos observar o nosso adversário. Entender qual é o momento dele. E, com isso, jogar mais rápida ou mais lentamente.

Se você estiver jogando comigo em um momento em que estou muito confiante, arrebentando e acertando todas as bolas, o que você faz? É mais ou menos como o suíço Stan Wawrinka no primeiro set da final da Copa Davis de 2014, contra a França, no saibro francês de Lille, quando acertava tudo. Você joga mais rápido ou retarda o jogo? O correto, nesse momento, é jogar mais lentamente, cadenciando um pouco a partida e usando o relógio a seu favor. Não se apresse, jogue no seu tempo. Troque mais bolas. Tente errar o menos possível. A ideia é esperar que o meu bom momento passe ou que a minha sorte acabe. E como você saberá que estou confiante e vivendo um ótimo momento? Olhando para mim, oras! Você perceberá isso pelas bolas que estou mandando para você e, em particular, pela minha fisionomia, postura e reações. Para isso, será preciso olhar para mim. Observe, então!

Se, por outro lado, você reparar que passei a errar bastante e perdi a confiança, o que você faz? Aí é hora de acelerar o jogo! Você precisa aproveitar a maré favorável. Afinal, sabe-se lá até quando ela vai durar. Por isso, nada de ir ao banheiro ou de ficar enrolando na cadeira nas viradas de quadra. É hora de você jogar o maior número possível de pontos e games. Saque mais rapidamente e evite qualquer parada no jogo.

Olhe sempre para seu adversário, especialmente em momentos-chaves do jogo ou do game. Ele cometeu um erro besta ou aplicou um belo *winner*? Veja a reação dele após as jogadas. Ter esse comportamento não quer dizer que você o está encarando, mas apenas o observando e tentando identificar algum sinal do que se passa na cabeça dele. "Olhar não tira pedaço" é um ditado antigo. Pode não tirar, mas revela muita coisa a respeito das pessoas. Na virada de quadra, por exemplo, quando você se sentar, olhe para os outros jogadores. Dependendo de como eles estão sentados, é possível notar se estão confiantes, estressados, bravos ou cansados. Adquira esse hábito.

Em 1998, eu disputava as oitavas de final de Roland Garros contra Thomas Muster. O austríaco era um mestre na arte de encarar os adversários e descobrir suas fragilidades. Ao olhar para Muster, você sempre ficava com a impressão de que ele estava pronto para jogar por horas e que jamais se cansaria. Nessa partida, empatávamos por 2 a 2. Eu havia vencido o primeiro e o terceiro sets (6 a 4 e 6 a 3) e ele tinha me derrotado no segundo e no quarto sets (7 a 6 e 6 a 3). Aí fomos para o quinto set. Nessa altura do jogo, eu estava morto fisicamente. As longas horas em quadra no verão francês e a disputa intensa da partida tinham consumido quase todas as minhas energias. Em um dos intervalos entre os games, me joguei na cadeira, exausto. Da maneira como me atirei para sentar, meu cansaço ficou evidente. Quando olhei para o meu adversário, percebi que havia notado meu comportamento inadequado. O Muster balançou a cabeça negativamente e sorriu ironicamente, como se me dissesse: "Sei que você não aguenta mais, Meligeni. Vou ganhar este jogo porque eu aguento". Ao perceber isso, desmoronei mentalmente. Além da fragilidade física, passei a estar em desvantagem psicológica. Perdi o jogo exatamente ali, naquele olhar do Muster. O quinto set foi 6 a 3 para ele. Há quem não acredite na minha história, mas um único olhar pode definir o destino de uma partida...

    O jogo de tênis tem muito dessa manha de sentirmos qual é o momento do nosso adversário. A partir do que reparamos que está acontecendo do outro lado da quadra, podemos mudar a estratégia do jogo. Quando nosso adversário não comete nenhum erro e está jogando muita bola, é hora de sermos mais agressivos. Se ficarmos apenas empurrando a bolinha para o outro lado, o cara que está acertando todas as bolas vai passar por cima da gente. No momento em que ele passa a errar a maioria das bolas e fica muito nervoso, então devemos ser mais conservadores. Afinal, não precisamos acertar para ganharmos os pontos. Basta não errarmos.

    Vejo que perdemos muitas oportunidades dentro do jogo simplesmente por não repararmos no que está acontecendo dentro da cabeça do nosso adversário. Imagine a partida com o placar de 3 a 0 ou 3 a 1 a nosso favor. O cara está sacando e, após uma dupla falta, o game fica 30/40. Ele erra o primeiro saque e, com muita dificuldade, coloca em jogo o segundo serviço. O que seria mais recomendável fazermos nessa hora? Jogar a bola para o outro lado, no fundo e sem correr grandes riscos. Simples assim! O nosso adversário, muito nervoso e pressionado, tem grande chance de errar a próxima bola. Não precisamos arriscar nada. Vamos deixar o cara do outro lado se suicidar. Muitos jogadores nessa posição, contudo, acabam arriscando no desespero de fechar logo o game. E, assim, cometem um erro. Ponto para o oponente. Para que arriscar nessa hora?! Era tudo o que o nosso adversário queria na vida. Esse comportamento é uma estupidez. Jogue lá e veja o que vai acontecer! A conquista do ponto será questão de tempo e paciência.

    Você está se lembrado de que, em algumas dicas anteriores, afirmei que o tênis é um esporte de erros e não apenas de *winners*? É a isso que estou me referindo novamente. O resultado é o mesmo, não importa se conquistamos o ponto por um *winner* feito em cima da linha ou se ele vier por um erro bisonho do nosso oponente. Não digo que devemos empurrar a bola de qualquer jeito para

TÊNIS É MENTE

o outro lado. Estou dizendo que precisamos ter consciência do momento vivido pelo nosso rival. Ele está receoso ou confiante? Está vivendo uma fase com maior chance de acerto ou de erro? O cara ou a garota contra quem jogamos entrega o seu lado mental na sua fisionomia, na maneira de andar, em como está batendo na raquete, no jeito de reclamar e de conversar com o técnico.

Tenhamos a maturidade e a astúcia de identificar essas nuances ao longo do jogo. Prestemos atenção ao nosso adversário e vamos aproveitar a fraqueza psicológica do outro tenista para ganharmos partidas e conquistarmos campeonatos. Isto é, se você não for do tipo tenista avestruz. Se este for o seu perfil, estamos lascados! Vai ser difícil desviar seus olhos do chão. Juro que não sei o que esses jogadores veem de tão belo no solo para não deslocarem seus olhares dali. Vai entendê-los!

DICA 33

Quando perder um ponto pode representar a perda do jogo?

Em muitos eventos e nas minhas clínicas de tênis, quando tenho a oportunidade de falar com a garotada, costumo destacar a importância do aspecto psicológico no jogo do tenista. Vejo que esse é um problema sério que afeta tanto jovens quanto atletas mais experientes, tanto moças como rapazes e tanto amadores quanto profissionais. Todos precisam estar preparados mentalmente para encarar as adversidades da partida. Um grande jogador não pode sucumbir diante dos erros e dos pontos perdidos. Já conversamos algumas vezes sobre isso em outras dicas, e você pode estar pensando: "O Fernando está sendo repetitivo". Não! Acho esse elemento tão relevante dentro de um jogo que merece um capítulo só para ele.

A questão da fraqueza psicológica do jogador fica mais evidente quando ele perde um ponto no meio do jogo e se sente muito mal com isso, parecendo que aquele era o último ponto da partida. Sabe quando você está ganhando de 2 a 0 ou 3 a 0 e, de repente, faz uma besteira, erra uma bola fácil e o mundo parece que cai na sua cabeça? Você passa, então, dois, três, quatro games sem conseguir voltar ao jogo, errando sem parar e se lamentando por ter perdido aquele ponto lá atrás. Infelizmente, para alguns tenistas aquela perda pode representar a derrota do jogo, tamanho é o abalo moral que aquele ponto significou.

Em primeiro lugar, precisamos considerar que isso acontece com mais frequência do que gostaríamos. Estou cansado de ver partidas sendo decididas pela queda acentuada da moral do jogador ou pela sua limitação psicológica. O jogo, assim, não é decido pelo aspecto técnico, tático ou físico, mas pelo lado mental. Por isso, enquanto estamos jogando devemos pensar exclusivamente no que faremos dali em diante. Devemos nos esquecer do passado recente e nos concentrar no que ainda está por vir.

Os lances são muito rápidos. Imagine que a bola caiu no meio da quadra e você vai dar uma direita. É melhor mandar na paralela ou na cruzada? São tantas decisões para tomar em fração de segundo que se você estiver encucado, com algo do passado, é claro que seu jogo ficará comprometido. Cada pensamento negativo e referente ao que passou prejudicará as decisões do presente e as estratégias futuras.

Seria tão bom se o jogador tivesse uma chavinha em sua cabeça! Sabe aquele interruptor que liga e desliga? Assim, na hora que cometêssemos um erro, era só mexer no tal botão, desligando-o. Apagaríamos imediatamente os pensamentos ruins e as lembranças desagradáveis que pudessem prejudicar nosso jogo dali para frente. É um pouco do que acontece nos filmes *Brilho Eterno de uma Mente Sem Lembranças* (*Eternal Sunshine of the Spotless Mind*, 2004) e *Efeito Borboleta* (*The Butterfly Effect*, 2004).

Infelizmente, não temos essa chavinha e precisamos fazer o exercício de esquecimento da maneira convencional. Dependemos da nossa força psicológica. Precisamos apagar os erros recentes e focar na obtenção dos próximos pontos. Sei que é difícil. Eu mesmo era um cara bastante reclamão quando jogava. Hoje, vejo muitos juvenis jogando e fico assustado como eles reclamam, como batem raquete, arrastam-se na quadra e carregam aquele ponto passado para os dois, três, quatro games seguintes. Não estou falando de três ou quatro pontos. Estou me referindo a games mesmo! Em alguns casos, o tenista carrega o peso dos seus erros por sets inteiros ou até o final da partida, quando, por fim, é derrotado.

É muito fácil para mim, agora sentado na arquibancada e assistindo aos jogos de fora da quadra, falar para a garotada pensar apenas no próximo ponto e esquecer os erros cometidos. Sei que as coisas não funcionam assim. Precisamos compreender, contudo, que a essência do jogo de tênis está nos erros. Vence a partida quem comete menos erros. Isso não quer dizer que estamos imunes às besteiras e às falhas.

Não é porque cometemos uma besteirinha no 3 a 3, no 40/40, que não teremos outras oportunidades de quebrar o saque do nosso adversário ou de virar o placar. Você não tem apenas uma oportunidade dentro do jogo. Elas são numerosas dentro do set. Se perdemos uma chance, tudo bem. Temos de aproveitar a próxima. O que não se pode fazer é desperdiçar todas. Aí não dá para vencer o jogo.

O adversário, que está do outro lado da quadra, também erra bastante e sente uma pressão enorme para confirmar o serviço e vencer o duelo. Ele comete as besteiras dele e sente os mesmos medos que sentimos. Esses problemas, ainda bem, não são exclusivos da gente. Dessa maneira, precisamos ficar mais alertas, mais atentos ao jogo. E, em especial, precisamos entender que nossos erros fazem parte da disputa.

Vamos pensar de maneira prática. Imagine que você está ganhando o set de 3 a 1 e vencendo o quinto game por 40/15. Aí você erra uma bola fácil. Na sequência, comete uma dupla falta. Depois, comete um novo erro e perde outra vez o saque. O placar do set vai para 3 a 2, e seu adversário vai sacar no sexto game. Você pode falar: "Pô, se eu tivesse feito 4 a 1 poderia ter matado o jogo. Agora o cara vai sacar e empatar o set. O jogo que estava na minha mão agora voltou a ficar indefinido. Tudo culpa do meu erro! Se eu perder este jogo, será por conta dessa falha besta". Será mesmo? Quantos jogadores já perderam partidas ou sets depois de abrirem uma vantagem favorável de 4 a 1, 5 a 2, 5 a 1 ou até 5 a 0. Vários! Será que a culpa é de apenas um erro específico?

O jogo está 3 a 2, não está? Ainda estamos vencendo. E faltam muitos games até o final da partida. É muito injusto (e uma estupidez sem tamanho) jogarmos toda a responsabilidade de uma possível derrota nos pontos perdidos do quinto game. Se perdermos o jogo, a culpa terá de ser dividida com os erros cometidos nos demais games e nas outras oportunidades não aproveitadas. Mas para que ficar pensando nisso durante o jogo?! Não faz sentido! Pense nos próximos pontos, nos próximos games. Tem tanto jogo pela frente, por que ficar pensando no passado?!

O ponto que tem muita importância na nossa cabeça pode, na verdade, não significar muita coisa para a sequência do jogo. Seu peso é muito mais psicológico do que esportivo. É óbvio que quando o jogo acaba podemos lamentar as oportunidades perdidas. Noventa por cento das vezes, no entanto, esses pontos não determinaram a derrota. A vitória do nosso adversário foi construída pela somatória de todos os acertos dele e pelo conjunto de todos os nossos erros. Diferentemente do que acontece em outros esportes (como no futebol, por exemplo), no tênis, um, dois ou três lances não têm o poder de decidir um resultado. O placar final é fruto do conjunto de todos os pontos ganhos e perdidos. Simples assim!

TÊNIS É MENTE

Esse é mais um motivo para esquecermos a perda daquele ponto específico ou o erro que ocorreu naquele determinado lance. De nada adianta ficar remoendo o que já passou. O nosso cérebro, infelizmente, está sempre procurando uma desculpa ou um culpado a quem recorrer. "Ah, não deu para ganhar hoje porque perdi aquele ponto". É muito mais fácil falar que perdemos porque cometemos um erro do que aceitar a superioridade do nosso adversário durante toda a partida, a falta de sorte em lances capitais ou um grande acúmulo de erros nossos.

Precisamos ter a humildade de reconhecer todas as besteiras que cometemos no jogo em vez de ficarmos apegados a um ou outro equívoco. Quando eu jogava contra um cara que perdia uma oportunidade e começava a se lamentar sem parar, compreendia que ele não tinha humildade suficiente para reconhecer suas falhas e admitir que o tênis era (e é) um esporte de erros. Talvez aquele meu oponente não entendesse que erraria mais umas cinquentas bolas até o final da partida. Assim, para que ficar se lamentando excessivamente pelos pontos perdidos? Se não olharmos o jogo com esse pragmatismo, ficará difícil criarmos um espírito vencedor no menino e na menina que se transformarão nos profissionais de amanhã.

Os grandes jogadores pegam aqueles lances que deram errado e os eliminam da sua cabeça instantaneamente. O jogador mediano demora dois ou três pontos para esquecê-los. Já o tenista limitado mentalmente fica remoendo aquele lance ou os erros por metade do *set*. Os mais fracos, por sua vez, podem levá-los até o final do jogo, sem conseguir se recuperar do baque.

Quem acha que isso só acontece com amadores e juvenis está errado. Muitos profissionais do circuito masculino e feminino têm esse problema crônico, atrapalhando a evolução do seu jogo e o seu crescimento no ranking da Associação. Já sofri algumas vezes com isso. As dicas deste livro são de erros que eu mesmo cometi na minha carreira. Alguns deles absurdos a ponto de eu entregar o jogo só por ter ficado abalado por um erro anterior. Perdi certa vez por 6 a 0 no terceiro set. Como explicar que ganhei o primeiro set por 6 a 4, perdi o segundo por 6 a 4 e, chegando no terceiro, tomei um pneu? Não há explicação lógica se analisarmos apenas a parte técnica, tática ou física. A partida deixou de ser equilibrada porque não tive maturidade suficiente de me manter concentrado no jogo e esquecer o erro por não ter fechado o segundo set como desejava.

Pense no próximo ponto e esqueça os que ficaram para trás. Dê a si mesmo a oportunidade de ganhar o jogo. E bola para frente!

DICA 34

Como se manter bem após um primeiro set fácil?

Nas dicas anteriores, comentamos algumas dificuldades que o tenista vivencia em quadra. Às vezes, a perda de um ponto decisivo pode representar um abalo moral tão grande que o jogador se desconcentra por vários games, o que pode significar a perda do jogo. Falamos dos problemas ao se enfrentar um bom devolvedor de bolas. Explicamos os obstáculos que precisam ser superados para se vencer um tenista melhor tecnicamente. Mais para frente, vamos debater como agir quando nada parece dar certo naquele dia. Todos esses desafios são de superação. A adversidade é grande e a união de tática, técnica, força mental e preparo físico é fundamental para vencer o jogo. Todos esses ensinamentos fazem do tênis uma grande escola, na qual aprendemos a lutar sempre, a acreditar até o fim na vitória e a nos manter focados no que queremos realmente fazer bem.

Nesta dica, gostaria de inverter um pouco a questão. Em vez de falar de problemas e mais problemas, trago os momentos de grande facilidade que o jogador encontra na partida. Afinal, acontece também de jogarmos um primeiro set espetacular, arrasando nosso adversário. O placar indica a surra: 6 a 0, 6 a 1 ou mesmo 6 a 2. A vitória foi incontestável nesses casos. A partir daí, algumas questões surgem em nossa cabeça: depois de um primeiro set tão bom, como manter o mesmo nível de concentração? É possível permanecer jogando tão bem no segundo set? Devemos continuar sendo agressivos ou é melhor passarmos a atuar de modo conservador? O que fazer se nosso adversário mudar a estratégia e voltar jogando diferente? Apesar de o cenário ser muito favorável, os desafios são grandes. O jogo ainda não está decidido e há ainda um longo caminho até a vitória.

A primeira coisa a fazer é saber o que aconteceu no primeiro set para a vantagem no placar ter sido tão dilatada. A explicação passa necessariamente por dois motivos. Ou jogamos um tênis incrível, com alto nível de acerto e a estratégia certa, ou nosso adversário atuou muito mal, perdido taticamente e errando muito.

Como já falei e repeti várias vezes, o tênis é um esporte essencialmente mental. Os jogos de amadores, juvenis, atletas no começo do profissional e até dos grandes campeões são influenciados pelo lado psicológico. Não dá para fugirmos disso. Por isso, temos de saber exatamente o que estamos fazendo em quadra. Por que estamos ganhando? O que fizemos de relevante para ter batido nosso adversário com tanta facilidade? Compreender os motivos da vitória parcial nos permite ficar no controle da situação.

O melhor momento para refletir sobre isso, durante um jogo, é nas viradas de quadra. Onde estamos jogando a bola? Onde nossa bola está quicando? Se estamos jogando no saibro, podemos utilizar as marcações da bola no chão para ver em que lugar ela está caindo. Onde a nossa direita está batendo? Aonde a esquerda está indo? Podemos ver, por exemplo, que ela está indo bem lateral, que está muito no meio, curta ou longa. Essa análise tática é fundamental para entendermos como o jogo está fluindo.

"Nossa! Nosso adversário não acertou nenhuma bola. Vencemos o primeiro set por 6 a 1 e ele realmente errou muitas bolas". A partir daí, temos de pensar que nosso oponente provavelmente vai melhorar. Precisamos estar agarrados à nossa tática para voltarmos no mesmo nível para o segundo set. Devemos ter em mente a nossa maneira de atuar. "Ah, jogamos mais à esquerda. Entramos mais para agredir, para sacar e volear. Ficamos trocando bola, botando todas as bolas com quatro passos atrás da linha e colocando a bola na mão dele". Qual a tática que utilizamos e qual foi o resultado disso?

Se o resultado foi muito positivo, como a dica está indicando, devemos manter, de início, a mesma estratégia. Devemos prever, contudo, que nosso adversário deverá mudar seu jogo. E o que fazer quando ele mudar? Mantemos nossa tática mesmo assim ou mudamos também? Essa é a grande discussão. É nesse momento que muitos jogadores se embananam em quadra e não conseguem concretizar a vitória que se anunciava.

Na maioria das vezes, não dá para continuarmos jogando da mesma maneira porque o nosso oponente deve mudar seu jogo. Ele quer vencer e não aceitará uma nova derrota no set que se inicia. Ele fará de tudo para reverter o placar e tentará coisas novas. A mudança de tática é a primeira alternativa possível para ele.

Vamos a um exemplo prático. Estamos trocando bolas altas com o nosso adversário e ele está explodindo todas as bolas fora. De repente, começa o segundo set e ele passa a sacar e volear. Ele devolve a bola do nosso saque e sobe à rede. Dá para continuarmos jogando alto no fundo da quadra? É claro que não! Se não alterarmos nosso modo de jogar, rapidamente o placar apontará 2 a 0, 3 a 0... para nosso adversário. E aí vai bater o desespero na gente. "Meu Deus! Não mudamos o nosso jogo e agora não sei o que fazer...".

Ter a perspicácia de perceber o momento exato em que nosso adversário muda de estratégia nos ajuda na tomada de decisão e antecipa nossa reação. Temos de mudar nosso jogo assim que o cenário do jogo se modifica. Quanto mais rápido percebemos a mudança na maneira de jogar do outro jogador, mais tempo temos para nos adaptar à nova condição. "Você vai começar a sacar e volear? Beleza! Em vez de jogar alta, vou jogar a bola baixa, no pé dele". Mudamos nossa maneira de devolver a partir das subidas dele à rede. Ou saímos lá de trás e vamos mais para frente.

Já ganhamos o primeiro set. Essa é uma vantagem importante, mas não representa que a vitória esteja liquidada. Temos de lembrar que o jogo de tênis não é feito de ganhar fácil. Quem está perdendo está sempre pensando em alternativas para mudar o panorama da partida. Precisamos nos ligar que as mudanças virão uma hora ou outra. E se elas derem certo, nosso adversário, sendo esperto, vai mantê-las pelo o resto do jogo. Se elas derem errado, ele voltará para a tática anterior ou procurará novas alternativas. Se ele voltar para a maneira inicial de jogar, precisamos também voltar para a nossa primeira tática, aquela que estava dando certo.

Para ganhar, precisamos definir constantemente o melhor jeito de jogar. Podemos começar mandando bolas altas no fundo de quadra, depois passamos a devolver bolas curtas e terminamos subindo à rede. Para definir esse plano tático, devemos estar o tempo todo pensando no que fazer e analisando o que nosso adversário está fazendo no outro lado da quadra. Nossa cabeça deve trabalhar sem parar, refletindo, avaliando e cogitando possibilidades. Tênis é um jogo muito pensado. Nosso cérebro precisa considerar o que aconteceu de positivo e criar alternativas para o que teremos de enfrentar pela frente. Devemos ser ágeis e verdadeiros nessas reflexões. Na hora de analisar o jogo, não podemos ser omissos e ficar procurando desculpas esfarrapadas para nossos erros. Temos de ser fortes, práticos e realistas.

Quando estamos ganhando, exercemos uma pressão muito grande sobre nosso adversário. É muito fácil o jogador, na hora que está perdendo, abaixar a cabeça e admitir o golpe. Não podemos dar chance de ele recobrar a moral e a confiança. Ao ganharmos o primeiro set, uma vitória fácil de 6 a 0, 6 a 1 ou 6 a 2, os primeiros dois games do segundo set tornam-se essenciais. Nosso adversário está querendo uma sobrevida dentro do jogo e vai se esforçar para começar o novo set com tudo. Ele tentará abrir 2 a 0. Quantas vezes não ganhamos de 6 a 1 e começamos o segundo set perdendo de 2 a 0 ou 3 a 0? Ao nos desconcentrarmos, nosso adversário procurou focar mais, alterou sua estratégia e ganhou moral. Se ele ganhar confiança, vai ser difícil para batê-lo depois.

Não devemos perder a concentração quando o jogo parece fácil. Estamos bem e ganhando de lavada? Tudo bem. Vamos nos concentrar ainda mais. Vamos ser muquiranas na hora de dar bolas de graça no comecinho do segundo set. Não vamos aceitar dar nenhum ponto de graça. Não deixemos nosso adversário ser muito agressivo e ganhar confiança dando *winners*. Se dermos um ponto de graça, pontuemos em seguida. Se fizermos uma dupla falta, no próximo lance precisamos acertar o primeiro saque. Isso é fechar a porta do adversário, não dando chance para ele reagir.

Ao falar sobre a importância da concentração, sempre me recordo de uma partida da Copa Davis contra a França, em Florianópolis. Eu jogava contra o Cédric Pioline e, depois de muitas horas de jogo, fiz 5 a 1 no quinto set. Olhei para o outro lado da quadra e vi o francês abatido, cansado e desolado com a provável derrota. "Ufa! A partida está na minha mão. Já ganhei!", pensei. Ao vencer aquele game, relaxei. Mas não faltava um game ainda? Sim, faltava. Eu, ingenuamente, relaxei demais, acreditando que a missão estava concluída quando ela ainda não estava.

O Pioline, esperto como era, percebeu meu vacilo e voltou a lutar. De certa maneira, eu o ressuscitei. Ele ganhou os três games seguintes e diminuiu a diferença para 5 a 4. No décimo game, eu estava sacando e o placar apontava 0 a 30. Ou seja, o francês podia quebrar meu saque novamente e empatar o jogo! Aí bateu o desespero e a raiva. "Por que eu fui relaxar antes da hora? Por que fui deixar o jogo virar daquela maneira? Será que vou perder uma partida que estava ganha?"

Naquele momento, voltei a focar no jogo, parei de reclamar, concentrei-me no ponto a ponto e acalmei-me. Também me lembrei do que estava fazendo de positivo até o 5 a 1. Fiz tudo o que devia ter feito antes. Fiz o que nunca devia ter deixado de fazer. Ao voltar a me concentrar, retornei ao jogo. Comecei a ganhar os pontos e fechei o quinto set em 6 a 4. Ufa! Venci o jogo, mas ganhei algo mais importante naquele dia: aprendi a lição de nunca achar que a partida já está ganha quando o último ponto ainda não foi disputado. Só podemos relaxar de fato ao final da disputa, fora da quadra. Jamais dentro dela!

Outra coisa interessante que podemos fazer é blefar. Por que não? Por dois ou três games indicamos que vamos alterar nossa maneira de atuar para depois voltar ao normal. Nosso adversário ficará confuso. Um adversário com dúvidas é um oponente mentalmente enfraquecido e sem poder de reação. Ou seja, é tudo o que desejamos.

Para terminar, outra dica legal é você procurar jogar mais rápido. Quem está vencendo normalmente tende a acelerar o jogo; quem está perdendo procura cadenciar mais a partida. A proposta do adversário, nesse caso, é nos irritar. Ele acha que fazendo o jogo atrasar o quanto pode vai dificultar um pouco a partida e retardar nossa vitória. É uma tática que ele pode utilizar. Eu adorava irritar o outro tenista quando estava perdendo, atrasando um pouco o meu saque. Além de enervá-lo, mostrava que eu não estava lá a passeio e que estenderia a partida ao máximo. Por isso, não caia neste tipo de provocação. Acelere o jogo o quanto você puder e mostre que sua proposta é liquidar a partida o quanto antes.

Com essas dicas todas, não temos mais desculpas para não fecharmos aquele jogo que começou fácil. Nada de desculpas agora, hein? A virada do nosso adversário não é mais aceitável. Vamos voltar para o segundo set e continuar arrasando!

DICA 35

O que se deve fazer em um dia ruim?

Há certos dias que nada parece dar certo para o tenista. Todo mundo que entrou em uma quadra de tênis para jogar uma partida já deve ter vivenciado isso ao menos uma vez. Até mesmo as bolas mais fáceis vão para fora ou ficam na rede. Você se sente no pior dia da sua vida. O jogo começa e logo estamos perdendo de 3 a 0, 4 a 0 ou 4 a 1. A sensação é a de que não estamos sentindo a bola na raquete e que o mundo conspira contra o nosso jogo.

O que você faz quando está em um dia ruim? Você abandona o jogo, pois sabe que não será possível mudar essa condição? Simplesmente aceita e perde rapidamente, acabando com aquele pesadelo o mais rápido possível? Ou você acredita que é possível vencer o adversário mesmo estando em uma maré desfavorável? Essas dúvidas invadem a cabeça do tenista quando ele está vivendo esse momento complicadíssimo.

Todo mundo está suscetível a viver um dia ruim. Até mesmo os melhores e mais bem treinados atletas passam por isso algumas vezes em sua carreira – falo por experiência própria. Minha tática quando estava jogando muito mal era mudar radicalmente a maneira de atuar por alguns games. Tinha de mostrar para o meu adversário que a partir dali, tudo seria diferente.

Em um jogo contra o eslovaco Karol Kučera pela Copa Davis de 2000, no Rio de Janeiro, perdi o primeiro set e estava sendo derrotado no segundo por 5 a 2.

Ele estava muito bem e eu estava horrível, errando muito. Já havia percebido que minha vitória ia embora. Até o público na arquibancada tinha perdido as esperanças. Toda vez que olhava para fora da quadra, percebia que havia menos gente assistindo à partida. Nada do que eu fazia dava certo. Nada! Era desesperador. O que fazer nesta hora? Como reagir?

Precisava mudar aquela situação. A primeira coisa que fiz foi jogar com uma margem de segurança maior. Para evitar novos erros, passei a arriscar menos, deixando de atacar tanto. Também comecei a correr mais. A ideia era devolver todas as bolas. Pensei comigo: "Se é para perder, que seja daqui a dez horas. Quero vê-lo destruído fisicamente. Vamos ver quem aguenta mais. Vou até o meu limite físico e mental. Vamos ver qual é o limite dele. Será que ele vai aguentar jogar por tanto tempo? Vamos ver!".

Consegui empatar e virar o segundo set, vencendo no *tie briek*. O Kučera percebeu a minha mudança e começou a acusar o cansaço físico já na metade do terceiro set. Quando alterou sua estratégia, já era tarde demais. Suas pernas estavam pesadas e ele sucumbiu fisicamente. Além de não conseguir se adaptar à minha mudança de jogo, ele perdeu no preparo físico. Em um dia em que nada dava certo para mim, consegui vencer ao encontrar a estratégia certa. Foi uma vitória inesperada: 3 a 1 (5/7, 7/6, 6/2 e 6/4), de virada! Com aquele triunfo, o Brasil fez 3 a 2 na série contra a Eslováquia e avançou para as semifinais do torneio daquele ano.

Assim, em primeiro lugar, você precisa aceitar que jogar mal de vez em quando é algo normal. Todo mundo vai passar por isso um dia. Não se trata de uma tragédia que não possa ser revertida. Admita, então, para você mesmo: este dia chegou. O primeiro passo, portanto, é entender que está em um momento desfavorável. Ao assumir seu azar, você se acalma um pouquinho. Para de se cobrar tanto. Afinal, foi o dia que começou ruim. O problema, de certa maneira, é ele e não você. Compreendendo que isso pode acontecer e está acontecendo, você admite que é hora de reagir.

A segunda atitude do tenista é batalhar para mudar a condição. Depois da conscientização, é preciso encarar o desafio de alterar o cenário. O dia e o jogo podem ter começado da pior maneira possível, mas isso não quer dizer que eles acabarão assim. Ou seja, você não pode se entregar. Jamais! Não se pode nunca aceitar uma derrota como algo natural ou vendê-la facilmente para o adversário. Você não pode pensar: "Não dá para mudar esta situação. Eu não vou fazer nada diferente porque não adiante mesmo". Não! Você precisa se esforçar para mudar. É preciso evoluir mental, técnica e, em especial, taticamente. A tática é muito importante quando a gente não está jogando bem.

TÊNIS É MENTE

E qual a melhor estratégia a ser tomada? É jogar de modo simples e fazer o básico. Nada de inventar. Precisamos diminuir os riscos. Devemos sair um pouco de cima da linha e jogar com os nossos melhores golpes. Onde você bate melhor? É na cruzada? Então jogue cruzada. Onde você saca melhor? É no meio? Jogue no meio! "Ah, mas vou ficar muito óbvio", você pode pensar. É melhor ser óbvio e acertar as jogadas do que surpreender o adversário, mas continuar errando todas as bolas. Saiba que ele está esperando o seu erro. Assim, você precisa priorizar o seu melhor jogo. Não tente fazer a jogada impossível quando você não está sentindo a bola, dar uma curtinha quando você não está bem e sacar e volear quando não é isso o que você normalmente faz. Ao tentar fazer algo diferente em um dia ruim, você tem chances maiores de errar.

Outra questão fundamental é a sua postura em quadra. Sei que é difícil manter a moral e o pensamento positivo quando nada dá certo, mas você não pode se entregar psicologicamente. O tênis é um jogo essencialmente mental, e sua cabeça irá conduzi-lo para a derrota ou para a virada. Sua atitude não pode ser de um jogador que fica com cabeça baixa ou que está se arrastando em quadra. Você precisa ficar o tempo inteiro falando para você mesmo: "Vamos lá, isso aí!". Em todos os pontos e entre os pontos da partida, precisa-se aumentar a motivação. É como se você falasse para você mesmo: "Vamos lá! Vamos ganhar este jogo. Vamos ganhar o próximo ponto! Vamos virar a partida. Você consegue! Vamos fazer isto, vamos fazer aquilo. É isto aí, é apenas um momento ruim que vai passar. A má fase já ficou para trás. É a hora de mudar a situação!". Foque no próximo ponto. E coloque apenas pensamentos positivos na sua cabeça. É difícil? É lógico que é muito difícil. Entretanto, não é impossível. Para virar o jogo, você precisa primeiro mudar os pensamentos que rondam sua mente.

É importante também esperar o momento da brecha. E o que é uma brecha? É quando o adversário começa a errar ou a sorte parece voltar para o nosso lado. Ela pode ser representada por um lance ou por uma jogada isolada. Como é bom quando o azar muda de lado em uma quadra! Esse momento precisa ser muito bem aproveitado. Quando falamos de tenistas incríveis, como Novak Djokovic, Roger Federer, Rafael Nadal, Serena Williams e Maria Sharapova, pensamos que dificilmente erram. Mas ninguém é perfeito e imune ao erro. Podemos estar perdendo de 3 a 0 ou de 4 a 0, mas o oponente vai sacar, depois dá uma pequena desconcentrada e faz duas besteiras. O placar do game fica 0/30. Pronto! Essa é a brecha de que precisávamos, o momento que você tem para voltar ao jogo. É no que você precisa se apegar e jogar o seu melhor tênis, mesmo não estando tão bem assim naquele dia. Jogue a bola com o cotovelo, mas acerte. Jogue

6/0 DICAS DO FINO

Meligeni em confronto contra Gaston Gaudio válido pelo Desafio Brasil e Argentina de 2000.

no meio da quadra, obrigue seu adversário a correr atrás dela. Acredite que as coisas podem mudar e já estão mudando.

Recordo de um jogo contra o Andre Agassi em Scottsdale, no Arizona. Fiz 6 a 1 no primeiro set. Estava vencendo o segundo set por 3 a 0 e vencia o quarto game por 0/40. Tudo dava certo para mim e tudo dava errado para ele. Nunca tinha visto o Agassi errar tanto quanto naquele dia. A alegria de estar vencendo um gênio do tênis só não era total porque lá no fundo eu sabia que meu adversário estava esperando a brecha para iniciar uma reação. Agassi esperava a chance de ouro aparecer para virar o jogo. Eu não podia dar a ele essa oportunidade. Se desse, ele aproveitaria. Nós dois sabíamos disso.

Joguei os pontos seguintes meio solto, mais desconcentrado do que o normal. Fui na bola quando não precisava ter ido. Ataquei mais do que o necessário. Errei algumas vezes. E perdi aquele game. No seguinte, ele quebrou o meu saque. Acabei dando a brecha que ele tanto esperava. Aí o jogo se foi... Foi erro meu ter dado chances para ele e inteligência dele confiar em seu potencial e esperar o momento certo para o jogo virar a seu favor. Ele aproveitou as chances que eu dei. Como se diz no tênis, temos de fechar a porta. Se a deixamos um pouco aberta, podemos perder o jogo pela fresta...

Quando estamos jogando muito mal, existem duas maneiras de encarar a situação: somos muito agressivos ou ficamos muito na defensiva. Não existe meio-termo. E qual é a melhor estratégia? Prefiro optar pela troca de bola. Para começar a acertar, o primeiro passo é parar de errar. Coloque a bola de maneira segura do outro lado da quadra. Tire um pouquinho mais da rede, de perto da altura dela. Dê um pouco menos de força à bola, um pouco mais de *topspin* e jogue um pouco mais no fundo. Jogue mais no centro da quadra. Corra menos riscos.

Aqui vai uma dica que sempre funcionou para mim. Se você está jogando mal, mexa as pernas! Noventa por cento das vezes estamos mal por causa do aspecto psicológico. Estamos nervosos, ansiosos ou intimidados com a importância da partida e com a força do adversário. Então mexa muito as pernas! Exagere mesmo! Mexa, mexa, mexa, mexa e mexa, antes dos pontos. Fique até meio ofegante. Esse comportamento sempre me ajudou a acreditar que estava espantando a "nhaca" que havia grudado em mim. Ao me movimentar exageradamente, espanto o azar e a má sorte.

Por fim, rode a bola! Mande a bola para a quadra do adversário. Acredite! Jogue até o último ponto. Quantos jogos o vencedor da partida não saiu de um 0 a 6 e depois acabou virando o jogo? O tênis é definido na última bola, não na primeira. O que vejo sempre é o pessoal se entregar com facilidade. Bater a raquete no chão e aceitar que o dia está ruim sem fazer nada para mudá-lo. Não! O dia não está ruim. O dia começou ruim, mas pode mudar. E isso depende de você.

Seja muito forte mentalmente. Vencer quando tudo dá certo é fácil. O grande tenista é aquele que vence quando tudo parece conspirar contra ele. Tênis está quase sempre relacionado ao aspecto mental do atleta. Por isso, não desista. Volte para a quadra e mude a situação agora mesmo.

DICA 36

O que fazer quando o adversário usa de malandragem?

O que devemos fazer quando encaramos tenistas que usam a malandragem e vão até o limite das regras? Como nos comportar diante de adversários folgados ou que possuem uma ética própria dentro da quadra? Sei que essas questões são complexas. Admito que fiquei com certo receio de abordá-las aqui em *6/0 Dicas do Fino* porque constantemente fui visto como um jogador difícil de encarar, meio catimbeiro. Sempre tentei ser muito ético dentro da quadra de tênis, mas não posso mentir: às vezes passava dos limites na vontade de vencer e acabei tendo umas atitudes de que hoje me arrependo.

O legal é que nas partidas e nos campeonatos entre profissionais temos um árbitro mediando os jogos o tempo inteiro. O tênis, nesse sentido, é muito justo. Com exceção das partidas entre amadores, sempre há um árbitro por perto. Dificilmente jogamos sem ninguém olhando. Quando entramos em uma quadra, precisamos seguir as regras e somos avaliados pelo cumprimento delas. Dependendo da nossa conduta, tomamos advertências e podemos ser desclassificados do jogo e do torneio.

Para começo de conversa, precisamos diferenciar os tenistas malandros em dois grupos: aqueles que se enganam em relação às jogadas e os que usam de algumas artimanhas polêmicas para nos tirar do sério durante a partida. Vamos discutir, inicialmente, o primeiro caso. Não gosto de usar a expressão "tenistas que roubam". Prefiro me referir a eles como jogadores que se enganam com frequência. Afinal, nunca saberemos se roubam mesmo ou se, na vontade de ganhar, acabam se confundindo em relação ao desfecho da jogada. Podem ter problemas de visão e não conseguem enxergar direito em que lugar a bola caiu. A bola cai na linha e ele acha que foi fora, por exemplo. Por isso prefiro não usar o termo "roubar". Na dúvida, são inocentes.

A primeira atitude que precisamos ter em relação a esse tipo de jogador é não cair na tentação de querer enganá-lo. Nossa ética e honestidade não dependem do adversário e da situação. Quando somos verdadeiramente éticos, somos em todos os momentos e com todas as pessoas. Por isso, por mais duvidoso que possa parecer o outro tenista em relação ao seu caráter, vamos manter os nossos valores inabalados. Não combatemos jogadas polêmicas com mais delas.

Ao mesmo tempo, temos de mostrar para o nosso adversário que estamos atentos ao que está acontecendo em quadra. Não vamos permitir as injustiças e a perda de pontos. Devemos discutir, sim, com ele. Trata-se de conversar civilizadamente e mostrar nosso ponto de vista em relação à jogada em questão. Se a conversa não funcionar, devemos chamar o juiz. A regra do tênis permite isso. Sempre que nos sentirmos lesados em uma partida, podemos chamar o árbitro-geral do campeonato e pedir para que ele fique próximo à quadra. Ou até pedir a um juiz para ele ficar o tempo todo em quadra observando o que está acontecendo.

Ao percebermos que nosso adversário tem uma índole difícil ou suspeita, chamamos o árbitro imediatamente e o deixamos mediar os lances mais polêmicos. Essa possibilidade, obviamente, é mais comum de acontecer no tênis juvenil e nos campeonatos amadores. No tênis profissional, os tenistas já jogam com árbitros o todo o tempo. Hoje em dia, há sensores na quadra para ajudar a tirar dúvidas que possam surgir.

O segundo grupo é aquele formado por jogadores tinhosos, que gritam na nossa cara, gostam de bater boca, chegam com um visual mais agressivo e são folgados dentro da quadra. Sinto-me à vontade para falar deles porque, de certa maneira, usava muito desses recursos quando jogava. Se nunca roubei ou afirmei que uma bola saiu quando vi que ela tocou na linha, como os tenistas do primeiro grupo, admito que usava algumas estratégias pouco ortodoxas para desestabilizar meu adversário. Era muito extrovertido, gostava de falar alto, ficava encarando o outro jogador e gritava na cara do meu oponente de vez em quando. Se o árbitro marcasse algo com que eu não concordasse, batia boca com ele e não tinha vergonha de deixar claro para todos os presentes minha indignação.

Fazia essas coisas todas e não posso vir agora e dizer que não concordo com esse tipo de artimanha. Apesar de o nosso mundo estar recheado de pessoas e de uma cultura politicamente corretas, nunca me identifiquei com elas. Sabemos que existem regras e que elas vão de um ponto ao outro. Ou seja, existe um mínimo e um máximo. Cabe aos árbitros julgarem se alguém passou dos limites. Se não passou, não há problema algum. E os jogadores podem testar esses limites. Sempre fui muito ético, mas não era o "tenista bonzinho" em quadra. Há uma grande diferença entre as duas coisas.

Por tudo isso, se você enfrentar um cara que faz um carnaval ao jogar e que gosta de intimidá-lo, a melhor estratégia da sua parte é evitar o confronto. Simplesmente não o encare nem revide ou repita suas ações. Falo isso porque quando usava minhas manhas e artimanhas e o cara do outro lado ficava nervoso e bravo, querendo brigar comigo ou gritar mais alto, eu me inflamava ainda mais. Pensava: "Opa! Consegui tirá-lo do sério. Entrei na cabeça dele e o desestabilizei psicologicamente. Consegui o que queria! Vou continuar com isso. É a minha chance de ganhar este jogo". Por outro lado, quando o meu adversário virava as costas para mim, mantinha-se calmo e concentrava-se no próximo ponto, compreendia que minha conduta mais agressiva não estava funcionando. Em muitas ocasiões, eu parava de provocá-lo. Ao perceber que ele não se abalaria, eu simplesmente desistia da estratégia.

O jogador que é mais explosivo e provocativo normalmente quer o enfrentamento, esse confronto direto. Quando você não dá a ele o que deseja, o oponente se perde mentalmente. Acaba sendo um pouco mais difícil para ele lidar com a situação. Isso não quer dizer que você deva se apequenar em uma situação dessas. Seja inteligente. Saiba a hora de cutucar e de revidar. Enquanto ele grita dez vezes "vamos!", faça isso uma única vez, mas na hora certa.

O jogo de tênis é cheio de nuanças e acabamos enfrentando todo o tipo de gente. Tive de lidar com cada situação... Alguns caras gritavam comigo, ameaçavam-me e tentavam se impor fisicamente. Em um torneio satélite nos Estados Unidos, quando era ainda juvenil, eu disputava um jogo contra um norte-americano mais velho. Aí, em uma virada de quadra, ele simplesmente me deu uma raquetada no joelho quando estava sentado no banco descansando. E não foi um golpe para intimidar. A raquetada foi forte, para machucar. Levei um grande susto, pois jamais imaginei que aquilo fosse possível.

O que fiz? Voltei ao jogo e, três viradas depois, adquiri a coragem necessária para revidar a agressão. Enfiei a raquete nos joelhos dele quando ele estava sentado descansando. Fiz isso morrendo de medo e com muita vergonha. De certa maneira, quis mostrar a ele: "Espera aí, amigão. Posso ser mais jovem do

TÊNIS É MENTE

que você, mais baixinho e magrinho, mas não vou deixar você fazer o que quiser aqui". Bem ou mal, estava me impondo.

Hoje, admito, faria algo completamente diferente. Não revidaria a agressão por mais acuado que estivesse. Simplesmente chamaria um árbitro para ficar presente o tempo inteiro durante o jogo. Se enfrentasse aquele jogador novamente, em outra competição, antes da partida iniciar, chamaria o árbitro e exigiria a presença dele o tempo todo. Pronto, questão resolvida. Não recomendo, não ensino e não incentivo o que fiz. Tenho até vergonha da minha atitude.

O ponto principal, em minha opinião, é que eu não poderia ficar indiferente àquela atitude do meu adversário. Precisava agir, e o fiz da maneira que no momento julguei mais acertada. Com o meu gesto, o norte-americano ficou sem reação. Ele não acreditava que eu devolveria sua agressão. Devia ter feito aquilo um milhão de vezes, em especial quando estava perdendo a partida. E aí, ao receber o primeiro revide em plena quadra, pensou: "Meu Deus! O que faço agora?". Ele se desestabilizou e venci.

É importante entender que jogaremos contra adversários mudos, jogadores que gritam na nossa cara, oponentes que reclamam de tudo, tenistas que não enxergam direito onde a bola caiu e caras que na hora em que vamos sacar para a vitória, pedem para ir ao banheiro. No tênis, encontramos de tudo. Nesses momentos, precisamos agir com calma e inteligência. A primeira é para entender a situação, o que está acontecendo em quadra. A segunda é para não cairmos na provocação e para sairmos daquela condição desestabilizando o adversário. Na maior parte das vezes, se partirmos para o confronto, agimos como eles querem. Acabamos saindo do jogo e, com isso, a chance de perder a partida cresce.

Precisamos olhar aquela situação como se estivéssemos fora dela, entendendo o que nosso rival quer com aquelas atitudes. E aí vamos lá e contra-atacamos. O contra-ataque deve ser feito com ética e, em particular, com boas jogadas. O pior castigo para esse tipo de gente é ganharmos. Eles tentaram de tudo, tumultuaram o jogo e, mesmo assim, perderam. Quer machucar mais um cara do que ganhar dele de maneira limpa e dando uma aula de ética e de boas maneiras? Impossível!

Ou seja, ganhe dele! Concentre-se. Entre em ebulição interna e fale para você mesmo: "Não vou perder para este cara de jeito nenhum. Ele vai ver. Vai pagar por tudo que está fazendo. Mas vai pagar dentro da quadra, com a derrota!". E vença! Não há vitória mais saborosa do que aquela conquistada diante de um grande rival do qual não gostamos ou pelo qual nutrimos uma grande antipatia.

DICA 37

É verdade que o jogo "só acaba quando termina"?

Quem nunca ouviu aquele famoso ditado popular "o jogo só acaba quando termina"? Acredito que todo mundo já deve ter ouvido essa frase alguma vez na vida. Difícil encontrarmos quem não concorde com ela. A teoria, no entanto, diz uma coisa; a prática, outra. Vejo vários jogos da molecada do juvenil e do começo do profissional com placar indicando vitória por 2 a 0, com parciais de 6 a 4 e 6 a 0 ou de 7 a 5 e 6 a 1 ou até mesmo de 7 a 6 e 6 a 2. Aí eu fico pensando... Será que essa galera tem noção do quanto é importante lutarmos até o último ponto? Por que o primeiro set foi tão parelho e o segundo foi uma "lavada"?

Em primeiro lugar, temos de entender que o tênis é um esporte de muitos altos e baixos. É normal oscilarmos durante as partidas. Quanto mais jovem e inexperiente formos, mais erraremos e faremos bobagens em quadra. Se entendermos isso, daremos mais importância ao jogo ponto a ponto. Quando ouvimos o nosso técnico falar "Jogue ponto a ponto. Não erre. Não o deixe abrir muito no marcador", acabamos dando pouca importância. Não! Precisamos, sim, jogar cada ponto com muita atenção e concentração, independentemente do placar ou de termos perdidos o primeiro set.

Muitas vezes vejo aquele primeiro set duríssimo. Jogamos taticamente tudo o que tínhamos para jogar. Mas acabamos perdendo por um detalhezinho e então vira 7 a 6 para o nosso adversário. Em alguns casos, chegamos a ter alguns *set points* e os desperdiçamos. Ao sermos derrotados no set, sentamos e falamos: "Nossa! Perdi e agora tenho de ganhar dois sets... Se perdi o primeiro set, como farei para ganhar o próximo? Impossível!".

O momento mais importante quando perdemos um primeiro set tão duro quanto 7 a 6, 7 a 5 ou 6 a 4 é o início do segundo set. Os primeiros dois games são fundamentais para dar norte ao restante da partida e indicar a nossa reação. A virada acontece ali. É nessa hora que mostramos ao nosso adversário que queremos jogar e vamos ganhar o jogo. Se for preciso, morreremos em quadra e vamos fazer o duelo se prolongar por horas. O outro jogador precisa perceber isso. Na hora da virada de quadra, ele vai nos olhar para tentar identificar quanto ficamos abalados com a derrota no primeiro set. Se transmitirmos a mensagem de que estamos destruídos mentalmente, ele se tornará um gigante em quadra, ainda mais confiante na vitória.

O jogador de tênis quer ter um jogo fácil pela frente. Quem não quer? Você quer, eu também quero e nossos adversários desejam a mesma coisa. Todos queremos olhar para o outro lado da quadra e encontrar um atleta entregue, quebrando tudo de raiva porque nada está dando certo. Como isso é bom! Por outro lado, quando ganhamos por 7 a 6 e vemos um oponente lutando, pulando, correndo e olhando com determinação, a coisa muda de figura. É como se ele falasse: "Não acabou! Bem-vindo ao inferno! Vão ser cinco horas de jogo duro e complicado. Você vai ter de jogar muito para me vencer".

É essa a reação que temos que ter sempre. Não importa o placar, precisamos manter a gana pela vitória e a concentração no jogo. Quando agimos assim, estamos jogando pressão extra nos ombros do nosso adversário. Invariavelmente, ele acaba abaixando a guarda um pouquinho e permite-nos reagir. A perda de confiança dele abre portas para o nosso jogo e as possibilidades para a virada aparecem naturalmente.

Outro aspecto positivo de não desistirmos nunca é a impressão que deixamos, não apenas para o adversário, mas para todo o circuito. Rapidamente, ganharemos a imagem do tenista que nunca se entrega em quadra. Seremos vistos como uma "pedra no sapato" dos nossos adversários. Essa imagem é muito interessante e lá na frente nos ajudará a ganhar os jogos. O oponente já entrará na disputa nos respeitando mais, com receio de nos enfrentar.

Além de um forte componente mental, precisamos nos ater à parte tática. Na hora em que perdemos o primeiro set, devemos pensar no que fizemos de certo e no que fizemos de errado. Vamos parar com a história de ficar procurando culpados pela derrota parcial, de ficar lamentando os erros ou de ficar ressentidos pela falta de sorte. Vamos acabar imediatamente com a choradeira improdutiva! Vamos analisar o jogo de maneira estratégica. Para isso, temos um minuto e meio para refletir. "Eu joguei bem assim, joguei com mais agressividade. Joguei mais na esquerda dele". O que deu de errado? "Preciso melhorar o primeiro saque e não forçar tanto na devolução". Ao decifrar quais foram os motivos da nossa derrota naquele primeiro set, fica mais fácil mudar o cenário logo no início do próximo set.

Ao perdermos por 7 a 6 o primeiro set, estamos mostrando que o jogo está equilibrado. Não há explicação lógica, portanto, para perdermos o novo set por 6 a 0 ou 6 a 1. "Ah, o nosso adversário melhorou". Noventa por cento das vezes, não foi ele que melhorou. Foi o nosso rendimento que decaiu sensivelmente. Nós abaixamos a cabeça e não tivemos capacidade mental e tática de reverter a situação, entregando o jogo de mão beijada para o outro tenista. É isso que acontece em geral quando analisamos um primeiro set muito parelho e uma lavada no segundo, decretando a derrota.

Para evitar que isso aconteça, devemos manter o foco no próximo ponto. Vamos imaginar que o jogo será longo e mostrar todo o tempo para nosso adversário que podemos vencê-lo. É importante realizar ajustes na nossa forma de jogar e pensar a todo instante sobre o que é necessário ser feito para reverter a situação adversa. Antes de sacar, devemos avaliar como iremos jogar o próximo ponto. Ao sentar para descansar entre os pontos, precisamos entender o que é necessário melhorar.

A mudança de tática no começo do segundo set pode ser uma grande alternativa. Se estivermos jogando bem e só faltou um pouco de agressividade para vencer, usemos, então, a agressividade no começo do novo set. Vamos mudar! Vamos mostrar para o nosso adversário nossa disposição de virar o jogo e nossa nova leva de recursos para derrotá-lo.

Tênis é muito pensado. Precisamos encarar nosso adversário e indicar nossa vontade de superá-lo. Conseguimos, na virada de quadra, na obtenção dos primeiros pontos, na hora de sacar e no momento de fazer a devolução, mostrar para o nosso adversário que somos grandes jogadores e que vamos lutar até o final do jogo pela vitória, aconteça o que acontecer. Vibrar no começo do segundo set, sem exagero, é uma boa alternativa. Mostrar ao nosso adversário nossa gana pode intimidá-lo.

Repare que quase todas as dicas apresentadas aqui giram em torno das partes psicológica e tática. Acho que falei muito pouco da parte técnica. E é isso mesmo! Os aspectos mentais e táticos são os responsáveis por levar um tenista à virada. O lado técnico acompanhará esses dois elementos. Quando estamos fortes psicologicamente em quadra e encontrarmos a estratégia correta, o nosso melhor tênis aparece naturalmente.

A parte técnica dos tenistas, de certa maneira, se equipara. O que faz diferença mesmo são os lados psicológico e tático. Para testar isso, faça um exercício com algum amigo seu que não entenda muito de tênis. Selecione um tenista que esteja entre os cinquenta melhores do mundo. Depois, pegue outro que figure mais ou menos na 400ª posição. Compare as cenas dos jogos dos dois, avaliando o desempenho técnico. Pergunte ao seu amigo quem é o melhor. Provavelmente ele errará. A diferença técnica entre um jogador que figura entre os cinquenta melhores e o cara que está em 400º lugar no ranking é muito pequena, quase imperceptível para a maioria do público. A distinção entre eles está na estratégia e no psicológico. Alguns caras, como o Roger Federer, estão fora da curva, possuindo uma técnica de outro planeta, mas a maioria dos tenistas não ganha simplesmente por ter um jogo melhor do que o do adversário. Ganha por aplicar uma combinação de força mental e de plano tático superior à do oponente.

Lembro-me de uma história bem legal, sobre um senhor norte-americano chamado Lou. Ele era o que podemos chamar de torcedor profissional. Como era aposentando e gostava muito de tênis, viajava regularmente para acompanhar os torneios da ATP. Todo ano ele escolhia dois tenistas para torcer. E nas partidas dos seus jogadores favoritos, Lou costumava gritar: "Feche a porta dele!", "Não dê chance (para o adversário)","Você tem algum compromisso hoje à tarde? Não!? Então continue lutando. Não desista" e "Fique (aí na quadra lutando) que ele vai embora antes de você". Com este jeito curioso e engraçado de motivar, Lou ajudava demais os tenistas para quem ele torcia. Não era de espantar que, naquela temporada, esses tenistas tivessem um desempenho muito melhor do que nos anos anteriores, subindo no ranking da Associação.

Se perdemos de 7 a 6 ou 7 a 5 no primeiro set, mostramos que o jogo está pau a pau. Vai ser no detalhe, portanto, que ele será decidido. E o detalhe está dentro da nossa cabeça. Tênis se ganha com a cabeça. Tênis se ganha com atitude e com confiança. Tênis se ganha olhando para o nosso adversário e mostrando que queremos e podemos ganhar dele. Não é apenas uma questão de jogar na direita ou na esquerda. Vamos acreditar sempre, até o último ponto. Nunca devemos abaixar a cabeça e admitir a derrota antes de a partida realmente terminar.

Quantas vezes vimos o tenista ganhar de 7 a 6 o primeiro set, iniciar o segundo set abrindo 2 a 0, 3 a 0 de vantagem e aí... Algo acontece! O cara era uma bola boba, o adversário joga bem um ponto e o jogo muda de cenário. A virada acontece. Se isso acontece com os outros, por que não pode acontecer com a gente? Espere, portanto, o momento da reação. Aproveite as chances que

6/0 DICAS DO FINO

Meligeni em torneio do ATP Tour de Salvador em setembro de 2001.

surgem no meio do jogo. Sempre falo que teremos pelo menos uma chance durante a partida. E precisamos aproveitá-la. "Ah, perdi o primeiro set quando tive dois *break points* para fechar". Não fiquemos lamentando. Vamos focar nas próximas chances. Vamos ganhar o próximo game. Fazer 3 a 1 e sacar para diminuir o marcador. Assim botamos pressão no nosso adversário. É como se falássemos: "Ufa! A derrota no primeiro set já passou. Agora é vida nova". Quando vamos ver, o set já está empatado. Dessa maneira, acabamos crescendo no jogo.

O problema é quando não aproveitamos as oportunidades que surgem. Aí fica difícil de ganhar. Praticamente, em todo set temos algumas boas chances. Normalmente, o placar de 6 a 0, 6 a 1 ou 6 a 2 no segundo set acontece porque tivemos oportunidades e não soubemos aproveitá-las.

Um dos jogos mais incríveis que venci foi contra o norte-americano Andy Roddick, em Washington, 2002. Ele era cabeça de chave número um do torneio, pois tinha vencido aquela competição no ano anterior. A quadra era de piso rápido, o que aumentava ainda mais o favoritismo do meu adversário. Minhas chances de vitória eram pequenas. Quem apostaria no Fininho aqui contra um monstro do tênis como aquele? Só um maluco, né? Ao entrarmos em quadra, a torcida toda era para ele, que jogava em casa. Decidi, então, entrar de cabeça erguida e com um sorriso maroto no rosto. Estava praticamente dizendo para todos ali presentes: "Vou ganhar este jogo. Andy, prepare-se para perder hoje. Torcida norte-americana, você vai sair frustrada daqui esta noite". Sinceramente, não acreditava muito nisso, mas eu sabia blefar muito bem. Meu adversário não precisava saber da minha falta de confiança. Queria que ele soubesse que o jogo seria muito duro e equilibrado.

Foquei em não perder o saque até o 4 a 4 e em ser muito agressivo nos saques dele. Sempre que ele me dava qualquer chance, eu ia para cima e olhava nos olhos dele chamando o jogo. Queria intimidar, mostrar que poderia vencê-lo. Se fosse analisar exclusivamente a parte técnica, ele era realmente imbatível. Eu jamais o venceria. Por isso, joguei com no psicológico. Em relação à parte tática e psicológica, tinha minhas chances de superá-lo. Foi nisso que me agarrei.

Assim fui levando o jogo, sabendo que teria de aproveitar as poucas chances que me aparecessem. E apareceram. Nessa hora, joguei meu melhor tênis. Resultado: venci a partida. Ganhei os dois sets aproveitando o game em que pude quebrar o saque dele. As parciais foram 6 a 4 e 6 a 4. Ao sair da quadra, o Mark reconheceu meu esforço: "Você foi uma fera mentalmente. Parabéns!".

O jogo só acaba quando termina! Esse é o ditado popular, não é? Quando damos a mão para o nosso adversário ao final da partida, aí sim temos a certeza de que perdemos. Enquanto isso não acontecer, vamos à luta. Batalhemos por cada ponto! Vamos nos matar em quadra até o último lance. Vai por mim, já virei muitos jogos por não desistir facilmente. Ganhei partidas por causa da atitude aguerrida e corajosa de acreditar em cada jogada e não entregar nenhum ponto de graça para o adversário. Por isso, não quero ver ninguém desanimado e com a cabeça baixa em quadra. Quero ver leões e leoas lutando até o final. E acreditem: o jogo só acaba quando termina!

PARTE V
Tênis se ganha dentro e fora de quadra

DICA 38

Como deve ser a preparação na véspera do jogo?

Quando pensamos em uma partida importante ou em um jogo de campeonato que vai acontecer, logo sentimos um friozinho na barriga. O nervosismo antes de uma disputa é normal. Os momentos que precedem a partida são muito importantes e exigem preparação prévia do tenista. Chamado de pré-jogo, esse período pode influenciar positiva ou negativamente no placar final do confronto. Muitas pessoas pensam no pré-jogo como as horas que antecedem a partida. Mas ele começa no dia anterior. E, por falar nisso, você sabe quais devem ser os preparativos do tenista antes de um jogo importante?

Já que a preparação para um jogo de tênis começa no dia anterior, tudo aquilo que for feito na véspera terá impacto direto na atuação do atleta no dia seguinte. O jogador precisa se cuidar e tomar algumas precauções. Esta dica é para alertar sobre o que deve e o que não deve ser feito nesse momento.

A primeira questão é sobre o treinamento. Vejo muitas dúvidas a esse respeito. Deve-se ou não treinar no dia anterior ao jogo? Quão pesada deve ser a carga de atividades? O que treinar? Vejo muita gente treinando muitas horas numa sexta-feira, achando que o jogo de sábado irá melhorar com isso. Alguns jogadores se sentem mais confiantes e seguros após se acabarem em intermináveis sessões de treinos. É óbvio que cada jogador tem suas próprias características e preferências, das quais não podemos fugir. Devemos conhecer nossa maneira de ser, as reações do nosso organismo e o funcionamento da nossa mente. Precisamos identificar, ao longo do tempo, o que dá certo e o que dá errado para nós em cada etapa do pré-jogo.

De modo geral, não adianta querer treinar duro nesse momento. Se você exigir demais do seu corpo, com intensas atividades físicas e repetições de movimentos, entrará cansado em quadra no dia seguinte. E não é isso o que desejamos. Lembre-se: você tem uma máquina, que é o seu corpo. Se treinar muitas horas na véspera, quando chegar no 3 a 3 ou no 4 a 4 do terceiro set, você estará esgotado fisicamente. Justamente na hora que mais vai precisar de energia. Se você treinou por duas horas e meia, por exemplo, é como se tivesse jogado uma partida inteira na véspera. Provavelmente seu adversário não fez esta maluquice e está mais descansado e com energia de sobra para esbanjar na hora decisiva do jogo. Por isso, nada de loucura antes de uma partida!

O treino do dia anterior deve ser, antes de qualquer coisa, para o tenista sentir realmente a bola na raquete. Ele precisa estar à vontade em quadra. Deve controlar movimentos e ações. É impossível o jogador melhorar substancialmente a parte física ou a parte técnica 24 horas antes do jogo. O que precisava ser desenvolvido e aperfeiçoado já foi feito nas sessões de treinos antes do campeonato começar. Agora é a hora de manutenção física e técnica.

Eu gostava muito de priorizar, na véspera da partida, o treinamento tático. Via muitos grandes jogadores fazendo isso também. O que é um treino tático? É a simulação do jogo do dia seguinte. Você treina lances com que provavelmente vai se deparar. Você pratica sua estratégia de jogo contra um jogador com determinadas características. Vai jogar contra um cara que devolve muito a bola? Então treine bastante a bola de definição. Os jogadores que são ótimos devolvedores costumam deixar muitas bolas no meio da quadra. Por isso, na sua sessão de treino de quarenta ou quarenta e cinco minutos, dê prioridade para as bolas de definição.

"Amanhã vou jogar contra um cara que saca muito bem". Vamos dar ênfase na devolução. Vamos devolver por cinco, dez minutos o saque desse jogador. "Meu adversário não sabe passar muito bem". Então vamos fazer um pouco de treinamento de *approach*, o primeiro voleio. "O cara ataca e bate muito forte na bola". Vamos sacar e ficar preparados para essa primeira bola depois do saque. Se o nosso adversário do dia seguinte for um atleta canhoto, chamemos para treinar um colega com essa característica. Se o nosso oponente for um cara muito alto, convidemos um gigante para bater bola conosco na véspera do jogo.

Essa dica pode parecer um tanto óbvia e simples, mas ajuda muito. Você poderá sentir a bola e simular o efeito de como ela vem, preparando-se para as características do jogo que encontrará no dia seguinte. Esse é o treino mais produtivo que deve ser feito no pré-jogo. Você se prepara exatamente para o que vai encontrar na hora da partida.

Quando falamos em priorizar determinado aspecto do jogo, não quer dizer que devemos treinar somente isso. Você deve fazer também o bate-bola normal. Treine a batida de direita e a batida de esquerda. Voleie, saque e jogue alguns pontos. Mas não se esqueça de reservar uns dez, quinze minutos para a atividade específica, voltada para o dia seguinte e para o adversário que encontrará.

Existem vários treinamentos específicos que ajudam muito na maneira de jogar. Para fazermos isso, precisamos saber contra quem vamos jogar. É necessário conhecer as características e o estilo de jogo do nosso adversário. Somente com essas informações poderemos criar uma estratégia de jogo e treinarmos na adaptação da maneira de jogar do nosso oponente. Aproveite o dia anterior para conversar bastante com o seu treinador. Troque ideias com ele sobre as melhores táticas a serem usadas. Debata alternativas para neutralizar os pontos positivos do adversário e explorar as deficiências dele.

Além de treinar, é importante o atleta manter a concentração e cuidar-se na véspera do jogo. Não adianta querer entrar na quadra no dia seguinte achando que vai conseguir resolver todos os problemas na hora, de improviso. Não! Não é assim que o tênis (e qualquer outro esporte) funciona. "Agora vou me concentrar e tudo dará certo", "Agora vou treinar e vou melhorar instantaneamente" ou "Agora vou fazer a coisa assim e tudo vai acontecer rapidamente para mim". Não! Nada funciona de improviso ou tem uma reação tão imediata. É preciso preparar primeiro o terreno para depois plantar. Após a plantação, é preciso um tempo de manutenção e cuidados com o cultivo. Somente lá na frente a colheita será realizada. Respeitar esse ciclo é compreender uma das leis básicas da Natureza.

O jogo começa efetivamente no dia anterior. Alimentação também é muito importante. Coma algo leve, saudável e seguro. Alimente-se tranquilamente à noite. Eu dava preferência para alimentos que sabia que não me fariam passar mal no dia seguinte. Normalmente, comia bastante carboidrato. Gostava de uma boa massa e um franguinho grelhado. Coisas leves e gostosas. Escolhia os locais das refeições onde tinha mais confiança. Nada de arriscar um prato novo, um tempero exótico ou um restaurante desconhecido na véspera da partida.

Outra questão fundamental é não se desgastar à toa no dia e, em especial, na noite anterior. De que adianta você realizar um treino leve à tarde se depois vai se esbaldar na balada durante toda a madrugada? Não me parece muito produtivo o atleta desgastar seu corpo algumas horas antes do jogo. Ao mesmo tempo, não é para ele ficar 24 horas fechado no quarto do hotel, olhando para a parede. Eu gostava de sair para dar uma volta à tarde. Ia a uma loja de CD, tomava um sorvete e dava uma voltinha rápida pela cidade. Isso ajudava no meu relaxamento. Coisas leves, triviais e que não me desgastavam fisicamente. Ir ao cinema? Eu não gostava. Parecia para mim uma maneira de esquecer o jogo. E nessas horas que antecedem a disputa, não podemos esquecer nosso principal objetivo. Isso é concentração!

Outro grande tabu é praticar sexo na véspera do jogo. Sinceramente? Se puder evitar, melhor. Para que se desgastar? Não é proibido, evidentemente. Sempre achei que gastar energia na noite anterior não era algo aconselhável para quem desejava vencer a partida no dia seguinte. Até porque o jogo na quadra e no quarto podem ser longos e desgastantes.

Dormir bem é fundamental. Ir para a cama cedo, relaxar o corpo e dormir tranquilo é uma preocupação que todo atleta deve ter. À noite, quando vamos dormir, o jogo começa a ser desenhado em nossa mente. Na cama, pensamos no que vamos fazer e como vamos atuar. E, assim, vamos dormir com essas imagens na cabeça.

Todos esses elementos somados impactarão diretamente na qualidade do seu jogo no dia seguinte. O tenista amador, evidentemente, tem uma característica diferente do juvenil que participa de competições e do profissional que possui um nível de exigência muito maior. Não vou pedir para você, jogador amador, dormir tão cedo e evitar atividades normais da sua vida. Contudo, é importante também saber que tudo o que você faz na véspera influi no seu desempenho em quadra.

Com um bom preparo, as chances de você realizar um grande jogo aumentam consideravelmente. Enquanto todos desejam sorte antes do jogo começar, você sabe que a sorte é sempre bem-vinda, porém sua vitória foi construída com preparo, planejamento e muita organização prévia.

DICA 39

Como deve ser o pré-jogo de um tenista?

Como vimos na dica passada, o pré-jogo do tenista começa no dia anterior. Ele se estende da véspera da partida aos minutos antes do jogo começar. Agora vamos nos aprofundar no que deve e no que não deve ser feito no dia do jogo.

Na manhã da partida, devemos acordar no mínimo três horas antes do início do jogo. Esse é o período de tempo que você precisa para acordar para valer. Menos do que isso, você corre o risco de entrar em quadra sonolento ou em um ritmo mais lento, abaixo do normal. Se a partida tem início às 11 horas da manhã, por exemplo, devemos acordar no mais tardar às 8 horas.

Uma vez de pé, vamos direto para o café da manhã. Tem gente que gosta de tomar banho logo cedo. Tudo bem! Pode tomar o seu banho. Tem gente que não gosta de tomar banho de manhã. Sem problema, fique sem o banho. Cada um se comporta do seu jeito. Mas ninguém pode ficar sem o café da manhã. Sem ele, o atleta entrará em quadra sem uma refeição para sustentá-lo. Isso não pode acontecer.

A refeição matinal deve ser aquela normal que você toma diariamente. É importante não querer exagerar, pensar que quanto mais comer, mais energia terá. Não! Se exagerar, você entrará pesado em quadra. Tem de comer a sua fruta, o seu pão... Além de evitar exageros, exclua tudo que possa pesar no seu estômago e, de alguma maneira, fazer mal durante o jogo. Corte o bacon, fritura, gordura, o refrigerante e todos os alimentos pesados.

Quando o café da manhã termina, você deve pegar as suas coisas no quarto e seguir direto para o clube, para o local do jogo. Eu gostava de treinar e de me aquecer bem. Isso acontecia normalmente uma hora, uma hora e meia antes da partida começar. Como estamos falando de um jogo às 11 horas, o aquecimento inicia-se, portanto, entre 9h30 e 10 horas. Chamo esse treinamento leve que antecede o jogo de primeira suada.

A primeira suada é importantíssima. Por quê? Porque ela ajuda a tirar um pouco do nervosismo que o tenista sente. Além disso, ajuda a "tirar a cama" do nosso organismo. Lembremos que você ficou dormindo por oito, dez ou doze horas e, por isso, ainda está com movimentos e reflexos lentos. Precisamos dar uma suada para destravar nosso corpo, colocá-lo em forma para o dia.

É fundamental batermos um pouco de direita e batermos um pouco de esquerda. Precisamos sacar e volear. Devemos simular todos os movimentos normais que faremos durante o jogo. Mas sem loucura! Não vá querer treinar intensamente por uma hora inteira. Não! Esse momento é só para dar a primeira suada, tirar a "cama das costas". Faça um bate-bola. Jogue alguns pontos. Cinco pontos sacando e cinco pontos devolvendo. E pronto!

Recordo-me de uma história que o Pardal gostava de contar para todo mundo depois que parei de jogar. Ele falava: "O Fernando fugia da esquerda. Ele ficava bravo comigo porque eu o obrigava a bater e a aquecer esse lado". Era verdade. Eu tinha pouca confiança no meu *backhand* e não gostava nem de me lembrar disso momentos antes da partida. Por isso eu ficava nervoso na hora de aquecer esse lado. Eu não queria. O meu treinador, ciente da importância do bom preparo antes do jogo, obrigava-me a me aquecer adequadamente. Na época eu ficava bravo. Hoje eu o agradeço pela insistência.

Quando perceber que suou, que está confiante e sentindo bem a bola na raquete, saia da quadra. Vá para o vestiário. É chegado o momento de se concentrar. Fique focado exclusivamente na partida de logo mais. O máximo que fazemos nessa hora é conversar com o nosso técnico e com a pessoa que está conosco no campeonato. Nada de bagunçar, de querer correr, de telefonar para os amigos ou ficar navegando na Internet. "Ah, vou jogar um futebol para dar uma aquecida" ou "Como estou nervoso, vou ficar batendo papo ou jogando cartas para relaxar". Não! Esse é o momento de você se concentrar no jogo. É a hora de você sofrer sozinho. O pré-jogo é importantíssimo. Pense em como você jogará. Reflita sobre o que fará em quadra. Analise como poderá ganhar a partida. Estude mentalmente a tática do seu adversário.

Há jogadores que precisam ser instigados para entrar em quadra pilhados. Outros precisam de um bate-papo amigo e carinhoso para ficar mais calmos e

TÊNIS SE GANHA DENTRO E FORA DE QUADRA

entrarem confiantes na partida. O técnico precisa conhecer muito bem seu garoto e sua garota para ganhar a confiança deles. Medo, todos nós sentimos. Saber enfrentar o medo é que é o grande desafio do esportista de alto nível.

Quarenta minutos ou meia hora antes do jogo começar, você estará na fase de concentração no vestiário. Estará sozinho ou com o seu treinador. Familiares (ou quem quer que seja a pessoa que esteja ao seu lado) deverão respeitar esse momento e precisarão entender que se trata de um instante de meditação. É fundamental estarmos focados, pensando apenas na partida. A conversa com o nosso técnico é muito importante.

A partir daí, quinze minutos ou dez minutos antes do início do jogo, é o momento do aquecimento final. Vamos para a última alongada e para os exercícios físicos de preparação para a partida. Devemos entrar em quadra quentes, prontos para a disputa. Só conseguimos entrar em quadra mais ligados e preparados se tivermos feito um bom aquecimento antes. Tem muito tenista que fica nervoso e trava as pernas e não quer fazer nenhuma atividade física antes da bola rolar. Pensa que quanto menos se mexer, melhor. Acredita que quanto menos esforço fizer antes do jogo, mais energia sobrará para a hora da partida. Pelo amor de Deus, não pense assim! Você precisa se aquecer minimamente.

Se você tiver feito uma boa sessão de concentração e já estiver aquecido, é o momento de entrar em quadra. É a hora de adentrar na jaula dos leões! A quadra de tênis é um lugar maravilhoso. Encare este desafio. Se você estiver com medo ou nervoso, não se preocupe. Todo mundo fica nervoso nessa hora. Eu ficava. Você ficará. Os grandes tenistas também ficam e ficarão. Todo mundo sente medo antes do jogo. Tive a oportunidade de conversar com os grandes tenistas do mundo e todos admitiram ter grande ansiedade antes da bola rolar. Roger Federer, Andre Agassi e Pete Sampras são seres humanos com eu e você e também possuem seus medos e suas preocupações.

Se você for pai, mãe, treinador, preparador físico ou só estiver acompanhando alguém em um campeonato, não se assuste com o nervosismo pré-jogo. Ele é absolutamente corriqueiro. Não fique pensando: "Este menino tem muito medo de jogar" ou "Ah, esta menina fica muito tensa antes do jogo". Isso é normal. Até o primeiro e o segundo game, todo mundo sente muita dificuldade para jogar. A partir daí, você vai se soltando, imprimindo o seu jogo normalmente e as coisas passam a fluir.

Faça uma boa preparação antes do jogo. Lembre-se de que uma partida pode ser decida na véspera, dependendo do seu comportamento. Ao entrar em quadra, acredite em você. E meta a mão na bola. Vá para cima do seu adversário. Afinal, de que adianta se preparar tanto se na hora do "vamos ver" você não utilizar todo o seu potencial? Para cima dele, garoto! Para cima dela, garota!

DICA 40

Como se cuidar durante o jogo?

Nas últimas duas dicas, só falamos dos preparativos antes do jogo, realizados na véspera da partida e nos momentos que antecedem o esperado duelo. Nesta dica de agora, gostaria de focar mais nos cuidados que devemos ter durante o jogo. Vamos entrar na quadra para discutir como o jogador deve se preservar durante o confronto. O jogo pode durar horas e ser realizado debaixo de um calor insuportável. Se não cuidarmos adequadamente do nosso organismo nessas condições adversas, ele sucumbirá e perderemos a partida.

Vamos falar, portanto, de calor, hidratação, alimentação, preparo físico, cuidados necessários antes da partida e de esgotamento físico em jogos longos. Esta dica ajudará muita gente, pois vejo muitos meninos e meninas sofrendo demasiadamente durante os jogos e errando bastante no jeito de se hidratar, de se alimentar e de dosar as energias durante as partidas.

Vamos começar falando de pré-jogo e de hidratação. A hidratação deve ser iniciada bem antes de a partida começar, algo como uma hora antes. Nós não somos camelos e, por isso, precisamos administrar constantemente a reposição dos líquidos perdidos com a prática esportiva. Vamos tomar água e isotônico. O isotônico, para quem pratica atividades físicas intensas, repõe não apenas o líquido, mas também os nutrientes e minerais consumidos com o exercício. A água, não preciso falar, é parte essencial do nosso corpo e não pode faltar nunca. Em se tratando de hidratação, sempre aparecem novidades. Consulte seu

TÊNIS SE GANHA DENTRO E FORA DE QUADRA

preparador físico para saber as vantagens e desvantagens das novas opções para a sua fisiologia.

A hidratação precisa começar uma hora antes do jogo. Você toma sua água aos poucos, constantemente, e vai fazer seu xixizinho. Cuidado apenas para não exagerar. Você não precisa encher sua barriga a ponto de ficar pesado. Uma vez dentro da quadra, utilize todas as viradas de quadra para se hidratar. Eu disse "todas as viradas"! "Ah, agora não preciso. Estou me sentido bem, não estou sentindo sede. Eu quero passar rápido pela virada. Vou deixar para tomar água depois". Isso não existe! Não devemos esperar sentir sede para nos hidratar. Não vamos esperar a máquina reclamar da falta de combustível para repô-lo, pois aí já pode ser tarde demais.

Outra coisa importante da hidratação é se molhar constantemente. Molhe um pouco a cabeça. Jogue sempre com boné. "Ah, não. Para que boné?". Calor na cacunda é terrível. Parece que o sol forte queima nossos pensamentos. Para mim era ainda pior, pois sou meio carequinha e o sol batia direto na cachola. Se eu não usasse boné, com certeza sofreria demais. Então, aproveite para se refrescar sempre que possível. Além da hidratação, tenha uma toalha molhada para colocar no pescoço. Molhe os pulsos. Molhe a nuca. Assim, você conseguirá abaixar um pouquinho a temperatura do seu corpo, conferindo uma sensação agradável de bem-estar.

Junto com a hidratação, temos a questão da alimentação. Além de líquidos, nosso corpo precisa de nutrientes. Uma partida, um treinamento ou uma aula de tênis consomem muitas energias do nosso corpo. Por isso, leve sempre com você bananas ou barrinhas de cereal. Elas ajudam na reposição das energias perdidas. Quem não se lembra do Guga comendo banana nos intervalos das partidas? Essa cena marcou bastante. E, curiosamente, tinha muita gente que tirava sarro dele. O Guga não estava nem aí para o que o pessoal falava. Ele estava mais interessado em se hidratar e em se alimentar nesses jogos de uma hora e meia, duas horas ou mesmo três horas de duração. Quando o calor é excessivo e a exigência física beira o absurdo, precisamos colocar algo dentro do nosso corpo. Se a gente não se hidratar dentro do jogo, não se alimentar adequadamente, chega uma hora que nosso organismo pifa. Aí não conseguimos mais andar nem pensar direito.

E quando o calor é muito forte?! Muitas partidas de tênis são realizadas às onze horas da manhã, ao meio-dia ou às treze horas, exatamente quando o sol é mais intenso. Para agravar, vamos lembrar que vivemos em um país tropical, com temperaturas normalmente elevadas e um verão que castiga bastante. E os jogos podem avançar para o terceiro set. Em algumas competições, chegamos a disputar cinco

6/0 DICAS DO FINO

Partida contra Tim Henman pelo US Open de 2001.

sets. Nesse cenário, devemos entender que vamos sofrer com o calor. Todo mundo sofre (até mesmo a plateia que fica o tempo inteiro sentada na arquibancada).

Quanto pior estiver nosso preparo físico, mais desconforto e mais dificuldade encontraremos. Por isso você precisa estar muito bem fisicamente. Sempre encontramos aquele sujeito que não joga o ano inteiro e do nada decide jogar uma partida ao meio-dia. Aí o jogo se arrasta por duas horas. Como você acha que ele estará depois de meia hora de partida? Obviamente, estará um caco, se arrastando em quadra. Não é legal fazer isso.

Se estivermos bem preparados, aguentaremos o tranco. Mesmo assim, sempre há aquele momento em que o cansaço extremo surge e nos derruba. Esse cansaço vem misturado com o nervosismo e com o desconforto pelo calor. Mas se conseguirmos passar por essa etapa, vamos nos sentir mais fortes e espantaremos o cansaço. Acredite, ele vai embora. Aí poderemos correr por horas e horas que não vamos sentir mais nenhum desconforto. Quem nunca viu um jogador e uma jogadora se arrastando no segundo set e, de repente, lá pelo terceiro set, começar a voar em quadra? O que aconteceu? Eles superaram a fase mais crítica e entraram no momento favorável do seu condicionamento físico.

TÊNIS SE GANHA DENTRO E FORA DE QUADRA

Um jogo de tênis tem vários altos e baixos, tanto nas partes técnica, tática e mental quanto na física. A maioria dos jogadores não é como Rafael Nadal e Novak Djokovic, caras extremamente fortes e com um condicionamento físico privilegiado. Somos, portanto, suscetíveis a grandes variações de rendimento. Os altos e baixos do nosso físico aparecem ao longo da partida. Temos de saber que na hora que estamos em baixa, cansados, precisamos nos hidratar, nos alimentar e descansar em cada uma das viradas de quadra. Cada parada é um alívio. O tenista inteligente e com pensamentos positivos sabe que logo mais, dali a um ou dois games, a coisa vai mudar. O cansaço vai desaparecer e a energia ressurgirá. Aí a adrenalina sobe e passamos a confiar novamente na vitória.

Outra questão fundamental é acreditar no seu físico. Se você está bem preparado fisicamente, hidratou-se adequadamente durante todo o jogo, alimentou-se na hora certa, refrescou seu corpo e aproveitou as paradas para descansar, não tem com o que se preocupar. Acredite no seu tênis. Acredite na sua direita, na sua esquerda, no seu voleio e no seu saque. E acredite também que você aguentará o longo jogo e que conseguirá suportar o calor. Não deixe sua mente colocá-lo para baixo.

O jogo está 3 a 3, você perdeu o saque. Aí o placar aponta 4 a 3 para o adversário e você pensa: "Ah, não aguento mais fisicamente. Não vou conseguir reagir". Quando isso acontece, não quer dizer que você não esteja bem fisicamente. O que você está é com a parte psicológica abalada. Sua cabeça é quem está jogando contra você. Se você se mantiver forte psicologicamente e acreditar na vitória, vai aguentar jogar o 7 a 6 e ainda poderia atuar em um quarto ou quinto set, se necessário.

Preparado agora para aguentar aquele longo jogo embaixo do calor forte? Você tem tudo para derrotar o seu adversário, seja pelo aspecto físico ou mental.

DICA 41

O que deve ser feito no pós-jogo?

Muitos atletas têm curiosidade sobre a melhor maneira de se fazer o pós-jogo. Como deve ser a conduta do tenista depois da partida? A preocupação nessa hora é com a recuperação do corpo, tão desgastado e sacrificado durante a partida, para o próximo duelo ou para a próxima sessão de treinos. A ideia é dividir esta dica em duas partes: uma dedicada ao pós-jogo de quem venceu a partida e a outra de quem perdeu o jogo.

Vamos começar com o vencedor. A primeira hora depois de um jogo desgastante é o momento mais importante da recuperação física do atleta. Sei que todo mundo quer vibrar, dar um abraço na família, contar que venceu a partida, mas precisamos nos concentrar na etapa de regeneração. Afinal, devemos pensar que no dia seguinte haverá um jogo até mais importante. Em alguns casos, como no dos meninos que jogam torneios juvenis, o próximo desafio é em poucas horas.

A primeira coisa a fazer é se hidratar. Beba bastante água e tome isotônico. Reponha o líquido que seu corpo consumiu nas últimas horas. Depois, corra por dez ou quinze minutos. Era isso que eu gostava de fazer quando saía da quadra e o que vejo muito atleta de ponta fazendo. Não é para correr rápido. Você pode fazer uma corrida leve, para soltar o corpo. Aproveite esse momento para refletir sobre como foi seu jogo recém-terminado, o que você fez de legal e o que precisa melhorar. Trata-se de um exercício para relaxar a musculatura, limpar a mente e para tirar o acido lático do corpo. É interessante que o seu treinador participe dessa corrida com você. Vocês podem conversar, alinhar alguns pontos, preparar as táticas para o próximo confronto e, em especial, comemorar o sucesso daquele dia. Vamos lá! Corra dez ou quinze minutos e depois alongue-se.

Alongar-se é fundamental! Alongue as pernas, os braços e as costas. Você realmente precisa soltar o seu corpo. Relaxe! Em seguida, vá direto para o chuveiro. Tome um bom banho para relaxar e para se lavar. O profissional que possui uma estrutura e uma equipe maior pode também completar essa etapa com uma massagem.

Depois disso, é hora de se alimentar. Precisamos repor as energias consumidas nas últimas horas. Comer os itens certos e na quantidade correta é essencial para a recuperação. Falar assim pode parecer um tanto óbvio, mas se alimentar depois de um jogo complicado e tenso é bem difícil. Muitas vezes estamos sem fome. Se você não for jogar no dia seguinte, pode comer bem. Evite alimentos gordurosos e de difícil digestão, como a feijoada. Opte por grelhados e massas. Essa combinação fornece as proteínas e os carboidratos necessários para o nosso organismo.

O meu melhor ano no circuito profissional foi em 1999. Naquela temporada, cheguei a 25ª posição no ranking mundial, tendo conseguido expressivos resultados principalmente nos torneios disputados no saibro. Fui o quarto jogador que mais venceu partidas nesse tipo de piso. Em Roland Garros, trabalhamos duro. Eduardo Faria, meu preparador físico, focava essencialmente no meu pós-jogo. Lembro que depois de uma batalha duríssima contra Félix Mantilla, pelas oitavas de final, o Edu fez tudo o que coloquei aqui. Ele me hidratava o tempo todo e cercava-me de cuidados. Uma hora não aguentei e perguntei se ele achava que eu estava doente. Ele achou graça e respondeu: "Estou preparando você para voar nas quartas de final contra o (Àlex) Corretja. Quero você jogando como se fosse sua primeira partida no campeonato. Quero você 100%, sem nenhuma dorzinha. Para isso estou aqui. Você corre e eu solto seu corpo depois". O trabalho do Edu foi fundamental para eu derrotar o Corretja e chegar à semifinal de Roland Garros.

Essas foram as dicas para quem venceu. E quais são as dicas para quem perdeu a partida? Qual o pós-jogo ideal para o atleta derrotado? O tenista, nesse caso, precisa fazer exatamente a mesma coisa que o adversário que o venceu fez. Então por que estamos tratando este tópico como algo diferente? Porque é muito difícil um atleta derrotado ter disciplina para realizar o ritual da recuperação física depois de perder um jogo. É muito complicado ter a motivação necessária para realizar essas atividades. Muitas vezes, dependendo da derrota, dá vontade de jogar as raquetes dentro da bolsa e desaparecer do mundo. "Se ficar cansado amanhã, tudo bem! Já estou eliminado do torneio mesmo", pensam alguns atletas. Não! Não é para pensar assim. O que você precisa entender é que amanhã você terá de treinar. E, para isso, precisará estar o mais inteiro possível fisicamente para encarar a nova bateria de treinos.

O dia seguinte de um jogo não é de folga para atleta algum, tendo ele ganhado ou perdido a disputa do dia anterior. Não é para ficar escondido na cama, embaixo das cobertas, lamentando-se pela derrota. Ganhar e perder fazem parte do esporte. Vencer jogos incríveis e desperdiçar partidas no *match point* são próprios da rotina de todos os tenistas. Você que tem 12, 14 ou 15 anos de idade, saiba que irá perder mais do que ganhar na vida. Tirando os fenômenos, todo mundo perde. Você tem de se acostumar a perder e, em especial, aceitar a derrota. E nada melhor para aceitá-la do que trabalhar intensamente depois, pensando nos próximos desafios. Faça o seu ritual do pós-jogo adequadamente. Hidrate-se. Faça a sua corrida. Alongue-se. Tome o seu banho. Alimente-se bem. Aja como um profissional!

E que tal treinar mais tarde, se você jogou às dez ou às onze horas da manhã? Em vez de colocar uma roupinha bonita e ficar desfilando pelo clube, é melhor trabalhar. E nada melhor do que fazer isso treinando no período da tarde. O objetivo do tenista juvenil não é ganhar hoje, quando tem 14 ou 15 anos, mas vencer quando tiver 19, 22 e 25 anos e for um profissional. Por isso, é importante ensiná-lo, desde já, a se comportar da maneira correta. É um aprendizado para quando ele se tornar um atleta profissional. Eu sempre falo que o tênis é uma escola. E nada melhor do que trabalhar após uma derrota. Assim nos esforçamos para evitar que novas surjam no caminho. Tem de trabalhar, sim, depois do jogo.

A partida foi decidida no 7 a 6 no terceiro set e você está morto de cansado. Aí, tudo bem. Vá descansar, então. Não desgaste seu corpo ainda mais. Faça hoje as recomendações para a sua recuperação física. Amanhã você volta a treinar. Mas se o jogo foi rápido, a derrota veio por 6 a 4, 6 a 4. Aí dá para treinar à tarde, não dá? Por que não? Não precisa fazer um treinamento muito puxado, mas vamos jogar, sim.

Treinar faz parte de você estar o tempo inteiro dentro da quadra, batendo na bola, sentindo-a, jogando com adversários diferentes. Marque um set com um cara bom. Sempre tente treinar com tenistas melhores do que você. Precisamos parar com esse negócio de pegar o celular, o iPad, sair para a balada a todo momento. Não, não e não! Você quer jogar tênis? Então treine pra caramba.

TÊNIS SE GANHA DENTRO E FORA DE QUADRA

Trabalhe duro todos os dias! Vale a pena? É claro que vale! Seu desempenho será compatível com o seu esforço nos treinos. Ninguém melhora e evolui por acaso.

Não é porque você perdeu o jogo que virou férias. Semana que vem tem novo jogo, a vida continua. É preciso voltar aos treinos. Então, faça sua preparação e as atividades rotineiras de forma bem-feita que você vai conseguir. "Ah, mas os resultados não estão vindo para mim". Calma! Se você estiver trabalhando intensamente e de modo correto, uma hora eles virão. Não tem segredo. É preciso plantar hoje para colher amanhã. Essa é a lei universal da natureza.

Tênis não tem segredo. Quem está falando é um cara que não tinha um talento absurdo, uma esquerda potente, mas contava com um coração gigantesco e trabalhava muito. Muitos falavam que eu não ia vingar no esporte, que era um torto. "Ah, Fernando, você não leva jeito para o tênis. Você é todo torto. Desista!" Eu nunca desisti. Sempre corria atrás do que eu queria. Treinava como um maluco, sem parar. Treinava, treinava e treinava para melhorar. Se a natureza não havia me dado o dom natural para a prática do tênis, coube a mim mesmo desenvolver minhas habilidades. Só assim eu poderia encarar os principais tenistas do circuito mundial.

É difícil ser tenista? É claro que é! Assim como é difícil ser médico, dentista, engenheiro, advogado e arquiteto. É difícil ser qualquer coisa que você queira. Em qualquer profissão é necessário trabalhar duro para figurar entre os melhores. Não há outro caminho para o sucesso profissional além de muito trabalho e esforço. Se você quer disputar um Grand Slam, faça por merecer. Ninguém vai convidá-lo para disputar os principais torneios se você não estiver apto para isso e não tiver demonstrado, com resultados, a sua capacidade.

Portanto, esteja sempre preparado para o dia seguinte, seja ele de treinos ou de novas partidas. Respeite o pós-jogo, fazendo as atividades de recuperação física e mental necessárias. E bola para frente!

PARTE VI
Tênis é treino

DICA 42

Onde e com quem treinar?

Qual o melhor local para colocar nossos filhos para treinar? Como devemos escolher um treinador para os nossos meninos? É melhor escolher o técnico pelo renome, pela estrutura do clube e da academia de que ele faz parte ou pela qualidade dos que estão treinando lá? Essas dúvidas ficam martelando na nossa cabeça e temos medo de errar. Meu pai, quando eu era menino e começava no tênis, tinha as mesmas preocupações. Agora como pai, as tenho também. Converso com muitos pais e mães de jovens tenistas que me perguntam constantemente sobre esses assuntos.

Se você quer que o seu filho jogue tênis como brincadeira, como um mero divertimento ou para praticar um esporte, acho que o lugar onde você vai colocá-lo deve ser essencialmente agradável. A proposta é encontrar um local interessante para ele passar tardes satisfatórias com pessoas legais. Por outro lado, se você quer que seu filho jogue tênis para valer, suas preocupações mudam. Você precisa achar a pessoa certa, que entenda muito de tênis, e o lugar mais adequado possível, em que seu menino possa exercitar as habilidades e evoluir constantemente.

Hoje em dia há muitas opções para os pais de tenistas e para os jovens atletas. Existem muitos clubes, academias, treinadores e pessoas competentes trabalhando com tênis. Até me tornar profissional, frequentei várias academias, umas boas e outras nem tanto. Joguei aqui no Brasil e na Argentina, para onde me mudei quando garoto. Depois de ter vivido tantas experiências nesse sentido, acredito estar pronto para debatê-las.

Antes de qualquer coisa, os pais precisam pensar muito bem a que tipo de pessoa eles estão entregando os cuidados do seu filho. Confiram o passado do treinador, busquem referências, conversem com pais de antigos tenistas que já passaram por ele. Verifiquem a mentalidade (ideia sobre o esporte), a filosofia de trabalho (como é seu método no dia a dia) e os valores (concepção de mundo) do profissional. Optem por um técnico que tenha as mesmas concepções que vocês e seu filho sobre o tênis e sobre o mundo.

Outro ponto importante é a vontade do profissional de treinar o seu garoto. Ele precisa mostrar que quer muito treinar seu filho. Tenho visto muitos treinos em grupo e treinamentos com um monte de tenistas, em que os meninos acabam ficando escondidos e sem receber a atenção necessária. Quando há um número exagerado de crianças treinando simultaneamente, o treinador não consegue prestar atenção individual. Não sou a favor do treinador um por um (um jogador para um único técnico), a não ser em alguns casos específicos e em momentos excepcionais. Gosto muito da relação dois, três por um (dois ou três jogadores para cada treinador).

O que não pode acontecer em hipótese alguma é você colocar o seu filho em uma academia e o treinador não saber o nome do menino nem ter tempo para conversar, trabalhar ou prestar atenção nas atividades realizadas em quadra. O papel do treinador é educar a garotada e, para isso, são necessárias uma grande proximidade e uma intensa confiança entre as partes. Prefira um treinador menos renomado e extremamente participativo do que um profissional altamente renomado que olhe pouco para seu filho e treine-o por correspondência ou de vez em quando.

Seu filho precisa ser muito bem tratado onde quer que vá treinar. Tente verificar previamente essa questão quando for analisar os lugares e os profissionais envolvidos. É possível avaliar o tratamento que ele receberá no futuro durante a prospecção e as visitas aos locais. Se você e seu filho não forem bem atendidos logo de início, não ache que esse comportamento mudará ao longo do tempo. É óbvio que quanto melhor seu filho jogar, mais atenção ele receberá dos membros da academia e do clube. Ah, isso é certo? Pode não ser o mais correto, mas é o que acontece na prática. Mesmo assim, pais e garotos devem exigir um tratamento equilibrado e justo.

Após os 15, 16 anos, o garoto precisa de um treinador ainda mais próximo, que lhe dê atenção total. Tive essa experiência quando treinei na Argentina e foi incrível. Daniel Musacchio era o meu treinador na época e ele estava ao meu lado diariamente. Tirava minhas dúvidas, falava o que eu devia fazer, tinha a paciência necessária para me ensinar como melhorar e cuidava do meu jogo e de mim. Acredito que só virei profissional por causa dessa atenção quase exclusiva que o Dani Musacchio me dava. Se tivesse ficado naquela coisa de clube, com um monte de menino, sem um atendimento mais próximo e sem alguém realmente preocupado comigo, não teria chegado aonde cheguei. Muito possivelmente, teria ficado pelo caminho, como tantos jovens tenistas ficam.

Outras questões a serem consideradas são a competência e a experiência do treinador e a estrutura do local de treinamento. Quanto de tênis o técnico conhece e já viveu? O que o centro de treinamento, seja o clube ou a academia, oferece de diferente para o desenvolvimento da meninada? Eles conseguem olhar lá na frente, preparando o tenista para o futuro na profissão?

Tome cuidado para não escolher profissionais e lugares exclusivamente por seu nome e sua fama. Não corra atrás de grife, vá atrás de gente e lugares realmente competentes. "Ah, mas qual é o melhor nome do Brasil?". Isso não faz jogador de tênis. O que faz o jogador é o trabalho dentro da quadra. O treinador precisa entender muito do esporte, já ter vivido muita coisa no tênis e ter treinado muita gente. O centro de treinamento precisa ter uma estrutura mínima para desenvolver o garoto técnica, física e taticamente. Mas não adianta nada ter só um rótulo. "Vá lá! Treine com o Fernando Meligeni. Ele já foi o número 25 do mundo e deve saber muita coisa". Aí o cara passa o dia na casa dele sem fazer nada. Quando vai ao clube, mal vê o seu filho. Assim não vai dar certo!

Para terminar esta dica, exija sempre mais do seu treinador. Pressione-o, no bom sentido. Peça mais! Não ache que se pedir mais atenção ao técnico você está sendo chato. Você está apenas cuidando do futuro do seu tenista. Dentro da quadra, o garoto treina. Ele se mata para melhorar o jogo. E para o treinador você demanda a cada dia mais excelência.

Depois de feita a escolha do treinador e do lugar do treinamento e após os garotos iniciarem as atividades para valer, você deve confiar na sua decisão e nos profissionais escolhidos. Tem que acreditar neles. Não adianta ficar lá enchendo o saco o tempo inteiro de todo mundo. Não ache que ajudará se você ficar entrando em quadra para discutir com o técnico. Acredite no treinador do seu filho. Fazer um tenista requer muito sacrifício, não só do jogador, mas do técnico também. Requer muitas vezes falar a mesma coisa, mostrar ao menino que aquela bola teria de ser cruzada em vez de paralela e explicar o porquê das coisas. Se depois você perceber que não gosta do trabalho do treinador, que o seu filho não está gostando do técnico, vocês têm todo o direito de trocá-lo. Deixe, no entanto, primeiro ele mostrar trabalho. Dê um tempo mínimo para ele demonstrar sua competência.

O papel do pai é ajudar o filho a fazer as escolhas certas e conferir se o garoto está sendo bem tratado. Pressione os profissionais, da maneira correta, para eles darem a atenção necessária que seu filho merece. Se você está pagando, você e seu filho precisam ter de volta o retorno esperado. Certifique-se de que o jovem está se empenhando suficientemente nos treinos, deseja jogar tênis. A responsabilidade pelos resultados dos treinamentos deve ser divida entre jogador e treinador. Ambos precisam realizar muito bem seus trabalhos para as coisas derem certo.

Assim, invista o tempo e a energia que forem necessários na escolha do treinador e do lugar em que seu filho irá treinar. A carreira dele agradece.

DICA 43

Como devem ser os treinamentos?

Recebo numerosos e-mails, mensagens e posts nas redes sociais perguntando como deve ser uma sessão de treino de um tenista. Os garotos e as garotas que jogam nas categorias juvenis têm curiosidade de conhecer como é um treinamento produtivo e interessante. Os jogadores amadores desejam saber como aproveitar mais as aulas particulares. E os tenistas profissionais no início de suas trajetórias no circuito mundial procuram encontrar novas maneiras de se exercitar. Todos eles se perguntam regularmente: "Como devo treinar? Quais exercícios devo realizar no dia a dia para melhorar o meu jogo? Como é o treino de um atleta profissional? Estou aproveitando bem as horas passadas dentro de quadra para evoluir e me desenvolver?".

A primeira dica para se treinar bem é desenvolver um planejamento do que deve ser exercitado. O plano pode ser diário, semanal, quinzenal, mensal ou anual. O treinador e o tenista precisam ter uma planilha com a programação completa do que deve ser trabalhado em cada treino. Ao definir o que se precisa melhorar, estabelecem-se especificamente quais exercícios, golpes e movimentações o jogador precisa realizar.

O treinamento é algo muito sério. Ele não pode ser feito de qualquer jeito, sem planejamento consistente e sem objetivos claros. De nada adianta chegar para treinar e ficarmos apenas batendo bola. De tão chato que é, acabamos errando a terceira ou quarta bola do bate-bola porque ficamos completamente entediados com esse exercício. Dessa maneira, suamos bastante, é verdade, mas não desenvolvemos novas habilidades. É claro que é gostoso treinar ou fazer aquela aula de tênis e sair suado. Contudo, a aula e o treino podem não ter sido muito produtivos em relação à nossa evolução técnica. Por isso, planejar o treinamento é uma etapa fundamental do trabalho do treinador. Mesmo os treinos mais curtos, de meia hora ou quarenta e cinco minutos de duração, devem ser bem programados e estruturados em atividades específicas.

Vamos começar pelos fundamentos básicos. Quais exercícios devem ser feitos regularmente para que nosso índice de erros caia durante os jogos? Há vários tipos de trabalhos de saque, devolução, batida de esquerda, batida de direita, batida cruzada e batida paralela que podem ser aplicados nos treinamentos. Eles são normalmente chamados de *drills*. Devemos pedir ao nosso treinador para apresentá-los a nós.

Um dos exercícios que posso citar como exemplo é quando o nosso técnico fica no outro lado da quadra e precisamos jogar duas na esquerda dele para depois dar um *winner* na direita. O mais importante nessa atividade é percebermos se a bola ficou muito curta para atacar ou se ela veio na medida certa para soltarmos o braço. Se ela não estiver na medida, é necessário esperar a próxima bola para efetuarmos o ataque. Esse tipo de exercício ajuda na regularidade e na construção dos pontos.

Para cada situação de jogo, podemos executar um *drill* específico. Eu gostava muito de imaginar como seria o ponto que estava disputando e começava o exercício exatamente com alguma bola que me complicava. A ideia era sair de uma condição adversa e ganhar o ponto da jogada. Por exemplo, eu recebia uma bola alta na esquerda. A partir dela, tinha de elaborar a jogada toda e ganhar o ponto.

Além de desenvolver a parte técnica, os treinamentos de fundamentos básicos devem permitir que nosso jogo ganhe maior variedade de golpes. É a chamada variação de jogadas, importante para quando estivermos dentro de uma partida para valer e para quando vivenciarmos os momentos decisivos do jogo. Quanto maior for o repertório de jogadas treinadas pelo tenista, mais à vontade ele estará em quadra quando for enfrentar um adversário de qualidade.

Existem muitos exercícios que podemos executar em uma aula ou em um treinamento. Os melhores são as simulações de jogadas das partidas. Normalmente, os treinos dos profissionais, para quem tem a curiosidade de saber, são cópias de movimentos e lances vivenciados nos jogos. Não ache que ficamos apenas consertando golpes. A gente treina muitos movimentos e golpes específicos. Se o meu adversário tem uma boa esquerda, quero jogar duas lá, para depois jogar uma na direita dele e, em seguida, dar uma curtinha. Fazemos exercícios para colocar a bola onde precisaremos na hora da partida. Simulamos as jogadas que podem acontecer durante o jogo.

Treinamos a mesma jogada cinco, dez, vinte vezes. Na primeira, em geral, não acertamos. Na segunda, também não. A terceira sai mais ou menos. Depois, com o tempo, passamos a acertar. Quanto mais praticamos, maior se torna o nosso índice de acerto. Essa é a função do treinamento. Uma vez que aquele movimento ou golpe esteja condicionado, passamos para outro. Vamos para a rede. Treinamos o *approach* e depois o voleio cruzadinho curto. Uma vez? Não. Várias vezes cada um deles! "Que legal, está dando certo. Estamos acertando". Claro que sim. Depois de tanto praticar, é natural passar a acertar os lances que tínhamos dificuldade de concluir.

O principal reflexo dos bons treinamentos aparece na quadra, quando jogamos pelo campeonato ou disputamos uma partida no clube. Acabamos agindo sem pensar naquela jogada. Ela sai de modo automático porque treinamos tanto que nos condicionamos a executá-la. Ao sacar o primeiro saque e esperar a primeira bola para bater, podemos ficar na dúvida: "Devemos mandar na paralela ou vamos bater na cruzada?". Quando estamos bem treinados, a decisão surge naturalmente. Estamos condicionados e, por isso, executamos o melhor golpe. Depois do saque do nosso adversário, vamos jogar a primeira alta para a bola sobrar e darmos um *winner* na próxima bola. A estratégia de jogo vai se formando na nossa cabeça. Tudo tem um motivo para acontecer.

O treinamento e a aula de tênis devem ser divertidos, mas, em especial, precisam ter uma finalidade central. Para a molecada que joga seriamente, isso é fundamental. O treinador precisa colocar novas maneiras de jogar o tempo inteiro. Quando falamos que tem muito jogador que não pensa dentro da quadra ou que não sabe jogar tênis de verdade, é um pouco por causa disso. Ficar fazendo dois e um ou ficar apenas batendo cruzada ou paralela no treinamento não ajuda na evolução do atleta. Isso não melhora o jogo de ninguém!

O que ajuda é entendermos que, quando a bola sobra no meio da quadra, precisamos dar uma cruzada, para a próxima batida ser mais aberta, a bola sobrar na paralela e, então, darmos um *winner*. Esse raciocínio e essa composição de movimentos devem ser treinados. Tudo só acontece por meio da repetição constante realizada nas sessões de treino. É como fazer bolo ou pão. Temos de fazer cinquenta, sessenta, setenta vezes a mesma receita para ela dar sempre certo e nos acostumarmos a fazê-la com excelência.

O saque precisa ter um destino certo. Precisamos treinar onde queremos mandar a bola. A primeira bola depois de sacar também possui um caráter estratégico dentro do jogo. Precisamos treiná-la intensamente. Uma atividade legal, nesse sentido, é você se obrigar a construir o ponto após o saque. Se saco aberto, quero que meu adversário jogue a bola na minha direita. Assim, vou atacar a primeira bola recebida. Treine também variações de jogadas após o saque. Vou sacar no corpo do adversário e depois vou bater cruzada. Essa repetição de movimentos faz com que você tenha alternativas de jogadas para os momentos mais agudos da partida. Quando estiver pressionado, por exemplo em um 30/40, você conseguirá realizar a jogada treinada com naturalidade e confiança. A devolução também é um fundamento básico de grande relevância. Não se admite treinar bem sem procurar melhorar a devolução do saque.

O treinamento precisa ser bem organizado e direcionado às necessidades do jogador. De nada adianta ficarmos dentro da quadra por duas ou três horas se os exercícios realizados não forem nos ajudar na hora do jogo. É importante sabermos o que estamos fazendo e por que estamos treinando aquilo. Qual é a nossa principal deficiência? "É a esquerda!". Por que, afinal, ela é tão ruim? "Ela sai com pouca força e precisão". E quando temos mais dificuldade para executá-la? "Quando o cara joga a bola alta". Vamos treinar essa bola incansavelmente. Façamos nosso treinador jogar a bola alta na nossa esquerda e então a batemos cruzada. O bom técnico repetirá esse movimento várias vezes e depois vai exigir mais: "Agora quero que você saia da esquerda e jogue na paralela", "Agora quero que você entre e ataque a bola" e "Agora quero que você venha com um *slice*." Uau! Agora temos uma coleção de golpes de esquerda bem treinados. Com certeza nossa batida melhorará bastante depois de tantos treinos específicos.

Esse procedimento não deve acontecer em um dia apenas, com algumas poucas trocas de bolas. É necessária muita repetição para atingirmos a excelência. Os exercícios devem ser realizados numerosas vezes por vários dias, semanas, meses, quem sabe anos. Tênis é repetição. O treinamento chega a ser maçante de tanta repetição que o jogador precisa executar.

Lembro-me das discussões que tinha com os meus treinadores. O Pardal (Ricardo Acioly), o Bebe (Enrique Pérez), o Marcelão (Marcelo Meyer) e o Dani Musacchio, caras muitos legais e competentes com quem trabalhei, que ficavam horas treinando a mesma coisa comigo. E eu, sem entender por que, surtava. Ficava louco com a mania deles de repetir tantas vezes os mesmos movimentos e os mesmos golpes. "Deus, o que eu faço para eles pararem com isso?", eu pensava. Não! Não se deve parar. Hoje sei da importância de se repetir em quadra, durante os treinos, a mesma coisa por vinte, cinquenta, cem, mil vezes. Em vez de reclamar dos nossos treinadores, vamos lá fazer o exercício quantas vezes eles pedirem. E cada vez melhor! Só assim teremos confiança e precisão necessárias para reproduzir aquela jogada nas quadras durante as partidas.

Lembro-me com clareza da primeira semana que treinei com o Pardal no ATP do México. Ao vencer a segunda rodada do torneio e avançar para a fase seguinte, estava radiante. Afinal, havia ganhado jogando muito bem. O que mais eu poderia querer? Estava tudo uma maravilha para mim! Saí de quadra feliz da vida, e o Pardal estava me esperando com dez bolinhas e uma raquete. Olhei para ele pensando: "Aonde este maluco vai? O que ele está pensando em fazer?". O maluco em questão me levou de volta para a quadra e me fez treinar o meu *forehand* na cruzada. Nos primeiros jogos, ele tinha percebido que minha direita estava boa, mas poderia ser mais angulada. Assim, fez um treino para que eu pegasse a bola mais por fora. Ele me orientava de maneira bem objetiva: "Fino, pegue por fora, como se você batesse na orelha da bola. Isso fará com que seu adversário saia da quadra". Ficamos um bom tempo treinando essa jogada. Com isso, ganhei muita confiança e comecei a machucar muito meus adversários com a minha direita.

Espero que esta dica tenha ajudado não só os jogadores, mas também os treinadores. Se o seu técnico já tiver a abordagem que comentamos aqui, ajude-o treinando com intensidade e seriedade, sem reclamar. Se ele não tiver, converse com ele. Peça a ele um programa completo de treinos, organizado segundo suas necessidades mais imediatas. Exija do seu professor de tênis de quarta-feira à noite maior detalhamento e maior repetição dos golpes que você precisa aperfeiçoar. Incentive seu treinador a elaborar treinamentos e aulas mais específicos.

É muito gostoso constatar que estamos nos desenvolvendo e evoluindo em nosso jogo. Você vai sair de quadra feliz por ter feito exercícios diferentes e relevantes em vez de apenas jogar um set. Pronto para encarar a sessão de treinos e a aula de tênis de amanhã com outra perspectiva? Boa sorte e ótimos treinamentos para você!

DICA 44

Qual a intensidade e o nível de dedicação esperados durante os treinamentos?

Você tenista, profissional ou amador que treina regularmente, precisa de vez em quando refletir sobre a qualidade da sua preparação. Ela é adequada? O tempo empregado na atividade está sendo bem utilizado? Você está melhorando consideravelmente com os exercícios realizados?

A ideia aqui não é discutir técnicas utilizadas durante os treinos. Para isso, tivemos a dica anterior, mais específica sobre os tipos de treinamento. A proposta no momento é falar abertamente sobre o comportamento do tenista durante a preparação. Sei que, às vezes, falar de treinamento é um tema delicado, pois cada técnico e cada jogador tem a sua filosofia. O que quero discutir é sobre você dar 100% da sua dedicação durante os treinos.

Sabemos que o tênis pode parecer um pouco chato às vezes, pois tem atividades e exercícios repetitivos. Os treinamentos, costumeiramente, seguem rotinas fixas, difíceis de serem evitadas. O jogador que deseja melhorar seu desempenho precisa compreender que esses exercícios, por mais tediosos que possam parecer, são fundamentais para a evolução do jogo. Há uma forte relação entre o desempenho nos campeonatos e o grau de dedicação na preparação prévia. Você precisa entender que o treinamento é tudo para quem quer ser um vencedor. Por mais talentoso que seja um tenista, ele precisa se desenvolver constantemente. E isso só é possível com boas sessões de treinamento.

E o que é um bom treinamento, afinal? É aquele em que o tenista aproveita cada minuto das atividades para se desenvolver. Infelizmente, não é isso o que normalmente acontece nas quadras. Vejo muita falação, brincadeiras, dispersão e pouca concentração durante as sessões de treinos. Treinamento é coisa séria! É importante que a gente pare de brincar, evite falar desnecessariamente e não se distraia com as banalidades que nos cercam. As horas de treino devem ser muito bem aproveitadas. Precisamos encarar esse tipo de atividade como um trabalho extremamente relevante.

Gosto de contar uma história de um ex-técnico meu, Daniel Musacchio, por quem tenho muito carinho e que me ensinou muita coisa interessante. Um dia, depois de um treino de duas horas realizado embaixo de um sol forte e de muito calor, ele chegou para mim e falou: "Parabéns, Fininho! Você treinou uma hora e quinze minutos". Eu, inconformado, protestei: "Pô, treinei duas horas neste sol do Rio de Janeiro e você vem me dizer que eu fiquei apenas uma hora e quinze treinando?!". Ele tinha razão. Fiquei duas horas em quadra, mas aproveitei naquele dia apenas um pouco mais da metade do tempo do treino de modo produtivo. Desperdicei quarenta e cinco minutos! Ele, como um técnico atento, percebeu isso e alertou-me do meu comportamento equivocado.

É chato falar assim, mas é exatamente isso o que acontece na maior parte dos treinos. Nós passamos muito tempo dentro da quadra, mas não aproveitamos o período como deveríamos. Durante os treinos, pensamos em um monte de coisas, batemos raquete, discutimos com o parceiro, reclamamos do cara que está jogando do outro lado da quadra, batemos papo descontraidamente, demoramos a voltar dos intervalos, atendemos ao celular, vamos várias vezes ao banheiro e olhamos a gatinha ou o gatinho na quadra ao lado. Se você já está habituado a treinar ou fazer aulas de tênis, pense no seu comportamento corriqueiro: você aproveita como deveria o tempo das sessões ou você os desperdiça fazendo essas atividades que listei há pouco? Admito que já perdi muito tempo à toa, que poderia ter sido utilizado na melhora do meu jogo.

No treinamento, o correto é pensarmos apenas naquilo que precisamos melhorar. Se estivermos treinando a direita, por exemplo, devemos imaginar como executar esse movimento da melhor maneira possível. Precisamos focar 100% de nossa atenção e do nosso esforço em como colocar aquela bola no lugar certo. Devemos mentalizar exclusivamente o que o nosso treinador está nos pedindo. O treinamento é o momento de tentar executar cada vez melhor o seu golpe.

Utilize-se da repetição e da concentração para isso. E só conseguimos mexendo muito as pernas e dedicando-nos intensamente à atividade. Muitas vezes, não conseguimos identificar o problema da execução do golpe ou não conseguimos melhorá-lo por falta de empenho e por não chegarmos concentrados na bola.

O treino não é o lugar mais adequado para se fazer corpo mole. E não ache, se estiver enrolando ou não estiver se dedicando ao máximo, que você está enganando o seu treinador. A única pessoa que você está realmente ludibriando é você mesmo. Só você! O técnico não tem de estar o tempo inteiro atrás do tenista. É o tenista quem tem de mostrar o que quer. Ele precisa provar para o seu treinador a todo instante que quer jogar em alto nível e com o máximo de intensidade.

Às vezes, criamos muitas expectativas em relação aos nossos técnicos. Achamos que eles resolverão todos os nossos problemas e que serão nossos salvadores. Alguns atletas, em seu subconsciente, esperam que os técnicos os obriguem a treinar mais e a não fazer corpo mole. Essa é, contudo, uma responsabilidade do jogador. É ele quem precisa gerenciar sua dedicação aos treinos. O técnico tem a função apenas de alertá-lo quando isso não está acontecendo da maneira esperada.

Esse recado é para os meninos e as meninas que estão começando, para os profissionais que já estão no circuito, para os amadores que gostam de treinar e para os veteranos que desejam melhorar sempre. Você tem de estar dentro da quadra treinando muito forte. Você deve aproveitar a oportunidade de poder treinar regularmente dando o seu melhor em cada jogada e em cada exercício realizado. Utilize cada minuto do treino da melhor maneira possível. A quadra é um lugar sagrado. Não podemos brincar, distrair-nos ou desperdiçar os momentos passados ali. Afinal, abrimos mão de muitas coisas importantes de nossas vidas para treinar. Só falta jogarmos isso pela janela por causa de um comportamento infantil e equivocado da nossa parte. Quando a sessão de treinamento acaba, aí, sim, podemos nos divertir e relaxar. Vamos brincar, dar risadas e tirar sarro. Enquanto estivermos dentro da quadra, contudo, devemos respeitar 100% as nossas obrigações e os nossos afazeres.

A primeira vez que entendi o que era treinar com 100% de dedicação foi em um bate-bola com o Jim Courier, tenista norte-americano que chegou ao topo do ranking mundial em 1992. Estava em Miami e meu treinador na época, o Marcelo Meyer, conseguiu um treino com ele. Logo que entrei na quadra, achei o Jim meio chatão. Ele não veio conversar comigo e não parecia interessado em nada que não fosse o treino. Ele disse um *"hello"* rápido e foi logo se concentrando. Quando a bola começou a ser jogada, ele estava voando em quadra, com uma intensidade absurda. Dos 45 minutos que esteve em quadra, deve ter aproveitado 44. Parou algumas vezes apenas para tomar água. Falou pouquíssimo e não reclamou de nada, aproveitando cada segundo do treino. Ao sair de quadra, no final da sessão, ele passou a conversar comigo. Ele me deu vários toques do que eu poderia fazer para melhorar o meu jogo, me tratando muito bem. Além de analisar o que tinha de fazer, ele aproveitou para analisar a minha maneira de jogar. Ou seja, isso só é possível com alguém extremamente concentrado e focado na atividade que está realizando. Naquele dia entendi o significado da palavra intensidade. E aprendi o que era um treino de verdade.

DICA 45

Como deve ser a preparação física de um tenista?

Ao longo da vida, vi dezenas ou centenas de jogos de tênis sendo decididos no aspecto físico do atleta. Em vez de vencer o melhor tecnicamente, o ganhador era aquele tenista melhor preparado fisicamente. Por que isso acontece? Porque o tênis é um esporte cada vez mais físico. Já era assim na época em que eu jogava. E agora parece que a coisa ficou ainda mais intensa. Não é fácil jogar em alto nível por três, quatro ou cinco horas seguidas. Não é moleza voltar no dia seguinte para iniciar um novo jogo, após ter saído de quadra extremamente cansado na véspera. Só alguém que vive no mundo da Lua não percebe a importância do preparo físico.

Curiosamente, ao conversar com a nossa molecada, os meninos e as meninas que estão começando a jogar tênis de maneira séria, percebe-se que eles ainda não compreenderam a relevância dos cuidados com o preparo físico. Não vou mentir para ninguém: fazer treinamento físico não é uma das tarefas mais agradáveis do dia do atleta. É muito mais legal ficar batendo bola, fazendo treinos específicos e jogando um set. Na hora em que temos que fazer apenas as atividades físicas, é quando nosso corpo mais dói. Fazer musculação ou ficar correndo é entediante para a maioria dos esportistas. Como todo trabalho, a prática do tênis pode ter a sua parte chata, mas ela é necessária. Faça-a sem reclamar.

TÊNIS É TREINO

Estar bem preparado fisicamente fará com que você chegue bem na bola, dará força aos seus braços e às suas pernas e o ajudará a evitar lesões. Também dará mais tranquilidade para você desempenhar seu melhor jogo nos momentos decisivos da partida. Na hora do 4 a 4, no terceiro ou no quinto set, quem ditará o ritmo do jogo e quem será o responsável pelo resultado final da partida é o seu condicionamento físico, não apenas a sua parte técnica ou tática. Muitíssimos jogos são decididos nesse momento.

Chegar bem na bola não quer dizer que seja de qualquer jeito. Vejo a garotada falando: "Eu chego nas bolas. Estou ótimo! Eu aguento jogar três horas seguidas". Aí quando vejo o jogo deles, na metade da partida já demonstram cansaço e passam a errar lances que não errariam se estivessem realmente bem condicionados fisicamente. Até conseguem jogar três horas, mas não apresentam o mesmo rendimento ao longo da partida. Quando chegam na bola, não conseguem colocar nela a força que deveriam.

Existe uma grande diferença entre chegar à bola e chegar nela pisando com firmeza e energia. No segundo caso, ao batermos na bola, a agressividade é outra, muito mais intensa. No primeiro caso, em vez de agredir o adversário, aquela bola é apenas colocada para o outro lado da quadra. Você acaba chegando, sim, mas sem fazer grande coisa. Aí não dá! Isso não é estar bem fisicamente.

Pais, treinadores e, em especial, preparadores físicos precisam estar em cima da meninada o tempo inteiro. O aprimoramento do aspecto físico é fundamental para a evolução do jogo. Não estou aqui dizendo que é para quebrar o tenista com uma carga sobre-humana de exercícios. Não é isso! Estou dizendo para fazer algo bem planejado e pertinente às características do organismo do atleta e às suas necessidades em quadra. Tenha um preparador físico bom. Ele saberá aplicar a carga certa de atividades em cada caso.

Os jovens precisam ter as mesmas responsabilidades fora da quadra, na hora do treinamento físico, que têm dentro da quadra, treinando a parte técnica e tática. Precisam malhar, correr, pular e saltar. Precisam estar fortes. Devem fazer uma física pesada, sim! Pesada para aguentar o tranco de um jogo disputado de tênis e as longas sequências de partida de um campeonato.

Para as meninas, a questão da parte física costuma ser até mais complicada. Precisamos tirar da cabeça delas que uma tenista precisa ser necessariamente bonita. Além disso, fazer musculação não vai deixá-las com aspecto masculino. Quem foi que inventou essas maluquices? É obvio que quanto mais bonita for a menina, mais chances ela terá de ganhar dinheiro com patrocínio e publicidade. Dentro da quadra, no entanto, isso é irrelevante. Ela precisa ter força e físico para aguentar o circuito de tênis. Não é fácil sair do juvenil e encarar os desafios do profissional.

6/0 DICAS DO FINO

Meligeni durante treinos em fevereiro de 2001.

E como deve ser a preparação física ideal? Não sou especialista nessa área para afirmar nada categoricamente. Cada jogador e cada preparador físico possuem uma maneira própria de trabalhar. Por isso, vou contar o que eu fazia que me ajudou muito ao longo da minha carreira. Trata-se muito mais de experiências pessoais do que técnicas comprovadas cientificamente.

De modo geral, o que tenho visto no circuito profissional atualmente são jogadores com menos músculos e peso e mais velocidade nas pernas. Existe uma combinação muito interessante de força e agilidade. Os tenistas estão cada vez mais velozes. Essa junção de força e agilidade/velocidade faz com que Novak Djokovic e Simona Halep, por exemplo, joguem tão bem e cheguem a todas as bolas disputadas.

Meu preparador físico era o Eduardo Faria, o Edu. Ele fazia algo comigo que achava interessantíssimo. Além do fortalecimento na sala de musculação, dos piques, das corridas e de todos os demais exercícios que são necessários para preparação física tradicional, tinha uma atividade, em determinado momento da semana, que mexia muito com a minha cabeça. O Edu acreditava que o preparador físico tem de mexer muito com o lado mental do jogador. Tão importante quanto estar preparado é se sentir pronto para os desafios mais complicados da temporada e dos jogos mais difíceis.

E como conseguir isso? Existia um circuito de corrida no Morumbi que era de subida. Só subida! É um trajeto que demorava mais ou menos meia hora para ser realizado. O problema é que no meio do circuito eu precisava dar uns piques em plena subida. O Edu me fazia correr como um maluco naquela ladeira íngreme e interminável. Quando estava bonzinho, ele me acompanhava correndo ao meu lado. Quando queria mais intensidade, seguia de carro com o som alto e falando coisas legais para me motivar. Era um sacrifício horrível!

Lembro-me das discussões, na época, do meu técnico, o Pardal, com o Edu a respeito desse exercício. O meu preparador físico garantia que esse tipo de exercício não me fazia ganhar nada de mais no aspecto físico, mas me ajudava muitíssimo no aspecto mental. Na hora do "vamos ver" de uma partida difícil, quando estávamos no 4 a 4 ou no 3 a 3 do terceiro set ou do quinto set, lembrava-me daquela ladeira interminável no Morumbi. Nessa hora eu pensava: "Se fiz todo aquele esforço para subir aquela subida maldita... Quase morrendo... Se demorou tanto... Se foi tão difícil... Se me dediquei tanto... Como é que eu vou baixar a cabeça justamente agora? Não vou pensar que eu estou cansado porque já estive muito mais cansado antes e consegui. Não vou entregar este jogo por nada deste mundo!". Aí eu virava aquele leão em quadra que o pessoal se acostumou a assistir. Aquele exercício foi fundamental para marcar a minha garra e minha persistência. Olhava para o meu adversário e pensava: "Cara, ele não subiu aquela ladeira do Morumbi. Eu subi!". Toda vez que pensava naquele subidão, passava a pular mais e recuperava o meu fôlego instantaneamente. E, conversando com o Edu, ele deixava claro para mim que era essa a sua intenção. Ele queria estar dentro da minha cabeça e jogar junto comigo os instantes mais importantes da partida.

Há momentos em que o tenista começa a duvidar do seu físico, do seu lado técnico e da sua tática. Nessa hora é fundamental a união entre preparador físico e jogador. A criação de um elo forte entre eles faz com que, em determinadas situações, o tenista passe a jogar pelo esforço físico que ele fez. Ele praticamente joga pelo seu preparador físico. Ele se lembra da dedicação diária, do sacrifício feito e da preparação. E aí vira um leão em quadra.

Não estou falando para maltratar os meninos. Não estou propondo também quebrar a garotada. Tem de ter muito cuidado com o lado físico. O preparador competente sabe até aonde pode ir. Ele estudou muito para isso. Confie em seu preparador físico e siga as suas orientações e o seu planejamento de atividades. Crie um vínculo forte com ele.

A melhor resposta para o trabalho feito pelo Edu comigo é o carinho que tenho até hoje por ele. É sensacional ver o respeito que ele adquiriu não só comigo, mas com todos os atletas que trabalharam com ele. Sei que o Edu faz a molecada, até hoje, subir aquela ladeira do Morumbi. Hoje tenho convicção de que aquele sofrimento não só foi responsável por ganhar jogos dramáticos em Copa Davis e em Grand Slams, como me fez tornar um jogador mentalmente mais preparado para os longos e difíceis confrontos. Acreditava que não existia tenista que trabalhasse mais do que eu no lado físico. E nunca me sentia jogando sozinho em quadra. Sentia a presença do Edu ao meu lado, me motivando e exigindo a minha máxima dedicação ao jogo. Perder no preparo físico para outro atleta era um grande desrespeito ao trabalho e à dedicação do Edu depositados em mim.

Por isso, encare de outra maneira as sessões físicas que seu preparador propõe. E, se tiver coragem, faça uma vez por semana o circuito do Morumbi. Ai, meu Deus! Não posso nem pensar nisso hoje em dia...

DICA 46

Como o tenista se sente nos primeiros jogos da temporada?

Nada como as férias, hein? Depois de um ano longo, de trabalho intenso, todo mundo merece descansar e curtir a vida numa boa. As semanas de folga, longe do expediente, ajudam nosso organismo e nossa cabeça a se restabelecer da enorme pressão vivenciada durante a temporada. O grande problema surge quando voltamos ao batente. Ao reiniciarmos os treinos e os jogos, nosso corpo parece enferrujado e nossa mente teima em se desconcentrar. Provavelmente, a época do ano mais difícil para o tenista é o período da pré-temporada.

Esta dica, portanto, é direcionada a todos os jogadores que param em determinado período do ano para descansar e depois precisam voltar aos trabalhos nas quadras. Essa prática não é comum apenas aos juvenis e aos profissionais. Os atletas amadores também interrompem um pouquinho seus treinos e seus jogos, saem de férias para aproveitar a vida e depois retornam ao tênis.

A pré-temporada da maioria dos jogadores de tênis acontece entre dezembro e janeiro, mas ela pode ser feita em qualquer mês do ano. Alguns tenistas sofrem lesões no meio da temporada e realizam suas pré-temporadas após a recuperação clínica.

É normal nesses primeiros dias de treino não nos sentirmos tão à vontade. Quando paramos de jogar um pouco, perdemos o tempo de bola e o ritmo de competição. A bola fica um pouco mais distante de nossa raquete e erramos mais do que o normal. No começo dos trabalhos, é difícil até nos concentrarmos como fazíamos anteriormente. Nosso corpo, sem o mesmo condicionamento físico de antes, reclama de dores e da carga excessiva de atividades. Queremos voltar rapidamente a jogar tênis no mesmo nível que estávamos antes das férias, mas não conseguimos, por mais que nos esforcemos. Temos a sensação estranha de que nunca mais jogaremos tão bem quanto antes.

Primeiramente, não devemos nos desesperar. Tudo o que foi dito acima é normal. Sempre que paramos um pouco de jogar, damos uma desfocada. Pensamos em outras coisas, priorizamos outras atividades e demoramos um pouco para entrar no ritmo de trabalho. Por isso, não espere a mesma excelência no tênis praticado no período de treinos do começo da temporada em comparação àquela apresentada no final do último ano.

Os treinos de pré-temporada devem ser fortes e intensos. Não é porque estamos mais descontraídos, nosso corpo não está tão resistente e ágil e não temos ritmo de jogo que devemos pegar leve. É exatamente o contrário. Quanto mais pesadas forem as atividades realizadas nesse período, mais rapidamente reencontraremos nosso melhor jogo. Na maioria das vezes, os resultados de um tenista ao longo do ano estão ligados diretamente à qualidade e à quantidade de seus trabalhos de pré-temporada.

Por isso, menino e menina que gostam de jogar tênis, não tenham preguiça de mergulhar nos treinos depois das férias. A pré-temporada é normalmente muito dura e desgastante. Faça uma carga pesada no seu corpo, trabalhando muito fisicamente. Realize muitas repetições de movimentos e apure também sua técnica. Para você que joga um tênis descompromissado, só por diversão e de maneira amadora, saiba que também não vai se sentir tão bem no começo. Assim como os juvenis e os profissionais, você sofrerá um bocado até voltar à sua melhor forma. Não descuide dos trabalhos da pré-temporada, eles são importantíssimos para você também. Essa é a melhor hora para se testar mudanças técnicas e táticas no jogo.

Além dos treinos, as primeiras competições do ano também possuem alguns componentes atípicos. Como ficamos muito tempo parados e estamos há várias semanas sem jogar uma partida de fato (só treinando), perdemos naturalmente o ritmo de jogo e a naturalidade de enfrentar os adversários. Quando voltamos a competir, às vezes bate aquele medo: "Será que vamos jogar bem este ano?"; "Será que minha preparação foi adequada?" e "O que vai acontecer nesta temporada?". Bate a ansiedade e a pressão de jogar bem logo de cara. Ficamos com o braço mais preso, o corpo mais duro e a cabeça mais avoada. Portanto, tenha paciência consigo mesmo. Calma! Muitas vezes, o nervosismo da estreia acaba nos levando a perder os primeiros jogos. Até mesmo os grandes campeões do circuito profissional passam por isso.

Uma dica interessante que posso dar sobre as primeiras partidas do ano é: tente jogar o mais simples possível, de maneira óbvia e conservadora nesses jogos iniciais. Assim você diminui as chances de errar e de fazer bobagens em quadra. Jogue cruzado, utilize bastante *topspin* e não mande a bola tão perto da linha nem tão perto da rede. Evite correr riscos desnecessários.

Apesar de tantos aspectos negativos relacionados à estreia, vá para os primeiros jogos da temporada com o mesmo espírito vencedor de antes. Tente ganhar as partidas para restabelecer a moral e a confiança. Depois de ganhar os primeiros jogos costumamos nos soltar mais, ficamos mais seguros e reconhecemos que voltamos novamente à ativa.

Se você começar jogando muito bem tênis logo de cara, como se fosse um Novak Djokovic, ótimo! Para você, não tenho mais nada para falar. Só posso desejar sorte e torcer para continuar jogando desse jeito ao longo do ano. Mas não é isso o que normalmente acontece. Começamos jogando mal, errando muitas bolas e cometendo erros não forçados.

Por isso, é fundamental jogarmos simples, como falei anteriormente, tentando arriscar o menos possível e nos concentrar no ponto a ponto. É muito importante vencer esses primeiros jogos. É impressionante como nos sentimos melhor e mais à vontade em quadra após acumularmos as primeiras vitórias nos primeiros games, nos primeiros sets e, em especial, nas primeiras partidas do ano. Conseguimos perceber que estamos jogando de modo competitivo e que nosso jogo não tem grandes problemas. É óbvio que precisamos melhorar e corrigir um monte de coisas, mas estamos no caminho certo.

E aí, pronto para desenferrujar? Trabalhe intensamente nos treinos de pré-temporada e esforce-se ao máximo para ganhar as primeiras partidas do ano. Nos vemos por aí, pelas quadras deste Brasil!

PARTE VII
Tênis é profissão

DICA 47

Vale a pena investir em uma carreira no tênis?

O tênis é um esporte caro e está cada vez mais difícil desenvolver tenistas no Brasil. Nem todo mundo tem recursos abundantes para aplicar na carreira dos filhos. Por isso, é fundamental investir corretamente a grana ao longo do desenvolvimento dos meninos. Contudo, o que mais vejo, infelizmente, são pais gastando o que têm e o que não têm na esperança de acelerar a evolução da garotada. Há quem gaste fortunas enquanto os filhos estão nas categorias de 10, 12 e de 14 anos. Há aqueles que mandam os meninos para tudo o que é lugar do mundo para participar de campeonatos, achando que com isso os jogadores vão adquirir mais rapidamente a experiência necessária para atuar em alto nível.

Claro que acredito que a molecada realmente precisa competir e jogar bastante para se desenvolver. Esse é um processo natural do aprendizado e do amadurecimento do jogador. Entretanto, não a qualquer custo. Mais importante do que viajar e disputar torneios, o que não sai barato, é que os garotos de 10, 12, 14 e até o começo dos 16 anos se preparem bem, treinando fundamentalmente a tática e a técnica do jogo. Assim, se a grana estiver curta, não pense duas vezes: prefira treinamentos às competições.

Se não der para viajar muito, tudo bem. Invista em um bom técnico e em um bom preparador físico. Tenha pessoas competentes cercando o seu menino ou sua menina. São eles que farão seu filho melhorar consideravelmente, tanto tecnicamente quanto tática e fisicamente, e não as disputas em torneios. Não é jogando trinta semanas por ano que o tenista nessa idade aprenderá a jogar e ficará bom. Não acredito nisso. Creio muito mais no bom trabalho de base, aquele feito no dia a dia, nos treinamentos de fundamentos. Tenista que viaja toda semana não treina. E, se não treina, não evolui.

É importante buscar os lugares mais baratos para treinar, mas com os melhores treinadores. O ideal é nunca treinar sozinho, mas em grupo. Dessa forma os gastos podem ser minimizados. Acabou aquela ideia de treinar e viajar sozinho, com um treinador exclusivo para uma criança. A proposta é montar uma turma de tenistas, mais ou menos da mesma idade e com objetivos no esporte parecidos, para trabalhar juntos, dividindo as contas no final do mês.

Saiba priorizar. Não saia por aí gastando a torto e a direito os seus recursos sem avaliar o custo-benefício de cada real ou dólar investido. É muito comum, na ansiedade de ajudar os filhos, os pais agirem mais com o coração do que com a razão. Aí acabam criando uma programação de atletas profissionais para a garotada, com a participação em numerosas competições e dezenas de viagens ao longo do ano.

Quais as consequências imediatas desse equívoco? A primeira é que a chance de esse pai quebrar financeiramente é grande. Investindo dessa maneira logo cedo, pode ser que faltem recursos mais lá na frente, quando o garoto estiver nas categorias mais avançadas e precisar fazer a migração do juvenil para o profissional, etapa que exige considerável aporte de dinheiro (e, aí sim, a participação nos campeonatos internacionais é essencial). Além disso, jogando tantas competições e viajando muito ao longo do ano, o treinador terá menos tempo, no dia a dia, para treinar seu atleta. O técnico tem um monte de fundamentos para corrigir nos garotos. Essa ajuda no desenvolvimento do jogo do menino só pode ser feita nas sessões de treinos. Com menos treinos, perde-se a chance de melhorar uma batida de esquerda ou de direita, por exemplo.

"Participar dos torneios da Confederação Sul-Americana de Tênis (Cosat) é importante?". Sim, é muito importante. "Meu filho deve participar?". Depende. Se você não for quebrar financeiramente e essa participação não prejudicar os treinos dele, claro que vale a pena jogar. Ir para a Venezuela, Colômbia, Equador, Peru e Bolívia, por exemplo, não é barato e exige uma grande logística para o atleta (que normalmente não vai sozinho nessa idade para esses lugares).

Outro dia, recebi o telefonema de uma mãe de um menino de 14 anos que estava com uma dúvida cruel: investia o que tinha (e o que não tinha) para enviar seu filho para um torneio da Cosat ou guardava o dinheiro? Depois de uma boa conversa com ela, mostrei quanto a participação em um campeonato internacional, nesse caso, era desnecessária. Ela só colocaria mais pressão sobre o menino, que obviamente sabia dos esforços da mãe em conseguir recursos para a viagem. No bate-papo, argumentei que a participação na Cosat não mudaria em nada a vida do filho dela. Se ele não ganhava torneios aqui no Brasil, o que dirá nas competições do exterior! Muito mais prudente seria ele treinar duro e, depois, jogar campeonatos aqui no Brasil. À medida que começasse a vencer os torneios nacionais, aí sim chegaria a hora de sair e desafiar os gringos. Essa viagem, que ela considerava até então fundamental para a carreira do filho, parecia-me muito mais um turismo extravagante.

Não conseguindo participar de muitos campeonatos, opte pelos torneios mais importantes e melhores em técnica. Faça a coisa direito! Envie seu filho para as competições que o ajudarão a evoluir. Tem a Copa Guga, que é um baita de um torneio. Esse é um campeonato que deve sempre ser considerado. Tem o Campeonato Brasileiro, uma competição superimportante, de excelente nível técnico. Não fuja dos grandes desafios! Já que vai viajar menos, que seja para os bons torneios e não para ganhar torneio sem-vergonha, só para falar lá na escola que o seu filho foi campeão de alguma coisa. Participar de campeonatos que não tenham jogadores de bom nível só serve para perder tempo e gastar dinheiro à toa.

É importante inserir o jovem no debate sobre em que investir a grana dos pais. A participação nesse tipo de decisão ajuda no desenvolvimento e no amadurecimento do tenista, além de colocá-lo a par dos esforços paternos para sua capacitação profissional. O jogador de tênis precisa, desde cedo, ter a mentalidade de um micro e de um pequeno empresário. Ele precisa ser independente e empreendedor, sabendo investir corretamente o dinheiro disponível e reservado para a sua carreira. Somente dessa maneira, a garotada vai entender o esforço dos pais e valorizará ainda mais as oportunidades recebidas.

Vocês, pais e mães, estão olhando para o seu filho como um futuro tenista profissional ou querem ter um campeão juvenil em casa? Vocês querem realmente prepará-lo para a profissão ou se contentam em falar no trabalho que têm um filho tenista vencedor de torneios de base? Se você quer falar para os amigos e para os colegas de trabalho que seu filho é um campeão juvenil, tudo bem. Continue enviando o moleque para as piores competições. Se você, por outro lado, quer prepará-lo para que se torne um tenista do circuito profissional, faça-o pensar grande. "Mas ele está levando muita porrada! Perde todas as partidas nos campeonatos mais importantes. É 6 a 1, 6 a 1 direto...". Ok, faça-o treinar mais. É preferível jogar com os melhores e perder, identificando os elementos que precisam ser melhorados nos próximos treinamentos, do que jogar com os piores e vencer, achando que não há nada a ser desenvolvido. Os meninos e as meninas nunca evoluirão se não forem desafiados!

"E se ele se desestimular com as derrotas iniciais?", alguns pais e mães podem se perguntar. Desculpe-me pela sinceridade, mas é melhor ele ficar desestimulado agora, pois não tem mesmo condições de jogar em alto nível, do que seguir enrolando por anos. Já imaginou chegar aos 25 anos, tendo parado de estudar há anos para praticar tênis e se dar conta que não era isso o que ele queria fazer? Vamos ser justos com os nossos filhos. Vamos conversar com eles e mostrar a realidade do esporte. Não adianta olhar Novak Djokovic e Roger Federer e achar que é fácil se tornar um tenista de ponta. É difícil! São poucos que conseguem. É um funil muito pequeno. Os caras que chegam aonde desejam são pouquíssimos. E só chegam os que pensam grande e jogam contra os melhores. Eles não ficam ganhando de caras ruins o tempo inteiro, se autoenganando.

Quando escuto que as derrotas podem desestimular a garotada, penso imediatamente no papel do treinador. Ele é o responsável por orientá-los. Treinador que bota jogador para ficar ganhando campeonato de baixo nível técnico toda semana é treinador que quer mentir para você. Ele está com mais medo de perder o jogador do que com interesse em desenvolver o jovem atleta. Técnico que mescla alguns campeonatos pequenos, outros médios e alguns grandes é treinador que está olhando para frente, desenvolvendo realmente o seu garoto.

Cada dia está mais difícil conseguir patrocínio, em particular para os atletas amadores e juvenis. Vivemos um momento muito complicado do tênis brasileiro e da economia do país. E, curiosamente, nunca tivemos tanto dinheiro sendo investido no tênis. Temos altos valores de patrocínio pagos à Confederação, nunca tivemos tanto dinheiro aplicado pelo Ministério do Esporte em nossa modalidade e as leis de incentivo fiscais ajudam empresas que queiram investir. Essas verbas, no entanto, raramente chegam como deveriam aos nossos meninos. Quem mais precisa de ajuda e incentivo financeiros, os atletas juvenis com alto potencial e que lideram os rankings das suas categorias, são justamente aqueles que recebem menos contribuições para praticar tênis. No Brasil, os patrocinadores geralmente optam pelos jogadores mais renomados, que darão maior retorno de mídia. São poucas as jovens promessas que ganham algum tipo de patrocínio. Quando recebem, são patrocínios de roupa e de raquete, que envolvem apenas a oferta de produtos, excluindo o desembolso de recursos monetários. Assim, o dinheiro para as viagens nacionais e internacionais e para o pagamento da

TÊNIS É PROFISSÃO

comissão técnica (treinador, preparador físico, nutricionista etc.) acaba vindo da família do atleta, o chamado "paitrocínio".

Não adianta ficar reclamando ou chorando pela situação. Precisamos encarar os problemas e tentar mudar esse panorama. Enquanto isso, temos de nos adaptar ao momento que o país está vivendo e à nossa realidade. Se não temos tanto dinheiro para aplicar na carreira do nosso filho, vamos utilizar muito bem o dinheiro disponível.

Por isso, escolha bem as competições e os desafios que seu filho vai participar ao longo da temporada. Ele não precisa participar de todos os torneios. Escolha alguns. Opte pela qualidade técnica e não pela quantidade ou pelo status da competição. Coloque, de vezes em quando, seu filho para jogar com bons meninos, de alto nível. Faça-o treinar com bons atletas. Convide e aceite convites para jogos fora dos torneios com jogadores da idade dele que residam próximo ou na mesma cidade. Esses encontros saem mais baratos do que a participação em competições oficiais. Jogar é importante, mas não a qualquer custo. Converse regularmente com o treinador do seu filho para saber a opinião dele sobre a evolução do seu menino e sobre quais torneios disputar. Com certeza, o técnico, sendo uma pessoa ponderada e realista, saberá indicar de quais competições participar e de quais se deve abrir mão. Essa conversa tem de ser muito verdadeira e honesta.

Espero ter deixado os pais que acreditavam que tinham que enviar seus filhos para todas as competições da Cosat ou para a Europa, em um tour europeu, para o menino ou a menina ter alguma chance de jogar tênis em alto nível um pouco mais tranquilos. Administre corretamente a grana que será aplicada ao longo da carreira do tenista. O investimento deve ser progressivo. À medida que os garotos vão se desenvolvendo, dando retorno, ao longo dos anos, que estão jogando bem, melhorando e que precisam de mais intercâmbio, você vai aumentando os gastos. Se gastar tudo no início, não sobrará dinheiro para os próximos estágios. E lembre-se: um jogador se faz nos treinamentos. Dê prioridade à contratação de um bom treinador e certifique-se de que os treinos estão ajudando o seu menino.

DICA 48

Como conciliar os estudos e o tênis?

Vamos discutir agora um assunto que me incomoda bastante. Vejo muitos pais de tenistas e jovens atletas com dúvidas se é preciso parar de estudar para se dedicar mais ao tênis. Largar a escola é necessário para o aprimoramento no esporte? Se sim, qual é a melhor idade para se largar os estudos e investir intensamente no tênis?

Antes de qualquer coisa, gostaria de explicar que eu acabei parando de estudar muito cedo por causa do esporte. Deixei a escola no final da oitava série, em uma decisão familiar importantíssima. Lembro-me até hoje da conversa que tive com os meus pais na sala de casa. Eles estavam apavorados com a possibilidade de eu perder os estudos. Por isso, acabaram me dando apenas um ano com essa possibilidade. Em vez de estudar, viajei para a Argentina para treinar duríssimo. Se o plano de virar jogador de tênis não desse certo, voltaria ao Brasil e retornaria à escola. O combinado com os meus pais era que ao final do primeiro ano, se eu não terminasse entre os três melhores da Argentina na minha categoria, deveria regressar. Vale destacar quão difícil era esse desafio. Nesta época, eu não estava entre os seis melhores do Brasil. Ou seja, era um salto gigantesco o que eu me propunha a realizar. Aquele objetivo ficou martelando o ano inteiro na minha cabeça. As coisas lá correram muito bem para mim e consegui alcançar a meta estipulada. Assim, no final daquele ano, meus pais me

TÊNIS É PROFISSÃO

concederam mais um ano de trabalho integral no esporte. Ao final dos dois anos, já era o tenista número um do mundo na categoria juvenil. Aí, adeus, escola!

As perguntas que me faço até hoje são: será que valeu a pena ter deixado a escola tão precocemente? Será que essa decisão me fez jogar melhor e ter alcançado o sucesso no juvenil? Será que esse é o caminho certo a ser seguido por garotos e garotas hoje em dia? Sinceramente, tenho minhas dúvidas sobre o quanto ter parado de estudar me ajudou no esporte.

Em primeiro lugar, acho uma temeridade tirar o menino ou a menina da escola antes dos 15 anos. Vejo alguns garotos de 12 e 13 anos cogitando a ideia e os pais deles estudando se vale a pena ou não tomar tal decisão. Para mim, essa questão é clara e simples: não tire o seu filho da escola! Interromper precocemente os estudos de uma criança é uma loucura sem tamanho. Antes dos quinze anos, escola e tênis não são alternativas excludentes. Não existe uma carga horária aceitável para que você possa deixar seu filho em uma quadra de tênis para ele se desenvolver. Nenhuma criança deve ficar seis ou oito horas diárias praticando um esporte. Isso é insanidade! Ela não tem preparo físico nem mental para isso. Há tempo de sobra, portanto, para ela estudar e jogar.

E depois dos quinze anos? Aí a discussão se torna mais polêmica. É a partir dessa idade que a garotada começa a jogar mais campeonatos fora da sua cidade e do seu país. As disputas ficam mais difíceis e os torneios ficam muito sérios. O que fazer, então? Continuo com a opinião de que largar a escola é a última alternativa para o tenista. Acredito que só deve parar de estudar quem estiver realmente jogando muito bem tênis e quem não conseguir achar uma maneira de conciliar as duas atividades. Quando falo jogar muito bem tênis, é estar em um nível verdadeiramente elevado, com chances concretas de se tornar no futuro um bom tenista. Não é apenas a avaliação apaixonada, subjetiva e parcial do pai e da mãe diante do menino e da menina que são seus encantos. Além disso, o tênis precisa ser o sonho dos garotos, não dos seus pais.

Ao largar os estudos, o jovem tenista precisa passar a trabalhar e treinar muitíssimo mais do que estava fazendo antes. O treino em dois períodos precisa ser muito melhor do que aquele que era realizado apenas em um período. Infelizmente, não é isso o que normalmente acontece. Vejo muito menino parando de estudar para treinar uma horinha de manhã e uma horinha e meia à tarde, completando com algumas sessões de treino físico. Está tudo errado! Não daria para ele ir à escola de manhã e treinar duas horas e meia de tênis à tarde, fazendo uma física depois? Claro que dá. Parar de estudar parece um rótulo. A garotada pensa ao largar a escola: "Agora eu já sou profissional, vivo do tênis e quero fazer isso".

Sem os estudos, o jovem tenista está se arriscando muito. A gente tem de compreender que existe apenas uma pessoa no posto de número um do ranking mundial. E há outra sendo o número dois. Tenistas que vivem do esporte e conseguem faturar muito são pouquíssimos. Talvez quatro ou cinco em todo o planeta. O resto está por aí, trabalhando. Eu estou trabalhando diariamente, não posso parar de trabalhar um dia sequer.

Se a gente chega à conclusão de que quase todos os jogadores vão precisar fazer algo depois de deixarem suas carreiras no tênis, por que não se preparar antes ou desde já? Por que não permitir que ele estude enquanto se dedica aos treinos e campeonatos? Ter atividades paralelas ao esporte acaba até ajudando o atleta dentro de quadra. Pensar o tempo inteiro no tênis é uma coisa horrível. Seu filho vai odiar o esporte daqui a pouco, se não tiver outras coisas para pensar. Ter foco é importante. Na hora de treinar, é importante pensar única e exclusivamente no jogo. Mas não tem problema nenhum você deixar como segundo plano o estudo, ir fazendo as provas e ter outros interesses em mente nas horas vagas.

A questão dos estudos não está ligada apenas aos jogadores juvenis. Os profissionais também passam por essas dúvidas. Veja o caso do Bruninho, o Bruno Soares. Ele chegou a ser o número três do mundo em duplas e hoje está no *top ten* do ranking mundial. É um cara que vive para o esporte, é profissional para caramba e superfocado em sua profissão. E está fazendo faculdade. Como é possível com tantas viagens, treinos e torneios? Conversando com ele, o Bruninho me explicou. Ele faz marketing em uma faculdade com ensino a distância. Aproveita o tempo ocioso no circuito para estudar e faz as provas quando volta para o Brasil. Ou seja, ele usa o seu tempo livre para se instruir. Quando parar de jogar, vai ter uma nova profissão.

Se um profissional arranja tempo para estudar, por que um juvenil não pode fazer o mesmo? O tempo ocioso do tenista, seja ele amador ou profissional, é muito grande. Por mais que ele fique horas e horas dentro da quadra, sobra ainda muito tempo fora dela. Os intervalos entre os treinamentos, refeições, viagens e campeonatos podem ser muito mais bem aproveitados quando estamos estudando.

Enquanto isso, vejo a nossa molecada com 15 ou 16 anos parando de estudar. Você vê o pai achando isso normal, apostando todas as suas fichas na carreira esportiva do filho. Ele acredita que o seu garoto ou sua garota vai se tornar um tenista consagrado e ganhar muito dinheiro no circuito profissional. E se o plano A não der certo? Se o filho não conseguir virar um profissional? O tênis tem um funil bem estreito. É muitíssimo difícil chegar ao circuito profissional e muito mais complicado ainda se destacar nele. A maioria dos que sonham

TÊNIS É PROFISSÃO

com isso acaba ficando no meio do caminho. Na minha categoria, na categoria acima e na categoria abaixo, foram pouquíssimos que conseguiram se destacar, se profissionalizar e viver do tênis. Depois vieram o Gustavo Kuerten, André Sá e, mais tarde, Flávio Saretta. Da minha geração (mesma idade), quem acabou vivendo do tênis profissional fui eu e mais um gato pingado. Não me lembro de mais ninguém!

Por isso largar a escola é uma decisão muito perigosa. Hoje em dia, existe o ensino a distância. Há escolas que acabam aceitando mais os tenistas, os esportistas e dão uma trégua maior nas faltas e nas provas. Acho que vale a pena insistir nos estudos enquanto der. Sempre!

Os pais de tenistas precisam ter consciência que mesmo tentando conciliar as duas atividades, seus filhos não conseguirão ser brilhantes na escola e na quadra. "Quero que o meu filho jogue tênis e estude também em uma escola de média sete ou oito". Não dá! Então você não quer que o seu filho jogue. Estudando dezoito horas por dia não sobrará tempo para ele praticar o esporte. "Mas quero que ele estude e jogue tênis". Então você deve colocá-lo em um colégio que exija menos. Não dá para colocá-lo, por exemplo, em uma escola integral. "Quero fazer faculdade". Legal! Mas saiba que não dá para fazer medicina. Marketing, administração e jornalismo, por outro lado, dá para fazer.

O tenista de 16, 17 anos pode estudar a distância e pode seguir um ritmo mais lento de estudo. De repente, pode demorar um pouco mais para entrar em uma faculdade e, uma vez em um curso de graduação, pode demorar cinco ou seis anos para se formar, em vez de quatro anos como os demais alunos. Temos de conseguir balancear o que é importante para o garoto e para sua família. É melhor estudar devagar e sempre do que parar totalmente com os estudos.

O pai do tenista não pode se iludir ou empolgar-se demais com as perspectivas esportivas do seu filho. Ele precisa ser a pessoa mais centrada da família. Deve ser calmo, prudente e conservador. E, acima de tudo, deve duvidar. Feliz do tenista que tem um pai com dúvidas. Triste do tenista que possui um pai deslumbrado, acreditando que seu filho é o melhor do mundo ou que será brevemente o líder do ranking mundial.

Saiba que não existem fenômenos esportivos no Brasil até os 18 anos. Acredite em mim, não dá para garantir previamente que uma criança ou adolescente será bem-sucedido no tênis no futuro. Viajo bastante pelo país e não conheço um caso de talento excepcional. Se você estiver achando que o seu filho de 10, 12 ou 14 anos é um fenômeno, posso garantir, mesmo não o conhecendo, que ele não é. Ele não possui um talento extraordinário! Pode ser um bom jogador, pode ter chance de chegar a profissional, mas não é um *superstar* do tênis ainda.

Ou pelo menos não foi lapidado a ponto de ter se tornado uma pedra preciosa. Então vamos com calma. Trate seu filho como ele deve ser tratado. Não o considere um campeãozinho ou um gênio precoce. A gente não tem nenhum fenômeno no Brasil. Os únicos gênios que tivemos por aqui foram a Maria Esther Bueno e o Gustavo Kuerten. E olha que, mesmo assim, precisaram ralar pra caramba para conquistar o que conquistaram. Por isso, vamos com muita calma quando debatemos a questão dos estudos da molecada.

Acho que os nossos tenistas e seus pais apostam demais na vitória esportiva. Aí, de repente, quando os atletas precisam parar de jogar aos 18, 20 ou 30 anos de idade, ficam sem alternativas. Bate o desespero em todo mundo: nos tenistas, nas suas famílias e em seus pais, que não previram a possibilidade. Ter um plano B não quer dizer que você não acredita no plano A. Veja o caso do Bruno Soares. Ao fazer marketing, não quer dizer que ele não confia em seu taco. Ele está apenas se preparando para o dia seguinte à sua saída das quadras. Nada mais lógico e natural a ser feito.

Cuidado com os estudos! Pense muito bem se for necessário sair da escola ou interromper as aulas para se dedicar ao esporte. Tente conciliar as duas atividades até onde der. Até porque, mesmo com uma carreira bem-sucedida no tênis, um dia você poderá se arrepender de ter deixado a escola. Falo isso com propriedade!

DICA 49

Como fazer uma transição bem-feita?

A fase mais complicada da carreira de um tenista é a transição do juvenil para o profissional. Nessa etapa, acabamos infelizmente perdendo muitos jogadores talentosos, que poderiam repetir as conquistas da fase amadora também no circuito da ATP ou da WTA. A maioria não consegue se consolidar na profissão, abandonando o tênis. De cem tenistas que tentam entrar no circuito profissional, acredito que apenas um ou dois consigam se manter minimamente na profissão. E olhe que não estou dizendo que esses dois serão os primeiros do ranking mundial ou que estarão entre os cem melhores. Estou dizendo que aparecerão em algum lugar no ranking. Ou seja, é um funil realmente muito estreito.

A primeira coisa que precisamos assimilar é quão difícil é esse processo de transição. Por isso ele deve ser muito bem-feito. Temos de compreender que o garoto e a garota que estão jogando no juvenil enfrentam gente da idade deles. Nesse momento, todos são mais ou menos iguais, tanto taticamente quanto psicológica, física e tecnicamente. Por mais que alguns se sobressaiam um pouco, os níveis de experiência e de jogo de todos os garotos são parecidos.

Existem alguns jogadores que a gente não deve usar como referência. A Jennifer Capriati, por exemplo, com 15 anos já era profissional e ganhava de todo mundo no circuito, estando muito bem posicionada no ranking mundial. O seu primeiro título na WTA foi em Toronto, no Canadá, em 1991. Ela derrotou na decisão a búlgara Katerina Maleeva. A adversária tinha 22 anos e Capriati era ainda uma menina de 15 anos. Por processo parecido passou Rafael Nadal. Ainda precoce, o espanhol estava no circuito profissional encarando de igual para igual todo mundo ali, vencendo muitos jogos. Aos 16 anos, já estava entre os cinquenta melhores da ATP.

Para mim, esses jogadores são fenômenos, pessoas fora da curva padrão dos tenistas. O que precisamos ter com referência para a nossa carreira e para a dos nossos filhos é o que acontece normalmente com a maioria dos atletas. Com 15 ou 16 anos, dificilmente eles terão condições de competir nos torneios da ATP ou da WTA. Muitos chegam com 19 ou 20 anos e têm sérias dificuldades para encarar os jogadores mais veteranos do circuito profissional.

Vejo quatro pontos como sendo os principais responsáveis pela dificuldade de transição da garotada: aspecto financeiro, elemento tático-técnico, questão psicológica e parte física.

A questão financeira fica mais evidente, pois não é nada barato bancar uma estrutura profissional em volta desse garoto, além de enviá-lo para torneios nos quatro cantos do mundo. Muitos atletas acabam ficando pelo caminho por não contarem com recursos suficientes para o aporte inicial.

Quando juvenil, o tenista ganhava seus jogos e campeonatos. Ao virar profissional, na maioria das vezes, as derrotas prevalecem e a conquista de campeonatos demora um pouco a chegar. Esse jogador sai de número um, dois, até cinco do mundo juvenil para não ter ranking no profissional. Ele entra zerado na ATP. Está entre os três, quatro mil, cinco mil do mundo. Aí, com muito custo e depois de batalhar bastante, ganha um ponto e vira o número 2500, empatado com outros mil caras na mesma situação. É complicado!

É preciso jogar vários campeonatos para começar a ganhar alguns pontos e alguns trocados. Pouco a pouco, à medida que as vitórias são mais frequentes, o tenista começa a ganhar um pouco de dinheiro para empatar as despesas. Por isso, nessa etapa da vida, o aporte financeiro e os patrocínios são tão importantes. O atleta precisa planejar muito bem cada passo de sua carreira. Como vai ser isso para você? Você tem uma família que pode ajudá-lo por um, dois ou três anos? A Federação e a Confederação vão ajudar a bancá-lo, investindo em você? Você tem patrocinadores?

Outro aspecto é o tático-técnico. Nem sempre o tenista que é bom e destaca-se no juvenil será bom e alcançará o topo do ranking no profissional. No circuito da ATP ou da WTA, os níveis de exigência e de qualificação dos jogadores sobem consideravelmente. Se ontem enfrentávamos no juvenil o "John", um norte-americano de 17 anos que jogava bem, amanhã será a vez do Thomaz

TÊNIS É PROFISSÃO

Bellucci, brasileiro que já foi o número vinte e um do mundo e está atualmente entre os quarenta melhores da ATP. Essa mudança brusca do nível de jogo muitas vezes pega os jovens tenistas despreparados. Eles, seus treinadores e suas famílias pensam que porque os garotos são os melhores no ranking mundial na categoria juvenil, serão brevemente líderes do ranking profissional, arrebentando e arrasando nos jogos. Ledo engano!

Será que o seu jogo está pronto para o novo grau de competitividade? Será preciso fazer algumas modificações táticas na sua maneira de jogar para você alcançar as primeiras vitórias? A bola do profissional é mais forte, firme, pesada e, em particular, consistente. Os tenistas profissionais erram pouquíssimo. Vencê-los não é algo banal.

O lado mental desses jogadores também está mais desenvolvido. Eles sabem muito bem o que fazer com a bola em cada momento da partida, não se abalando facilmente com as situações mais complicadas e decisivas do jogo. Além disso, os jovens jogadores precisam aprender a encarar frustrações e fracassos. Se no juvenil as vitórias eram abundantes, nessa nova etapa das suas vidas, elas serão raras no começo. Como lidar com isso? Como um menino e uma menina, que até então eram endeusados por pais, treinadores, amigos e colegas como sendo os melhores do mundo, agora suportam as derrotas constantes? Eles saem do patamar de "reis e rainhas do tênis juvenil" para as posições mais inferiores do circuito profissional.

Tivemos casos aqui no Brasil de garotos que jogaram muito bem no juvenil e foram endeusados como se fossem os próximos Guga ou as novas Maria Esther Bueno. Todo mundo esqueceu que eles tinham uma ótima posição no ranking juvenil, não no profissional. Quando entraram no circuito da ATP ou da WTA, demoraram um, dois, três anos para conseguir virar a página. A frustração foi tão grande que jamais chegaram a entrar entre os cem melhores do mundo. Ficaram entre quatrocentos e setecentos no ranking. Ganhavam de caras legais algumas partidas e depois perdiam, perdiam, perdiam, perdiam... É preciso estar bem preparado mentalmente para encarar as adversidades e se fixar no novo circuito.

O elemento físico também é importantíssimo. Os jovens estão preparados para enfrentar os monstros dos jogadores profissionais? Você já reparou no porte de Novak Djokovic e Serena Williams? Eles parecem cavalos de tão fortes. Os níveis de exigência física de uma partida juvenil e de um torneio profissional são totalmente diferentes, não cabendo uma comparação. Muitas vezes, o jovem tenista demora a adquirir massa muscular e preparo físico suficiente para aguentar jogos disputados tão intensamente.

Tive o privilégio, quando jogava no juvenil, de ser o número um do mundo. Fiquei no lugar mais alto do ranking por sete meses. Ganhei o Orange Bowl, o campeonato mais importante da minha categoria, realizado anualmente nos Estados Unidos, em dezembro. Na final, derrotei um garoto espanhol da minha idade chamado German Lopez. Imagine como eu estava feliz! Era o número um do ranking e ganhei um torneio extremamente importante da categoria juvenil.

Depois de seis meses, em junho do ano seguinte, German era o número setenta do mundo no ranking profissional e eu era apenas o novecentos e quarenta e cinco da ATP. Aquilo foi uma grande frustração para mim! Como alguém que eu havia derrotado no juvenil alguns meses antes tinha conseguido se adaptar tão rapidamente ao tênis profissional e eu estava sofrendo? Não entendia aquilo. Minha sorte é que, nessa época, eu treinava com Daniel Musacchio. Nós conversamos muito a esse respeito e ele, com toda a sua experiência, conseguiu me tranquilizar. Sou muito grato a ele por tudo. Dani me falou: "Fernando, existem jogadores que já chegam prontos para o profissional. E outros que precisam se adaptar. Aí demora mesmo um pouco mais. Você está nesta segunda categoria".

German era um cara alto, forte e sacava muito bem. Ele, às vezes, exagerava nos erros e, por isso, eu consegui enrolá-lo bem na final do Orange, derrotando-o. Contudo, ele estava mais preparado do que eu para encarar as exigentes partidas do profissional. Estava muito à frente de mim no quesito físico. Eu era um jogador que defendia muito bem e trocava muitas bolas. Minha bola, contudo, não andava tanto ainda e eu não era fortão. Na verdade, nunca fui muito forte, mas naquela época eu era um frangote. Precisava urgentemente desenvolver o meu lado físico, ganhar massa muscular, ganhar força e adquirir resistência. A falta desses elementos fez com que eu demorasse para figurar entre os cem melhores do mundo. Só cheguei nesse patamar em 1993, com quatro anos de profissionalismo. Demorei todo esse tempo enquanto o German só precisou de seis meses.

A transição é o momento muito complicado, muito delicado mesmo. Temos de olhar com atenção para os nossos garotos nessa etapa da vida deles. Há milhares de coisas que podem acontecer que inviabilizam ou desencorajam o atleta. Veja por mim. Depois de quatro anos sofrendo para me tornar competitivo no circuito, permaneci lutando e me esforçando para melhorar. Ano a ano fui evoluindo até atingir, em 1999, dez anos depois de me profissionalizar, o número 25 do ranking da ATP. E o German Lopes? Mesmo tendo explodido rapidamente, por motivos que desconheço ele acabou parando de jogar depois de alguns anos. Perdemos um grande jogador!

TÊNIS É PROFISSÃO

Guga chegou à posição de número um do mundo em dezembro de 2000, cinco anos depois de se profissionalizar. Dele eu posso falar bem porque acompanhei de perto sua evolução. Aquele garoto que começou no juvenil precisou fazer várias alterações no seu jogo para se estabelecer no profissional. O Guga do juvenil foi um e o Guga no profissional foi outro. Essas mudanças fizeram com que ele superasse todo mundo, mesmo os garotos da idade dele que estiveram à sua frente no ranking juvenil e não conseguiram se estabelecer no profissional.

Vamos ter paciência com a meninada. Vamos ajudá-los a encarar o salto gigantesco que é a passagem do circuito juvenil para o profissional. Não os desanime se as vitórias demorarem nem fique endeusando ninguém. Talvez um dia vocês olhem para trás e achem graça das dificuldades e dos medos do início de carreira.

DICA 50

Quais são as diferenças entre o tênis profissional e o universitário?

Você já pensou na possibilidade de o seu filho ir para o tênis universitário em vez de seguir diretamente para o profissional? Essa alternativa existe e pode ser importante para viabilizar a carreira do tenista que não tem recursos próprios suficientes para investir na migração para o circuito profissional. Além disso, ela permite que o jogador adquira um diploma acadêmico em uma instituição de ensino internacional, o que é bem interessante para o currículo dele. Vamos a partir de agora, portanto, debater as diferenças entre o tênis profissional e o universitário, destacando os prós e os contras de cada um deles. Tentando acabar também com os preconceitos e as falsas impressões que as pessoas têm sobre o tênis praticado em universidades.

Para começo de conversa, precisamos discutir o preconceito que o tênis universitário tem em nosso país. As instituições de ensino superior aqui do Brasil não têm a política de investir em jovens atletas como as universidades norte-americanas fazem. Assim, quando falamos em tênis universitário, estamos falando essencialmente em tênis praticado nas universidades dos Estados Unidos. O preconceito também convive na mentalidade de pais e de jogadores.

TÊNIS É PROFISSÃO

Em vários ambientes do tênis brasileiro, vejo as pessoas, sejam elas pais, professores, treinadores e atletas, referindo-se ao tênis universitário como o fim da carreira do tenista. "Ele foi para o tênis universitário? Coitado! Tinha potencial para ser um profissional. Jogava tão bem... Por que não acreditou no próprio potencial e não quis se profissionalizar?". Esse é o pensamento da maioria dos envolvidos no tênis em nosso país.

Os jovens que decidiram jogar por universidades nos Estados Unidos não abandonaram o sonho de ser profissionais. Eles decidiram ingressar em um nível mais avançado do que o juvenil, mas inferior ao profissional. Há muitos exemplos de tenistas bem-sucedidos no circuito da ATP que vieram do circuito universitário. Temos o James Blake e Andy Roddick, por exemplo. Na verdade, quase todos os jogadores norte-americanos passam primeiro pelas universidades, antes de ingressarem no profissionalismo. E isso não impossibilita ou atrapalha suas carreiras. Acredito até que os auxilie a virar, anos mais tarde, *top ten* ou mesmo o número um do mundo. Alguns desses atletas fizeram o curso inteiro e só depois ingressaram de fato no circuito da ATP ou da WTA. Outros começaram a universidade e, ao perceberem nos anos seguintes que estavam jogando muito bem, optaram por trocar a universidade pelo profissionalismo. Tem tenista que só fez um ano de faculdade antes de se profissionalizar.

A primeira vantagem do tênis universitário está no aspecto financeiro. Não podemos nos esquecer de que vivemos um período de vacas magras em nossa economia. O dólar alto e a falta crônica de patrocínio exigem um maior investimento das famílias nos jovens tenistas. E, infelizmente, muitos pais não têm os recursos monetários suficientes para bancar a migração do tênis juvenil para o profissional dos seus rebentos. É muito comum vermos a meninada com 18 anos jogando muito bem e com grande potencial para estourar, mas não conseguindo chegar ao profissionalismo exatamente por falta de dinheiro. Nesse caso, a alternativa mais interessante é o tênis universitário. O jogador ganha uma bolsa da universidade para treinar e praticar o esporte defendendo as cores daquela instituição de ensino. Além de oferecer todo o suporte para o aprimoramento do tenista, o jovem ainda pode estudar em um curso superior.

Tive a oportunidade, quando tinha meus 18 anos e estava no juvenil, de seguir para o tênis universitário norte-americano. Fui jogar satélite nos Estados Unidos e por lá permaneci jogando e treinando por oito semanas. E já na segunda semana, alguns olheiros da Universidade de Miami me sondaram. Eu estava praticando superbem e eles queriam saber do meu interesse em ganhar uma bolsa de estudos. Disseram-me que estavam querendo um jovem tenista do meu perfil: um latino que jogasse em bom nível. Naquele momento, tinha o sonho de jogar no profissional e minha fixação com essa ideia era tanta que fez com que eu nem cogitasse aceitar o convite que me aparecia. Assim, nem abri negociação e recusei, partindo diretamente para o circuito profissional.

Felizmente, minha história foi bem-sucedida. Consegui me colocar como profissional e avançar no ranking mundial. Hoje, entretanto, fico pensando na minha decisão daquela época e se não teria sido mais interessante adiar um pouquinho o sonho do profissionalismo. Somente agora consigo perceber quanto deixei de ganhar por não ter feito uma escolha diferente da que fiz.

Às vezes, vejo a garotada falando "Não! Tênis universitário não dá certo". Gente, o tênis universitário dá certo, sim. Atualmente, dependendo da universidade para qual você for selecionado, o treinamento é muito bom. Você recebe uma estrutura de primeira e conta com ótimos profissionais à sua disposição, vivendo em um ambiente em que pensará em tênis e em estudos o dia inteiro. Poderá, com isso, treinar e evoluir seu jogo. Terá a oportunidade de disputar partidas e campeonatos de bom nível por quatro anos. E quando concluir esse ciclo, ainda será muito jovem. Com 21, 22 ou 23 anos, você estará mais maduro e experiente, tanto técnica quanto psicologicamente, também nos aspectos táticos e físicos, podendo ingressar com tudo no circuito profissional. Sem contar que você terá um diploma para toda a vida. Se as coisas no tênis não derem certo amanhã, você tem uma graduação de uma universidade internacional em seu currículo. Nada mal, hein?

Dá para perceber que em vez de ser demérito jogar o circuito universitário, o tenista só tem vantagens. "O rapaz e a menina que decidem ir para o *college* nos Estados Unidos não acreditam em seu potencial e estão desistindo da carreira no esporte". Não! Essa crença é uma grande balela, uma enorme besteira e um preconceito descabido. Na época que ingressei no circuito da ATP era comum os jogadores explodirem com 18, 19 e 20. Com 28, 29 e 30 anos, os jogadores eram considerados velhos, veteranos. Hoje, a realidade é muito diferente. Dificilmente jovens tenistas vindos do juvenil conseguirão explodir rapidamente. Muitos só conseguem se fixar no *top ten* do ranking mundial quanto completam 28, 29 ou 30 anos. Essa idade hoje não é mais considerada avançada. Vários atletas só chegam ao seu ápice depois dos 30 anos e estendem tranquilamente suas carreiras até os 40.

Assim, sendo difícil para o jovem chegar entre os cem melhores do ranking e ganhar dinheiro nesse início de profissionalismo, o melhor caminho é a universidade. Ela dá uma base sólida para a formação atlética, o que é fundamental nessa fase da carreira, além de permitir treinar e jogar em alto nível sem os gastos excessivos com comissão técnica, transporte, viagens, estadia e participação nos torneios. A maior parte dos jogadores que sai do circuito universitário chega mais preparado para o circuito profissional do que os garotos vindos do circuito juvenil.

Perceba que entre 19 e 22 anos de idade, você provavelmente vai estar situado entre os duzentos, 180 ou, no máximo, os 150 no ranking da ATP ou da WTA. Estourar nessa idade é muito raro. Assim, a entrada no profissionalismo representará nos primeiros anos ficar na posição de trezentos do ranking, jogar apenas alguns torneios por ano, pois seu pai não poderá mandá-lo para muitos lugares, e treinar muitas vezes com uma estrutura precária e com profissionais não tão qualificados porque não há dinheiro para isso. Diante desse cenário, não é melhor fazer uma universidade e jogar por lá?

Outra vantagem é que na universidade você tem três meses de férias durante o verão norte-americano, entre junho e agosto. E o que se pode fazer nesse período? Participar de torneios profissionais do Challenge, pois tem um monte deles pelos Estados Unidos nessa época. É uma ótima oportunidade para avaliar sua evolução. Vamos imaginar que você ganhe cinco dos seis torneios que disputou. Ou que você conquiste três ou quatro títulos. Excelente! Você está realmente preparado para encarar o circuito da ATP ou da WTA de maneira integral. Tranque a faculdade e mergulhe na carreira profissional. Ah, você está tomando porrada nesses torneios, perdendo mais do que ganhado? Então continue treinando e jogando o *college*. Aproveite para se preparar melhor. Ainda não é hora de se profissionalizar.

Acho importante tomarmos muito cuidado com essa ideia de quem faz universidade não chega ao profissional. Não é bem assim. Por outro lado, não estou dizendo que quem participa do circuito universitário vai chegar com certeza ao circuito da ATP. O funil do tênis continua tão estreito quanto sempre foi. Também não estou levantando a bandeira aqui de que todo mundo precisa fazer universidade nos Estados Unidos. Só estou citando uma nova possibilidade para os jovens tenistas e demonstrando as vantagens dessa opção tão discriminada por nós brasileiros.

Analisando o jogo do garoto, a condição financeira da família e as pretensões do atleta, que tal o tênis universitário agora, visto dessa nova perspectiva? Você, jogador ou pai de um jovem tenista, consegue encarar o tênis universitário como uma alternativa interessante? Já é possível abandonar a visão equivocada e preconceituosa que a maioria das pessoas envolvidas com o tênis tem?

PARTE VIII
Tênis também é jogo de duplas

DICA 51

Como escolher o parceiro ideal para a formação de uma dupla?

Chegou a hora das dicas sobre o jogo em dupla. Em certas ocasiões, acabamos tão focados no jogo de simples que, sem querer, renegamos o jogo de duplas para um segundo plano, o que é um grande erro. Essa modalidade do nosso esporte é também muito importante e bastante interessante para o tenista. Por isso, veio a ideia de reservarmos uma parte deste livro apenas para ela.

As primeiras questões que surgem na cabeça do jogador quando falamos em duplas são: "Como escolher um bom parceiro?"; "Como devo avaliar os tenistas para saber se eles são boas opções para formar uma dupla comigo?"; e "Devo priorizar o aspecto técnico ou o nível de afinidade para tomar essa decisão?".

Escolher um bom parceiro não é uma tarefa tão fácil. Há quem desdenhe da dificuldade, afirmando que basta escolher o melhor jogador possível e disponível, que, dessa maneira, você tomou a melhor decisão. Será? Segundo essa crença, basta pegarmos um dos irmãos Bryan ou o Marcelo Melo para formarmos uma dupla de sucesso. Os mais antigos podem desejar formar dupla com o John McEnroe ou com um dos integrantes da dupla holandesa Jacco Eltingh e Paul Haarhuis. E o que falar dos australianos Todd Woodbridge e Mark Woodforde? Há tanta gente boa que já foi número um do mundo... No entanto, não é tão fácil assim escolher um bom parceiro. O critério único (escolher o melhor jogador) não é garantia de se formar uma dupla perfeita.

O primeiro componente de análise é realmente a parte técnica. Contudo, em vez de escolhermos simplesmente o melhor jogador, devemos avaliá-lo também no aspecto tático. Vejamos o caso de alguns tenistas brasileiros. O Brasil já teve grandes nomes em duplas e continua tendo. Poderíamos começar citando a velha guarda: Thomaz Koch, Carlos Kirmayr e Cássio Motta. Mais recentemente, tivemos o Jaime Oncins, que era um craque, e o Guga, que poucos sabem, mas jogou muito bem em dupla. Atualmente, temos André Sá, Bruno Soares e Marcelo Melo, que no final de 2015 tornou-se número um do mundo nessa modalidade. Esses jogadores são ou foram excelentes jogando em duplas. E tem um monte de gente que poderíamos acrescentar a essa lista.

O fato é que cada um deles possui suas próprias características e uma maneira própria de jogar. O mesmo acontece com você, que possui o seu próprio estilo de jogo. Assim, a reunião de dois excelentes tenistas em uma dupla não é certeza de sucesso. É necessário que as características deles sejam complementares dentro de quadra. E quando escolhemos um parceiro sem avaliar a questão tática, olhando meramente o aspecto técnico, corremos o risco de tomar a decisão errada.

Antigamente, tínhamos o tenista de duplas que basicamente sacava e voleava, com uma postura agressiva o tempo inteiro. Hoje em dia, isso mudou um pouco. Vemos muitos jogadores de duplas jogando no fundo de quadra. Tem a turma que joga simples e acaba se aventurando nas duplas também. São jogadores que sacam e preferem ficar no fundo de quadra. É o caso do Ivan Dodig, que formou dupla com o Marcelo Melo. O brasileiro gosta de ficar na rede e o Dodig prefere ficar lá atrás, no fundo de quadra. É o mesmo caso da dupla composta por Bruno Soares e Alexander Peya. Peya também joga mais de fundo de quadra, mesmo atuando em dupla.

Será que o Dodig e o Peya formariam uma boa dupla se jogassem juntos? Talvez não. As características deles são muito parecidas e um não complementaria o outro. Quem ficaria na frente, na rede? Nenhum deles tem facilidade de jogar só na rede. Uma dupla composta por dois excelentes jogadores que atuam no fundo de quadra não me parece um time tão competitivo.

Assim, antes de qualquer coisa, você precisa entender quem é você como jogador de dupla. Como você gosta de jogar? Quais são seus pontos fortes e fracos? Qual tipo de jogador iria complementá-lo dentro de quadra? A partir dessas informações, você começa a avaliar com mais critério os possíveis parceiros. Além da questão técnica (o cara tem de jogar bem), você verifica a questão tática

TÊNIS TAMBÉM É JOGO DE DUPLAS

(como ele joga). Há jogadores de duplas que precisam de parceiros que sejam bons devolvedores de saque. Existem outros tenistas que por devolverem a bola muito bem precisam de bons sacadores, que fechem bem a rede.

A primeira questão, portanto, diz respeito a qual perfil de jogador é melhor para formar uma dupla com você. Esse tenista pode, por exemplo, ser alguém extremamente agressivo, mas que não devolva tão bem o saque do adversário. Ou ele pode ser um cara mais defensivo, que devolve todas as bolas, apesar de não sacar muito bem. Se você conseguir encontrar um bom jogador que complemente o seu jogo e possa ajudá-lo a superar as suas deficiências dentro da quadra, além de você auxiliá-lo naquilo que ele não faz tão bem, a chance dessa parceria vingar aumenta.

Eu gostava muito, como jogador de fundo de quadra que tinha alguma dificuldade em sacar, de formar dupla com parceiros que fossem tenistas que jogassem mais na frente e que confirmassem com tranquilidade o serviço deles. Muitas vezes era chamado por jogadores com essas características exatamente por complementar o jogo deles. Acredito que eles pensavam: "Ah, o Meligeni é bom de fundo de quadra. Não saca e não voleia tão bem, mas consegue se segurar lá atrás. É exatamente do que preciso".

Apesar de esse aspecto da complementaridade ser muito importante, você precisa entender que o jogo em duplas é muito dinâmico. Mesmo com algumas preferências na forma de jogar dos atletas e a maior ou menor facilidade em alguns golpes e movimentos, os dois jogadores da dupla precisam saber realizar muito bem alguns golpes: devolver bem saque, fechar bem a rede, volear com excelência e sacar com qualidade. É impossível atuar em alto nível se um dos tenistas não for bom nesses quesitos.

Depois das questões técnica e tática, outro aspecto a ser considerado no momento da escolha do parceiro de dupla é a afinidade pessoal. São raríssimos os casos de duplas que se dão bem dentro da quadra de tênis e não se dão bem fora dela. Quando analisamos as relações entre as grandes duplas da história, percebemos um forte elo de amizade e companheirismo. Woodbridge e Woodforde, Eltingh e Haarhuis e McEnroe e Fleming eram ao mesmo tempo excelentes dentro de quadra e tinham uma ótima relação fora do tênis, no dia a dia, em suas vidas pessoais.

Por que esse vínculo fora das quadras precisa ser forte e saudável? Porque o tênis é um esporte que joga muita pressão nos jogadores. Muitas vezes, seu parceiro erra uma bola importante em um 30/30. Você, por exemplo, saca com uma pressão impressionante e o cara erra um *smash* fácil. E o que você vai fazer? Olhar feio para ele? Brigar com ele? Achar que ele está querendo derrubá-lo?

Reclamar? Não! Precisamos lembrar que os jogadores de duplas jogam em parceria. Parceria é o nome do jogo.

Tênis é normalmente um esporte solitário, apesar de não ser individual (lembremos que temos técnicos, preparadores físicos, nutricionistas etc.). Estamos acostumados, contudo, a ter de decidir por nós mesmo dentro da quadra. Durante a partida, somos apenas nós os responsáveis pelo nosso resultado. Quando jogamos em duplas, a solidão diminui. Passamos a compartilhar com alguém os desafios da disputa. Essa pessoa torna-se nossa companheira. Por isso, precisamos entender os erros dela, assim como ela precisa entender os nossos. Precisamos ajudá-la nos momentos críticos, assim como ela deve nos auxiliar quando necessitamos. E, todo o tempo, precisamos trocar informações com o nosso parceiro dentro de quadra.

Quanto melhor for o relacionamento, mais conseguiremos entender o que o nosso parceiro está vivendo e sentindo naquela hora no meio da partida. Conseguimos notar se ele está nervoso, ansioso ou se está jogando tática e mentalmente errado, por exemplo, querendo ser muito agressivo em um momento em que não precisaria ser.

Assim, quando formos escolher um parceiro, não devemos nos apegar apenas ao lado técnico e tático. Porque, às vezes, você joga com um cara muito bom, alguém extremamente habilidoso, um jogador que está indo superbem no circuito, mas vocês não têm nenhuma afinidade. Ele não é seu amigo e vice-versa. Você não gosta dele nem curte passar um minuto fora da quadra na companhia dele. E aí, a dupla não dá liga, como falamos. A parceria não rola. Você não vai ganhar muitos jogos nem muitos torneios com ele como dupla.

Contudo, não adianta você chamar o seu melhor amigo para ser sua dupla se ele não for tecnicamente bom e não o complementar dentro de quadra. Chamei vários amigos meus que jogavam comigo no circuito para formar dupla comigo, mas acabamos não jogando bem e perdendo a maior parte dos jogos. Por quê? Porque não avaliei a complementaridade. O nosso relacionamento era ótimo, mas nosso estilo de jogo era muito parecido. A escolha certa do parceiro está relacionada à união de técnica, estratégia e afinidade pessoal. Quando esses elementos se casam, temos a chance de ter uma boa dupla.

A minha dupla mais vitoriosa foi formada com o Gustavo Kuerten. Além de ele ser um dos melhores tenistas que já existiu, é uma pessoa incrível, que dá prazer em conviver. Nossa relação era maravilhosa, pautada na amizade e no companheirismo.

Por que, então, nossa dupla deu certo? Primeiro porque escolhi um cara que jogava um tênis absurdo. O Guga era um dos tenistas que melhor aguentava a pressão. Era uma coisa incrível ver a tranquilidade e a naturalidade com que ele

TÊNIS TAMBÉM É JOGO DE DUPLAS

encarava os grandes desafios. Depois, porque nosso jogo era de certa maneira mais ou menos complementar. Eu era mais defensivo e ele mais agressivo. E, por fim, porque a gente se dava muito bem. Éramos dois amigos encarando os gringos nas quadras pelo mundo. O resultado: a conquista de cinco ou seis títulos importantes do circuito da ATP.

Diferentemente do que muita gente pode imaginar, não vivemos apenas dias de alegria. É muito fácil manter a parceria quando tudo dá certo. O difícil é encarar as dificuldades e adversidades. E nós passamos por muitas coisas juntos. Teve momentos em que ele fez um monte de besteiras. Como em Roland Garros, em 1998, quando enfrentávamos o Patrick Rafter e o Jonas Bjorkman pelas quartas de final da competição. Estávamos jogando muito bem e acreditávamos que poderíamos chegar à decisão da competição. Contudo, em um descontrole nosso, o Guga acabou atirando a raquete em direção ao árbitro de cadeira, o francês Bruno Rebeuh, que cometeu um erro grosseiro em uma jogada. Isso prova que até mesmo as pessoas mais calmas e tranquilas do mundo, como o Guga, às vezes saem do sério. Rebeuh foi ágil em se desviar da raquete. Mesmo assim, fomos imediatamente eliminados da competição, além de tomarmos uma multa. Nessa hora, tive de falar: "Vamos embora! Faz parte da parceria. Vamos embora!".

Também fiz um monte de besteiras. Isso não foi privilégio do meu parceiro. A pior delas, de que eu me lembro bem e que gera muitas risadas até hoje, foi em um torneio em Portugal. O jogo era importante e nós tínhamos um *set point* a nosso favor. O Guga sacou, aquele saque impressionante dele, e a bola sobrou fácil para mim, na rede. Aí era só dar um *smash* e sair para comemorar. Com a conquista daquele set, a vitória no jogo ficava mais próxima e avançaríamos na competição. Eu fui lá e... furei o *smash*. Ninguém, nem mesmo eu, acreditou que tinha sido capaz de fazer aquilo. Furei um *smash*! O Guga olhou para mim, em um primeiro momento, querendo me matar. Eu olhei para ele e ele estava vermelho, possesso. Era possível ler os pensamentos dele naquele momento: ele queria me destruir, me xingar e me enviar de volta para o Brasil no primeiro voo que saísse de Portugal. Era plenamente compreensível. Eu também queria fazer tudo aquilo comigo mesmo.

Mas ele se aproximou de mim, ainda no calor da emoção, olhou nos meus olhos e falou com toda a sinceridade do mundo: "Não tem importância, Fino. Vamos jogar o próximo ponto". Comecei a rir, não acreditando no que estava ouvindo. Aí o questionei: "Cara, você não quer me matar? Fala a verdade! Você não quer dar uma raquetada no meio da minha cara?". E então ele falou: "Sim. Mas não dá para fazer isso agora, né? Pô, velho! A gente é parceiro nas horas boas e nas horas ruins. Levanta a cabeça e vamos jogar. A gente precisa ganhar este jogo. E falta tão pouco. Vamos lá!".

Uma atitude como essa do nosso parceiro faz com que consigamos jogar bem tênis. Claro que vai chegar uma hora que vamos querer matar nosso parceiro. Vamos reclamar e espernear, mas tudo pautado em uma boa relação, de amizade, companheirismo e respeito. Até os erros e as frustrações devem virar, depois, motivo para boas risadas e gozações entre os parceiros.

Escolha bem seu parceiro. Se você me permitir mais uma dica a esse respeito, sugiro que você escolha o Guga. Soube que ele, atualmente, está sem parceiro para os jogos de dupla lá em Florianópolis. Mande e-mails e telefone para ele, convidando-o. Só não o deixe falar, em hipótese alguma, das histórias dos antigos parceiros dele. Ele surge com cada história absurda sobre furadas incríveis de *smash*, difíceis de acreditar. O cara é, sem sombra de dúvida, muito gente boa e ótimo amigo e parceiro, mas, por favor, não acredite em tudo o que ele contar!

DICA 52

Como se relacionar com o parceiro de dupla?

Esta dica é um prolongamento da anterior. Depois de escolhermos nosso parceiro, teremos de conviver intensamente com ele por vários dias da semana, ou mesmo diariamente, por várias horas. E como nos relacionar? Já discutimos um pouco essa questão no último capítulo, quando apresentei algumas histórias que tive com o Guga, meu parceiro mais duradouro. Agora vamos nos aprofundar no tema.

O jogo de duplas é totalmente distinto do jogo de simples. O tenista, que é normalmente egoísta e individualista quando joga sozinho, passa a ter com quem dividir seus problemas e suas angústias dentro da quadra. E isso faz toda a diferença. Tradicionalmente, ao atuar no simples, o jogador aprende a resolver seus problemas sozinho, e essa é uma das coisas mais legais do nosso esporte. Cada um arca com as consequências de suas próprias besteiras e também carrega os méritos pelas suas conquistas. O tenista sai da quadra falando: "Nossa! Sou muito bom. Ganhei o jogo" ou "Não acredito! Como mandei mal hoje. Joguei de maneira horrível e mereci perder". É claro que por trás do jogador há todo um *staff* dando o apoio necessário. Mas ninguém entra com ele dentro da quadra, tornando o jogo de simples um tanto solitário. Quando a partida começa, o tenista é atirado aos leões. É matar ou morrer.

6/0 DICAS DO FINO

Fernando Meligeni, Gustavo Kuerten e André Sá em treino para os jogos entre Brasil e Suécia em Belo Horizonte pela Copa Davis de 2006.

Na hora em que passamos a jogar em dupla, a solidão desaparece. Passamos a ter um parceiro dentro de quadra. É com ele que vamos dividir alegrias, medos, tristezas, ansiedades e estratégias. O relacionamento é para todos os momentos, bons e ruins. Quando a fase está boa, quando estamos acertando todas as bolas e conquistando as vitórias, é comum falarmos um para o outro: "É isso aí! Vamos embora! Vamos seguir jogando e arrasando". Ganhando, tudo flui tranquilamente. Mas quando a maré ruim surge, quando passamos a errar e a perder constantemente, a pressão sobre a dupla aumenta absurdamente. Passamos a cobrar do nosso parceiro e ele passa a nos pressionar também.

Quando falei na dica anterior que é fundamental os duplistas terem ótimo relacionamento dentro e fora da quadra, é exatamente para esses momentos. Tanto na alegria quanto na tristeza, é preciso um forte vínculo entre os parceiros para superar as adversidades das derrotas e evitar o "oba-oba" das vitórias consecutivas. Afinal, nem tudo está errado quando perdermos e nem tudo está certo quando ganhamos. Compreender isso e compartilhar de maneira amigável com o parceiro o que é preciso melhorar e corrigir é fundamental para o sucesso da dupla.

TÊNIS TAMBÉM É JOGO DE DUPLAS

Não adianta você querer ser dupla de um jogador se você não gosta de sair para jantar com ele, não conhece sua família dele e curte o convívio diário. O que mais vejo, conversando com muitos jogadores, é o respeito e a amizade da relação deles com seus companheiros de dupla. Falei muito a esse respeito com Bruno Soares, com Marcelo Melo e, em especial, com André Sá, com quem tenho uma amizade antiga. E eles me contam muito sobre a relação deles com seus parceiros. É preciso sair com o parceiro, conviver com a família dele, entender o que ele pensa e saber o que sente. Isso tudo é fundamental na hora do jogo e faz toda a diferença no placar final da partida.

Quando você está em uma semifinal de um grande campeonato, por exemplo, precisa saber se aquilo é grande ou pequeno para seu parceiro. Precisa compreender se ele está nervoso ou se está com medo. Nas horas decisivas da partida, sentimos uma pressão gigantesca. Isso é perfeitamente normal. Sentimos quando jogamos simples e sentimos também quando estamos na dupla. O aspecto legal da dupla é que podemos compartilhar com o parceiro nossos sentimentos e nossas expectativas. Seja sincero com o seu parceiro sempre! Fale: "Putz, estou com medo". Quantas vezes eu não chegava para o Guga, no meio do jogo, e dizia: "Guga, não quero volear esta primeira bola. Vou sacar fechado. Pelo amor de Deus, feche o meio e voleie você esta bola".

Um jogador que era incrível jogando em duplas e por quem eu tenho uma admiração enorme e um respeito absurdo é o Jaime Oncins. Além de ter sido um tenista de simples incrível, trinta do mundo, também foi um jogador de duplas maravilhoso. Ele, ao lado de Daniel Orsanic, chegou a figurar como a nona melhor dupla da ATP. Dos tenistas que vi jogar, o Jaiminho é sem dúvida um dos melhores. E ele sabia trocar muitas informações com o parceiro, além de deixar o companheiro à vontade para expor o que sentia e pensava. "Oh, Jaiminho, faz isso para mim porque eu não estou podendo...". Muitas vezes, quando falamos algo desse tipo, é porque estamos querendo nos esconder em quadra. E o nosso parceiro não pode olhar com desdém e falar: "Pô, cara, agora? Que é isso?". O parceiro tem de estar lá para ajudar o companheiro dele nos momentos mais difíceis. O nome disso é parceria.

A relação começa do lado de fora da quadra, na convivência diária de companheirismo e amizade, e estende-se para dentro dela. O que acontece nos treinos e nos jogos não pode ser encarado como algo ruim e estressante. Não podemos fazer cara feia para nosso parceiro por nada neste mundo. O nosso comportamento pode destruir a parceria e expor nosso companheiro de maneira injusta.

E, por falar nisso, lembrei-me de uma história divertida que aconteceu comigo e com o Guga quando disputávamos a semifinal do torneio de Stuttgart, em

6/0 DICAS DO FINO

1997. Nossos adversários naquela partida decisiva eram o Yevgeny Kafelnikov e o Andrei Olhovskiy, uma dupla russa. Para quem não sabe ou não se lembra, o Kafelnikov foi um tenista fantástico. Ele era na época o número um do mundo em duplas. Foi também por muito tempo o número um do ranking da ATP tanto em simples quanto em dupla, um feito raro. Ou seja, o cara jogava tênis pra caramba. E o parceiro dele naquele ano também era um jogador muito bom, mas não no nível do Kafelnikov.

Aquela partida estava se desenhando muito difícil para mim e para o Guga. O Kafelnikov não errava nenhuma bola. Ele se mostrava uma máquina de jogar tênis. Era um absurdo o que o cara estava jogando. No meio do jogo, contudo, percebemos que ele começou a perder um pouco a paciência com seu parceiro. O Olhovskiy errava um voleio e o Kafelnikov fazia aquela cara: "Putz. Errou mais uma!". Olhovskiy errava um saque e lá ia seu parceiro reclamar por meio de sua fisionomia: "Não acredito! Outro erro? Não dá para jogar assim!".

Eu e o Guga começamos a comentar a atitude do número um do ranking: "Cara, você percebeu que o Kafelnikov está fazendo caras para o Olhovskiy? Então, vamos fazer cara para o Olhovskiy também". Ficávamos olhando para o Kafelnikov e, em qualquer erro do parceiro dele, nós fazíamos aquela cara de: "Não acredito! Você está mesmo jogando com esse parceiro? Ele é muito ruim". Não precisávamos dizer nada. Apenas nossa expressão facial e corporal já emitia a mensagem. Ficamos incendiando a cabeça do Kafelnikov para ele ficar ainda mais bravo com o Olhovskiy. E ele acabou entrando na nossa. E a gente fazia a cara dizendo: "Nossa! Outro erro. Como você aguenta jogar com um cara assim?". Fazíamos aquilo por curtição e na tentativa de enervar ainda mais o Kafelnikov. Nossa estratégia acabou dando certo. Ele acabou enlouquecendo naquele jogo. Se já estava nervoso com o Olhovskiy, depois da nossa reação ele ficou possesso. Para ter uma ideia, ele estava tão nervoso que acabou jogando pior do que o Olhovskiy na etapa final da partida. Não parava de errar! Com isso, vencemos aquela partida e fomos para a final, nos tornando campeões naquele ano do torneio alemão.

Por isso, não faça cara feia para seu parceiro. Quando você faz cara feia, você expõe demais sua dupla e coloca uma pressão absurda nas costas do seu companheiro. Além disso, vocês ficam suscetíveis às gracinhas da dupla adversária. Foi o que eu e o Guga fizemos com o Kafelnikov e o Olhovskiy naquele jogo. Eles tinham tudo para nos vencer naquele dia na Alemanha. Perderam porque não eram uma dupla de verdade, como eu e o Guga éramos. Eles eram apenas dois ótimos jogadores em uma partida juntos, com um péssimo relacionamento dentro da quadra. Duvido que os russos fossem amigos fora delas.

TÊNIS TAMBÉM É JOGO DE DUPLAS

Não é à toa que aquela parceria durou pouco tempo e rendeu pouquíssimos títulos para ambos.

O que acontecia quando eu começava a errar muito? Em vez de reclamar publicamente, espernear, olhar bravo para mim durante o jogo ou me xingar, o Guga, naquele jeito divertido dele, simplesmente começava a cantar baixinho, só para eu ouvir, aquela música do Red Hot Chilli Peppers chamada "Under The Bridge". A canção começava assim: *"Sometimes I feel like/ I don't have a partner"*. Essa parte dizia basicamente: "Tem horas que eu sinto que não tenho um parceiro". Apesar de me pressionar um pouco, aquela atitude do Guga quebrava o gelo, divertia e motivava a melhorar. Era como se ele me falasse: "Vamos lá, Fino. Não me abandone aqui na quadra. Sei que você pode jogar mais do que isso. Vamos jogar!". Ele me dava um cutucão de um jeito engraçado e leve.

É importante perceber que o tenista não pode ser conivente com os erros do companheiro de duplas. Não é para ele ficar passando a mão na cabeça do parceiro o tempo inteiro e falando: "Tudo bem. Pode errar o quanto quiser. Estamos aqui para perder mesmo". Não! Temos de pressionar o nosso parceiro. Vamos pedir para ele: "Me dê este ponto". Quando nós jogamos na vantagem e nosso companheiro joga no 40/40, falamos: "Me dê essa devolução que eu dou a próxima". Aí o cara erra a devolução e fica a vantagem contra. Nesse caso, ele é quem fala: "Vai, vai, vai, Fernando. Devolva-me essa. Bota no 40/40 que eu dou a próxima". Perceba que passamos o jogo inteiro conversando, motivando o outro. A conversa gira, a maior parte do tempo, assim: "Vou ajudá-lo aqui e você me ajuda ali" ou "Não deu certo desta vez, mas me dê outra oportunidade". Às vezes, erramos quatro, cinco ou seis devoluções seguidas. E permanecemos pedindo para o nosso parceiro: "Aguenta aí, aguenta aí! Segura a bronca que daqui a pouco dou a devolução e você quebra o serviço dele". Essa conversa dentro da quadra é importantíssima e constante.

Outra questão fundamental é dialogar a respeito dos aspectos táticos do jogo. Muitas vezes estamos sacando e nosso parceiro está lá na frente, junto à rede. Assim não conseguimos ver o que se passa no outro lado da quadra com tanta precisão, mas nosso parceiro consegue. Ele deve nos transmitir as informações captadas: "Está acontecendo isso, você não está percebendo aquilo". Diálogo! Quando mais uma dupla conversar em quadra, melhor será o jogo. Passe para seu companheiro o que você está vendo e esteja aberto para receber as informações dele.

Muita gente fica me questionando: "Ah, toda hora vocês ficam batendo mãozinha com mãozinha. Isso ajuda em alguma coisa?". Claro que sim! Esse é um gesto de incentivo e de motivação. Ficamos o tempo inteiro motivando o outro.

A batida de mão nesse caso é um "vamos lá". Ela tem um valor psicológico enorme. Mostramos para nosso parceiro que estamos lá para ajudá-lo e apoiá-lo sempre que necessário. Ele não está sozinho dentro da quadra. Há alguém por perto com quem ele pode contar e confiar.

Pare de fazer cara feia para o seu parceiro. Estabeleça uma ótima relação com ele dentro e fora de quadra. E, se preciso, cante "Under The Bridge" para ele, por mais que você seja um péssimo cantor.

DICA 53

Jogar duplas pode ajudar ou prejudicar no jogo de simples?

Uma dúvida muito comum do tenista é saber se jogar em dupla ajuda ou atrapalha o seu jogo de simples. Você já pensou a respeito? Minha opinião é que jogar em dupla traz muito mais benefícios para o jogador de simples do que prejuízos ao seu jogo.

Vamos começar pelo aspecto negativo. Só vejo um elemento que possa trazer algum prejuízo ao jogador: quando o tenista joga o circuito de dupla, acaba se cansando um pouco mais. Afinal, ele fica mais tempo em quadra. Precisa jogar um, dois, três ou quantos jogos tiver no torneio de duplas. Quanto mais ele avançar na competição, mais partidas terá de disputar. Assim, o atleta acaba jogando, por exemplo, de manhã a simples e à tarde a dupla. Ou no dia da folga dele na competição de simples, tem que jogar o jogo de dupla. Ou seja, o expediente é dobrado. Em vez de descansar, ele fica jogando. Esse é o lado que talvez seja prejudicado, pois o desgaste pode ser excessivo se não for bem administrado.

Por isso, tenha cuidado. Verifique o seu nível de preparo físico e a importância das competições. Se for uma semana em que você está bem fisicamente e tranquilo em relação a lesões, então jogue simples e dupla. Por outro lado, se a semana for complicada, talvez seja melhor não jogar na dupla. Você precisa jogar muito bem a simples e nada pode prejudicá-lo ou desviar sua atenção. Portanto, jogue apenas o torneio de simples, focando naquilo que é mais importante para você naquele momento. É uma semana que é importante você ganhar pontos nos dois circuitos? Então, nesse caso, você precisará jogar as duas competições.

Em relação aos aspectos positivos, temos muito para falar. Vamos começar pelo saque. No jogo de duplas, dependemos muito do nosso serviço. Somos muito exigidos neste fundamento. O saque na dupla precisa ser muito estratégico e variado. Ele também precisa ser jogado fundamentalmente no primeiro serviço. Se deixarmos para jogar no segundo, acabamos correndo um sério risco de quebra. A variação nos faz mesclar diferentes efeitos e velocidades. Na dupla, se executarmos o serviço sempre da mesma maneira, nossos adversários acabam pegando o timing da devolução e passam a mandar a bola sempre no nosso pé. Por isso, é importante mesclar: sacamos no meio, no corpo, aberto, com spin, com slice, chapado, um pouco mais forte e um pouco mais devagar. Automaticamente, acabamos melhorando este fundamento. E quando vamos jogar simples, temos uma coleção de saques mais variada e poderosa.

Outro fundamento que somos obrigamos a aperfeiçoar ao jogar em dupla é a devolução de saque. Temos menos espaço para colocar a bola, pois há um jogador a mais no lado adversário, bem na nossa frente, junto à rede. Aí sobra menos espaço para colocar a bola onde queremos. Precisamos, de certa maneira, colocar a bola na cruzada para o jogador da rede não conseguir chegar nela. E fazer isso com os caras sacando a mais de 200 quilômetros por hora não é nada fácil. Por isso, é preciso treinar muito esse tipo de devolução. Enquanto estivermos jogando duplas, precisamos melhorar constantemente nossa devolução.

O saque-voleio também é outro fundamento que precisa ser aprimorado ao máximo. Tem muito tenista que não quer aproveitar as partidas em dupla para melhorar o seu saque-voleio porque só pensa no resultado. Vejo o jogo de dupla, principalmente para a turma juvenil, como uma ótima maneira de evoluir esse fundamento. Se você não voleia muito bem, tudo bem, mas tente aprender. Depois de um bom saque, você precisa chegar à rede e volear cruzado, tirando a bola do jogador que está junto à rede.

Gosto de falar que quanto mais tempo o tenista de qualquer idade e estágio, estiver dentro de quadra, melhor será para ele. Ele aprenderá e evoluirá mais rapidamente. Como estamos falando em jogos, momentos em que a pressão costuma ser maior e o nível de exigência sobe consideravelmente, a curva de aprendizado se acentua muito. O jogador de tênis se forma pelo tempo acumulado em quadra. Se pegarmos um garoto de 12, 13 ou 14 anos, ele não jogou muito tênis. Por isso, não tem muita experiência acumulada, boa ou ruim, para usar quando precisa sair de determinadas situações do jogo. Agora, quando

TÊNIS TAMBÉM É JOGO DE DUPLAS

falamos com tenistas com mil ou dois mil jogos, a condição é completamente diferente. Ele já consegue sair dos momentos difíceis da partida com mais facilidade por já ter vivenciado aquilo várias vezes antes. Assim, jogar duplas confere mais experiência e rodagem para o atleta.

De maneira geral, jogar em dupla permite que você desenvolva muitos aspectos do jogo que serão depois usados nas partidas de simples. E não prejudica muito, apesar de uma carga física um pouco maior. Não existe aquela coisa de: "O jogo de dupla atrapalha o tenista de simples porque é um jogo mais parado" ou "Quando o jogador voltar a jogar simples vai achar tudo estranho, tendo de jogar de outra maneira". Esses preconceitos bobos não são reais.

E tem mais uma coisa muito importante que me esqueci de dizer sobre o jogo de duplas. Muitas vezes há jogadores que se dão tão bem nesse tipo de modalidade que acabam abandonando as disputas de simples. Foi o que aconteceu, por exemplo, com o Marcelo Melo. Ele se deu melhor nas duplas, optando por abandonar o circuito de simples. E foi nessa nova forma de jogar que ele chegou ao topo do ranking mundial. O jogo de duplas serve para muito jogadores terem viabilidade em outro tipo de circuito. Em nosso esporte, há dois circuitos sendo disputados em paralelo: simples e duplas. E, por isso, há jogadores que só jogam simples, os que optam por só disputar duplas e aqueles que escolhem atuar nos dois.

E aí? Motivado para disputar partidas de duplas e ver o seu desempenho?

PARTE IX
Tênis é relacionamento entre pais, filhos e técnicos

DICA 54

Como os pais devem se comportar para não atrapalhar os filhos atletas?

É muito legal ter um filho esportista. Os pais podem acompanhar jogos, participar da evolução da carreira e ver de perto as conquistas da sua cria. Recordo, emocionado, dos meus pais na arquibancada, comemorando minhas mais importantes vitórias. Como era bom tê-los ali ao meu lado! Ao mesmo tempo, é uma responsabilidade muito grande educar um filho no meio esportivo. Afinal, antes de ser um tenista, aquele atleta é seu filho e precisa ser muito bem educado. O papel dos pais na formação do indivíduo, do atleta e do futuro campeão é insubstituível. Por isso, vamos falar agora da relação entre pais e filhos dentro do tênis. Saiba que o comportamento dos pais pode ser decisivo para o sucesso ou fracasso de um tenista.

A quadra é um local onde podemos aprender muitas coisas. Costumo dizer que o tênis é uma escola. Os meninos têm a grande oportunidade de amadurecer mais rapidamente, tornando-se independentes. Disputar campeonatos, treinar intensamente e encarar os grandes desafios do esporte são experiências enriquecedoras para o caráter e para o espírito da pessoa.

O maior desafio, contudo, talvez esteja depositado nos pais dos tenistas. O que eles podem fazer? Como devem se comportar? Eles podem assistir às partidas? Podem se meter em um jogo? Muitos pais me procuram com essas dúvidas. E como não há um manual de como ser pai, e muito menos de como ser pai de jogador, gosto de dar minha opinião sobre esses temas. Esta dica é para vocês, pais e mães, sobre como vocês devem se comportar.

Em primeiro lugar, acredito que dentro de uma quadra todas as decisões devem ser tomadas pelo tenista, independentemente da idade dele. É desde cedo que formamos os campeões. Por isso, os pais não podem se meter em nada a respeito da disputa e do jogo dos filhos. Dentro da quadra, o espaço de atuação é totalmente do menino e da menina. A quadra é um lugar sagrado e devemos respeitar isso. Ali a garotada aprenderá, poderá se expressar e resolverá seus problemas. É na quadra que eles mostrarão suas reais personalidades: tímido, agressivo, combativo, se gosta de ludibriar o adversário ou se baixa a cabeça no primeiro sinal de dificuldade.

Quando vejo um pai se intrometendo no jogo, interrompendo uma partida para reclamar de algo ou querendo apitar, lamento o quanto aquele indivíduo está atrapalhando a formação de seu filho. Quando o menino começa a olhar muito para o pai, que está fora da quadra, algo está errado. Infelizmente, muita gente perde a maravilhosa oportunidade que o tênis oferece de promover ensinamentos para a garotada. E, na maioria das vezes, a culpa é dos pais, que não se comportam adequadamente e não compreendem seus limites.

Devemos deixar o menino, não importa se tem 8 ou 30 anos de idade, defender-se sozinho. Na vida, querendo ou não, nossos filhos precisarão aprender a se virar sem a nossa ajuda. Não podemos estar na cola deles o tempo todo. Por isso, pais intrometidos acabam tirando a possibilidade de desenvolvimento e de amadurecimento de seus filhos. É uma pena!

A vitória ou a derrota em um jogo, se é nisso que você está pensando, tornam-se aspectos secundários diante da importância da educação do jovem tenista. Mais importante do que a vitória é você ter um filho que saiba lutar pelos objetivos dele, sejam eles quais forem. O pai, do lado de fora da quadra, tem de incentivar. Tem de ir ao jogo, bater palmas, incentivar mesmo: "'Boa, filhão. Vamos, filhona. É isso aí! Tudo bem, não tem importância. Vamos para a próxima bola". E acaba aqui. Ele deve ser apenas um torcedor, como qualquer outro. "Mas, pai, você viu aquela bola? Foi dentro ou foi para fora?". "Não vi, não sei de nada. Se vira!". "Mas pai...". "Vá lá e discuta com o seu adversário. Converse com ele e chame o juiz se for necessário. Resolva por você mesmo!"

O pai e a mãe, cientes do seu verdadeiro papel, deixam seu filho tomar a dianteira e resolver todos os problemas em quadra. Não são os pais que de-

TÊNIS É RELACIONAMENTO ENTRE PAIS, FILHOS E TÉCNICOS

vem entrar em quadra e dizer o que precisa ser feito. Não são os pais que têm de se meter nos aspectos do jogo. Até quando o garotão de 14 ou 16 anos ficará pedindo: "Ah, pai, ajuda lá com a professora porque a minha nota não está boa" ou "Mãe, briguei com a minha namorada, vá lá e converse com ela por mim". Não! Bons pais precisam compreender que é necessário dar espaço para seu filho se expressar e evoluir, especialmente em quadra.

Se você está indo pela primeira vez a um campeonato, vá para curtir e para sofrer. Divirta-se com as vitórias do seu filho. Desespere-se com as derrotas dele. Aconteça o que acontecer, saiba que os resultados das partidas não dependem de você e, sim, do seu filho. É ele quem está no controle da situação. Se você quiser ensinar algo, espere o jogo terminar para conversar com calma. Você não ensinará nada de positivo durante a partida. Quando acabar o jogo, você terá muito tempo para conversar com ele, fazendo um diagnóstico de todos os comportamentos: "Olha, naquela situação acho que você deveria ter feito isso. Naquela outra, você poderia ter agido de outra maneira". E esse é o ensinamento para a vida e não apenas para o jogo.

Na hora da partida, vamos deixá-los jogar por conta própria. "Mas ela já foi roubada dez vezes" ou "Ele tem apenas 8 anos, não consegue se defender sozinho ainda". Então reavalie se vale a pena deixá-los jogar um campeonato. Talvez seus filhos ainda não tenham a maturidade suficiente para encarar os desafios de um torneio. Não existe idade certa para um tenista começar a participar de campeonatos. Cada caso precisa ser avaliado pelo técnico ou pelo professor do tenista.

Outro ponto que precisamos discutir é se o pai deve ou não interferir no estilo de jogo e na tática do seu filho. Minha resposta é não. Não! Esse papel deve ser desempenhado pelo técnico dele, não por você. Qualquer comentário seu a esse respeito pode representar um desrespeito ao profissional contratado para auxiliar seu filho na parte técnica. Deixe o treinador trabalhar em paz. "Mas ele não está falando nada", o pai pode reclamar em um cenário adverso ou durante um placar desfavorável. Deve haver algum motivo para isso. Se vocês, pais e filho, não estão felizes com o técnico, então cabe ao pai trocar de treinador, mas nunca se meter na relação entre jogador e treinador. Se você deseja atuar como técnico, então vire um oficialmente. Assim sendo, você terá de ir a todos os treinos, não apenas aos jogos.

Outra coisa que vejo muitos pais fazendo de errado é carregar a bolsa do filho. Não faça isso! Jamais pegue as raquetes e os materiais de trabalho dele. O responsável por carregar a bolsa é o próprio tenista. Você, por um acaso, já viu alguém levar o material do Roger Federer para a quadra? Ou da Serena

Williams? É claro que não! "Coitado, ele está tão cansado" ou "Ela está com cãibras", podem alegar alguns pais. Você só vai pegar a bolsa do seu filho se ele sair de maca da quadra. Se ele não sair de maca ou de cadeira de rodas, não o ajude. Se pensarmos bem, até mesmo de cadeira de rodas dá para colocar a bolsa em cima da perna... As raquetes e a bolsa do tenista são dele. "Mas ela é muito pesada". Então providencie uma mais leve para ele. Quem manda na bolsa e nas raquetes é o garoto e a menina, não seus pais. "Mas ele se esqueceu de pegar". Deixe esquecer. Vai ser um prejuízo de curto prazo que será revertido em um importante ensinamento para ele a médio e longo prazos.

Outra questão importante: o jogo acabou, seu filho fez um monte de besteira em quadra, perdeu o jogo, bateu raquete... O que você faz? Muitos pais gostam de entrar na quadra e dar um "paga geral". Eles dão uma senhora bronca na frente de todo mundo. Você acha essa atitude legal? Eu não acho. Curiosamente, alguns pais acham que com esse comportamento estão sendo participativos e exercendo seu papel de educar o jovem ou a criança. Nada mais equivocado. Dar broncas nos tenistas diante de todos é muito mais prejudicial do que benéfico. O circuito de tênis é muito restrito. Todos os pais e garotos se conhecem e seu filho rapidamente vai virar alvo da chacota coletiva. É óbvio que, às vezes, precisamos puxar a orelha dos nossos filhos. Ficamos bravos, mas devemos evitar a todo custo fazer isso em qualquer lugar. Dá muito bem para levá-los para um lugar mais reservado e conversar em particular com eles. O contrário só vai prejudicá-los dentro de uma quadra de tênis e do próprio circuito.

E, para terminar, depois de tantos "nãos" que tenho de falar para os pais, alguns vêm timidamente para mim e perguntam-me se devem assistir aos jogos. Pai pode vibrar? Pai tem de bater palmas? Sim, sim e sim! Tem de participar? Sim! Tem de curtir aquele momento? Sim.

E seu filho tem de aproveitar esse momento também, entendendo que não é feio ter os pais ao lado, assistindo às suas partidas e comemorando suas conquistas. Não é feio você, como pai e mãe, participar ativamente. Mas não cometa os erros que acabei de citar. Participe! Brinque! Curta ao máximo porque é maravilhoso ter um filho ou uma filha disputando torneios juvenis ou atuando como profissional.

Nunca se esqueça disso: o tênis permite ao tenista um grande aprendizado. Ele é uma grande escola. Aprende-se muito dentro das quadras. Por isso, não prejudique seu filho. Coloque-se no seu papel de pai-torcedor e não se meta onde não deve.

DICA 55

Quem é o protagonista da história: o pai ou o filho?

Esta dica vai ser interessante para os pais que gostam de ajudar ao máximo seu filho no esporte e transformaram-se nos últimos tempos nos "faz--tudo" do jovem tenista. Você é do tipo de mãe que carrega a bolsa do filho depois do jogo? Você é aquele pai que leva a raquete da menina para encordoar? Você compra a água ou o isotônico do jogador para ele não ficar desidratado? Costuma discutir com os árbitros quando seu filho ou sua filha foram prejudicados? Discute com o treinador quando seu garoto perde um jogo? Tudo o que o jovem tenista precisa no circuito juvenil de tênis, você faz! Afinal, o coitadinho do seu filho ou a pobrezinha da sua filha só tem 12, 14 ou 16 anos. Eles são ainda crianças indefesas e despreparadas para a vida.

  Desculpe-me, mas não concordo com nada disso. O tênis, como estou cansado de afirmar, oferece oportunidades para seu filho aprender importantes lições. A meninada tem a chance, desde cedo, de lutar pelas suas conquistas e de ser protagonistas de suas vidas. E como eles começam a batalhar pelo que desejam? Entendendo que estão na linha de frente de uma empresa e que são os principais responsáveis pelos resultados alcançados. Sei e entendo (também sou pai) que você quer o melhor para seu filho e que deseja que ele sofra o menos possível. Mas você acha mesmo que o menino vai sofrer por carregar uma bolsa depois de um jogo de três sets? Acho que não. Você acha que está facilitando a vida da menina levando a raquete dela para encordoar? Não concordo. Muitos tenistas não sabem quantas libras usam na raquete porque jamais foram encordoar seu equipamento de trabalho. Que ajuda foi essa?

Se você acha que sua participação em todos os probleminhas que o jovem tenista tiver no circuito vai ajudá-lo, preciso informar que é exatamente o contrário. Você acaba prejudicando o desenvolvimento do esportista e atrapalhando o amadurecimento dele dentro da quadra. E aí, na hora em que eles estiverem decidindo o jogo, naquele 4 a 4, no 40/40, vão sentir vontade de ter o papai e a mamãe por perto para resolver a jogada. Quanto mais você der liberdade e autonomia para o jogador no circuito juvenil, mais ele se sentirá confiante e preparado para resolver os problemas dentro da quadra (e fora dela também).

É óbvio que você deve levar seu filho para encordoar a raquete. Mas ele é quem deve entrar na loja e pedir a libragem. "Ah, ele pode errar!". Sim, ele pode errar. Mas erra uma vez só. Vai dar prejuízo em apenas uma corda. Depois disso, aprende, e na segunda vez já sabe. Ele descobrirá quantas libras a raquete dele tem e como faz para prepará-la. O mesmo se aplica, por exemplo, à mala de viagem. Quem prepara a bagagem do jovem tenista quando ele tem de viajar para algum torneio? Se forem os pais, infelizmente, estão tirando um importante ensinamento dos seus filhos. Você pode até conferir depois se ele fez direito e se não se esqueceu de nada. No começo, você deve orientá-lo. Mas quem faz a mala é ele, não você.

"Ah, Fernando, você está sendo muito duro conosco, os pais. Você quer que nós maltratemos nossos filhos, é isso?". Não quero ninguém maltratando os filhos, pelo contrário. Acho que quem deseja educar realmente a criança precisa prepará-la para a vida em vez de ficar paparicando-a o tempo inteiro. O tênis não é um esporte para educarmos os nossos filhos? A quadra não é um lugar sagrado, uma escola para a garotada? Vamos usar esta ferramenta de ensino em sua totalidade. O mais importante não é o resultado final da partida e do torneio. O objetivo principal não é transformar meninos e meninas em futuros campeões. O mais importante, para os pais, é preparar os filhos para encararem as adversidades da vida e torná-los fortes e preparados para buscar com suas próprias pernas e méritos os sonhos deles.

Isso não quer dizer que devemos virar a costas para os nossos filhos e deixá-los largados na vida. O que estou dizendo é que devemos ensiná-los a se tornar a cada dia mais independentes e senhores de si. Sei que muitos pais têm essa dificuldade. Não estou aqui para ensinar ninguém a ser pai ou mãe. Meu papel aqui, como autor deste livro, é informar aos interessados o que mais ajuda e o que mais atrapalha o tenista na hora de desempenhar o seu jogo dentro da qua-

TÊNIS É RELACIONAMENTO ENTRE PAIS, FILHOS E TÉCNICOS

dra. E afirmo categoricamente: pais superprotetores e envolvidos excessivamente na vida esportiva do filho mais atrapalham do que ajudam no desenvolvimento esportivo dos garotos.

Saia um pouquinho de cena e deixe seu filho ser o verdadeiro protagonista desta história. Não queira nunca ser você o ator principal do filme das suas crianças. Isso é uma coisa muito importante no amadurecimento e no fortalecimento da relação entre pais e jogadores de tênis. O protagonista não é o técnico, não é o preparador físico nem o pai e a mãe. O protagonista é o filho. Você pode ter o maior orgulho dele, mas quem precisa traçar o próprio caminho é ele. Vocês, pais, apenas ajudem. Ou melhor, não atrapalhem! Porque, muitas vezes, a vontade de ajudar passa dos limites e acaba prejudicando.

Pense nisso. Você é do tipo de pai que realmente ajuda a carreira do seu garoto e da sua garota ou é daqueles que, no fim das contas, acaba mais atrapalhando do que contribuindo positivamente? Pense bastante a esse respeito e avalie suas atitudes. O futuro do seu filho em quadra depende disso.

DICA 56

De onde vem a grande pressão que se sente?

Quem já pegou uma raquete alguma vez na vida vai entender o que vamos comentar aqui. A pressão que sentimos ao disputar uma partida pode chegar a níveis absurdos. Essa sensação é indiferente à idade, à importância da competição, à qualidade técnica do adversário e ao profissionalismo do jogador. Todos nós estamos sujeitos a sofrer as consequências de atuar com altas doses de pressão. Há determinados momentos de uma partida que nossa cabeça parece "entrar em parafuso" e sentimos um medo gigantesco de falhar. Invariavelmente, quanto mais pressionados estamos, pior atuamos.

A pressão que sentimos pode vir da responsabilidade de se jogar um grande jogo, da importância da competição disputada, da vontade de se vencer uma pessoa para qual não queremos perder, da qualidade elevada do nosso adversário ou de outros motivos fora da quadra. Dependendo do nível de jogo, você vai sentir a pressão a partir do momento em que pisar na quadra ou quando entrar no vestiário no pré-jogo. É uma coisa de louco!

A primeira dica para lidar com a pressão é tentar minimizá-la de alguma maneira. O ideal é voltarmos ao estado de serenidade e tranquilidade ao qual estamos habituados. Se não conseguirmos nos acalmar totalmente, devemos pelo menos diminuir o grau de tensão. Quando estamos muito nervosos, nossa mente desperta automaticamente os pensamentos negativos.

TÊNIS É RELACIONAMENTO ENTRE PAIS, FILHOS E TÉCNICOS

Sabe aquela bola que você sempre coloca em jogo com facilidade e sabe que vai acertar? Nessa hora, você começa a duvidar até dela. "Será que consigo?". A sua direita, tão elogiada por todos e temida pelos adversários, começa a não sair da mesma maneira. "O que está acontecendo comigo?". Os nossos pontos fracos viram um grande pesadelo. Se saca mal, sua autoestima despenca e você começa a fazer duplas faltas em sequência. Se tem uma esquerda ruim, ela passa a não entrar mesmo. Os erros não forçados passam a se acumular. "Meu Deus, por que estou jogando tão mal?". Diante de tantos erros, o desespero só aumenta.

Como se faz, afinal, para diminuir a pressão que sentimos em determinados jogos e em momentos específicos da partida? Saber que precisamos nos acalmar é um tanto óbvio. O difícil é encontrar a maneira certa para fazer isso. Talvez não consigamos eliminar totalmente a pressão. Afinal, ela sempre vai existir e vai aparecer dentro de todos os jogadores e em vários instantes de grandes partidas. Existem momentos que conseguimos lidar melhor com ela e em outros acabamos vencidos.

Gosto muito de uma analogia que ouvi certa vez do meu pai quando ainda atuava no juvenil. Ele comparou a pressão que sentimos durante os jogos à conversa de dois menininhos que aparecem em nosso ombro nos momentos decisivos das partidas. Um é azul, tem asas e auréola, cara de anjinho, é bonzinho e fala frases positivas. O outro é vermelho, tem chifres e rabinho, cara de diabinho, é mau e fala frases negativas. Nos momentos estressantes, os dois começam a conversar ao mesmo tempo com a gente. O primeiro fala para nos concentrarmos na partida, que temos capacidade de ganhar o jogo e obriga-nos a pensar no ponto a ponto. O outro, por outro lado, questiona, coloca dúvidas sobre nossa capacidade e joga os pensamentos para longe da quadra.

A pressão exercida pelo diabinho é prejudicial. Ela nos coloca para baixo e atrapalha sensivelmente a qualidade do nosso jogo. É essa que devemos tentar eliminar ou diminuir. Já a exercida pelo anjinho que fica no nosso ombro deve ser incentivada e promovida. Ela é benéfica e ajuda-nos dentro da partida. Essa não pode morrer jamais, pois é o que nos colocará para cima e nos motivará a buscarmos a vitória.

A primeira coisa que o tenista faz quando começa a sentir muita pressão negativa é parar de mexer as pernas. Automaticamente, quando estamos com muito medo (medo de errar, de perder e de imaginar o que pode acontecer conosco) e quando estamos muito ansiosos (para provar a nós mesmo ou aos outros a nossa capacidade de vencer, de conquistar um título e de embolsarmos a premiação), nossas pernas simplesmente travam. É uma reação natural do organismo. A segunda reação é olharmos um pouquinho mais para baixo do que o normal.

Precisamos identificar o problema antes de qualquer coisa. "Estou com medo", "Estou ansioso" e "Sinto um peso enorme nas costas" são reconhecimentos por parte do tenista que devem ser feitos para ele mesmo. A partida daí, devemos agir no lado físico e mental da questão.

O aspecto físico mais evidente é a nossa perna, certo? Então vamos movimentá-la mais intensamente. Mexa as pernas freneticamente para espantar os pensamentos do menininho vermelho. Automaticamente, no momento em que movimentamos as pernas, passamos a pensar no que devemos fazer no próximo ponto. Assim voltamos a agir racionalmente e de modo produtivo. Com a lucidez recobrada, retomamos a normalidade do nosso jogo. Também devemos levantar a cabeça e encarar nosso adversário com um olhar confiante. Não devemos transparecer qualquer sinal de dúvida ou de medo para ele. Se ele desconfiar das nossas fraquezas e debilidades psicológicas, ele se sentirá ainda mais confiante e vai se tornar um oponente ainda mais difícil de ser batido.

Outra questão física relevante é a respiração. Nos momentos de angústia e de pressão, precisamos respirar adequadamente. Normalmente, ficamos muito ofegantes na hora de sacar. O esforço extra do nosso corpo para buscar o oxigênio acaba atrapalhando os demais movimentos. Quantas vezes não vamos sacar no 30/30 e ficamos ofegantes. Calma! Não temos vinte e cinco segundos para sacar? Aproveite bem esse tempo para se tranquilizar. Se estamos jogando tênis amador, temos ainda mais tempo, pois não há juiz mediando o jogo.

Respire fundo! Pense. Obrigue-se a pensar no que você tem de fazer. Não jogue no automático quando você está com muita pressão nas costas, pois estará totalmente travado, tanto nas pernas quanto na cabeça. Quando ficamos ofegantes, temos dificuldades motoras e de raciocínio. Dê dois ou três pulinhos antes de sacar. Dê três, quatro, cinco pulinhos antes de devolver. Mexa-se bastante na hora que você sentir muita pressão no corpo. E, em especial, respire. Esforce-se para recobrar sua respiração normal. Tente chegar a 110 e 120 de pulsação. Você vai conseguir voltar a pensar e a ter o controle total sobre o seu corpo.

Agora vamos encarar o aspecto mental da pressão. Precisamos compreender que aquela não será a última partida de nossas vidas. Também não será a pior derrota de nossas carreiras, se ela vier a se concretizar. Além disso, não será o momento mais desesperador que viveremos. Se entendermos isso e encararmos a realidade de uma perspectiva mais pragmática, naturalmente nos sentiremos um pouco mais tranquilos.

O jogo em que me senti mais pressionado em minha carreira foi durante a disputa pela medalha de bronze nos Jogos Olímpicos de Atlanta, em 1996.

TÊNIS É RELACIONAMENTO ENTRE PAIS, FILHOS E TÉCNICOS

Cheguei à semifinal como um franco atirador. Não era favorito e fui avançando, avançando e avançando. Assim, não senti pressão alguma. O que conseguisse era lucro. Isso até perder a semifinal para o espanhol Sergi Bruguera. O meu adversário na disputa pelo bronze era o indiano Leander Paes. Ali senti toda a pressão do mundo. Estava a uma partida de ganhar uma medalha olímpica pelo meu país. Uma medalha olímpica! Aquele não era qualquer jogo.

Infelizmente, perdi a partida para os meus próprios demônios mentais. Eles apareceram dentro da minha cabeça e dominaram-me completamente. Não consegui ser o Fernando de antes, que estava tão bem na competição. Pensei demais, sofri muito e joguei muito abaixo do que vinha jogando. Sentia que o meu jogo e o meu corpo não fluíam. Não me senti leve. Parecia que estava pesando uns duzentos quilos dentro da quadra. Com a vitória fugindo das minhas mãos, entendi que era a minha cabeça quem estava me derrotando, não o Leander. Ela me venceu aquele dia. Eles (minha cabeça e meu adversário) me derrotaram.

Em alguns momentos, é necessário ouvir um pouco mais o menininho azul, deixando de lado o vermelho. No instante do saque, por exemplo, você precisa pensar: "Beleza, estou morrendo de medo, mas o que eu tenho de fazer mesmo? Ah, tenho de colocar o primeiro saque na quadra. Sou um jogador agressivo e gosto de sacar muito forte. Será que com toda essa pressão vou conseguir meter a mão a duzentos quilômetros por hora e acertar o saque? Não seria melhor colocar o saque lá, de maneira mais conservadora, e fazer o meu adversário jogar?". Repare que, apesar do nervosismo, você está raciocinando e criando estratégias para o seu jogo. A pressão ainda está lá, mas ela não está provocando uma pane na sua cabeça. O menininho azul está sendo ouvido e conversando com você. A voz dele é mais forte e alta do que a do menininho vermelho.

Outra questão para refletirmos é sobre o que está acontecendo no outro lado da quadra. Você já parou para pensar em como seu adversário está sentindo? Na hora do 4 a 4 e do 40/40, o que será que está passando na cabeça do outro jogador? Com certeza, ele também está pressionado e sentindo medo. Vamos aproveitar o nervosismo dele, mandar a bola para o nosso adversário e ver se ele vai errar. Tudo o que ele quer é que arrisquemos e erremos. Por isso, o mais acertado é jogar a responsabilidade para ele. Devolvemos a bola para o outro lado da quadra e esperamos o que vai acontecer. Em muitas oportunidades, nosso adversário está mais nervoso e mais desesperado do que a gente, errando lances e nos dando pontos de graça. Precisamos aproveitar a vulnerabilidade dele.

A nossa cabeça joga muito a favor, mas também pode jogar muito contra. Muitas besteiras invadem nossa mente nas horas mais impróprias. "Vou perder.

Não vou conseguir! Vou errar. Depois vão falar isso e aquilo de mim...". Você vai dar ouvidos ao diabinho nos momentos decisivos do jogo? Se é para prestar atenção em alguém, que seja no anjinho!

Pense no que você tem de fazer. Concentre-se no próximo ponto. Calcule aonde você mandará a bola. Seja perspicaz em avaliar no que seu adversário apresenta mais dificuldades e mande a bola lá. Nos momentos importantes, explore o lado ruim dele. Fuja dos golpes que você tem mais dificuldade em realizar e abuse da fraqueza do seu oponente. Se você tem uma esquerda ruim, por que vai jogar na direita do seu adversário, se ele vai jogar na cruzada? Jogue na esquerda dele para forçá-lo a jogar no seu ponto forte.

É importante controlar o ponto. Para isso, você precisa estar lúcido e controlando todos os movimentos do seu corpo. A partir daí, você tem muito mais chance de sair dos momentos difíceis da partida em vantagem.

Tente executar essas dicas nos seus próximos jogos. Pratique regularmente o lado mental. Uma partida de tênis não é ganha apenas pelos aspetos físico e técnico. Ela também exige as habilidades psicológicas dos jogadores. Vire um especialista em controlar suas emoções. Você verá que seu jogo vai evoluir muito quando conseguir administrar a pressão que surge nas horas decisivas das partidas.

DICA 57

Qual o nível aceitável de pressão imposto à meninada?

Muita gente me pergunta qual é a idade certa para colocar o filho para praticar tênis. A iniciação do tenista no esporte traz muitas dúvidas aos pais e aos responsáveis pela garotada. Qual a pressão que devemos impor aos nossos filhos? Quanto tempo a criança deve treinar? Que rotina de atividades devemos impor aos jovens jogadores? Acho essa discussão importantíssima e sempre atual. Todo dia deparo-me com pais desesperados com essas questões e, em especial, tomando decisões erradas, que acabam prejudicando os filhos.

Muita gente fica impressionada vendo os supercampeões do tênis na televisão e nas grandes competições e acha que pode transformar os filhos nos novos ídolos do esporte. A meta é que eles sejam como Gustavo Kuerten, Roger Federer, Novak Djokovic, Serena Williams ou Maria Sharapova. Nada menos do que isso é aceitável. Acaba-se colocando a criança o mais precocemente possível dentro de uma quadra de tênis para treinar e competir. Até que ponto isso é aceitável e correto? Estamos correndo o risco, ao tomarmos certas decisões, de prejudicar a relação do menino e da menina com o tênis?

Gostaria de começar o debate sobre esse tema explicando que comecei a jogar tênis com 8 anos de idade em uma escolinha. Acho essa uma maneira muito legal de se iniciar na prática do esporte. Não vejo necessidade de colocar a criança de 6, 7 ou 8 anos de idade para fazer aulas individuais. Nessa fase, não devemos olhar o tênis por um lado profissional. O tênis tem de ser encarado como uma atividade lúdica, em que o menino e a menina aprenderão algo se divertindo. Tudo não pode passar de uma grande brincadeira. A raquete deve ser pequena e a bola deve ser de espuma, para facilitar os movimentos. A criança deve jogar quando e na hora que ela desejar, não no momento e na intensidade que seus pais quiserem.

Por ser uma grande brincadeira, não há uma quantidade de tempo ideal para se praticar tênis com 8, 9 ou 10 anos de idade. Costumo dizer que o período a ser dedicado ao esporte depende mais da vontade e do gosto da criança do que da imposição dos pais. É óbvio que a gente vê por aí uma molecada com 10 anos de idade que está quebrando a bola no meio, treinando e disputando campeonatos como verdadeiros profissionais. Mas vejo esses casos mais como exceções do que como padrão a ser repetido. Chego até a ficar preocupado com essas crianças. Será que elas estão jogando tênis com tanta intensidade porque gostam mesmo do esporte ou pela imposição paterna ou materna?

Quando a garotada começa a jogar muito cedo, muitas vezes acaba enjoando da modalidade ao ficar mais velha. Vários meninos praticam o esporte desde os 8 anos e, ao chegarem aos 18, na fase de largar o juvenil, sentem-se cansados daquela rotina estafante de treinos e jogos. Perdemos, assim, numerosos talentos por causa de uma má dosagem de pressão dos pais nas fases iniciais de formação do esportista.

Outra coisa que me preocupa bastante é a pressão imposta pelos pais aos jovens tenistas. Será que aos 10, 11 ou 12 anos a molecada precisa mesmo ter a obrigação de vencer campeonatos, jogar bem todos os jogos, não cometer erros e ser um grande tenista? Será que não nos esquecemos de que, nessa idade, o tênis é uma brincadeira e não deve ser encarado com o olhar profissional? Será que não esquecemos que antes de serem tenistas-mirins, aquelas crianças dentro da quadra são nossos filhos? Precisamos tratar o tênis com uma iniciação ao esporte e deixar a escolha profissional dos nossos filhos para o futuro. Eles devem escolher o que vão fazer. Se lá pelos 14 ou 15 anos, o jovem estiver jogando bem e desejar enveredar no circuito juvenil, aí podemos ajudá-lo a realizar seus sonhos.

Quando exageramos na dose logo de cara, corremos o risco de a criança criar uma antipatia pela modalidade e, por vezes, estragar nossa relação com ela. Recordo-me do depoimento emocionante do Andre Agassi, um dos principais tenistas do mundo na década de 1990. Ele fala que começou no tênis por imposição do seu pai, que o obrigava a treinar e disputar torneios desde cedo. A infância do Andre foi toda passada em quadra, onde era exigido e cobrado para

TÊNIS É RELACIONAMENTO ENTRE PAIS, FILHOS E TÉCNICOS

ser o melhor. A pressão paterna era gigantesca. Qual o resultado disso? Agassi tornou-se realmente um dos melhores jogadores do mundo. O problema é que jamais jogou tênis por prazer. Ele via o jogo como uma obrigação profissional. Além disso, o estilo impositivo, durão e enérgico do pai atrapalhou a relação entre pai e filho. Os dois nunca se deram bem, apesar de o pai ser o treinador de Andre por quase toda a sua carreira. O tenista comenta que passou a sentir prazer em jogar tênis apenas após a morte do pai, quando não se via mais obrigado a entrar em quadra. Será que é legal fazer isso com nossos filhos? Será que vale a pena transformarmos uma relação de pai e filho em uma relação entre treinador e jogador, como o pai do Andre Agassi fez?

Vejo a obsessão de muitos pais querendo transformar seus filhos em tenistas profissionais em vez de se preocuparem com a educação da criança. A quadra é um lugar sagrado. Dentro dela, a molecada precisa se divertir e ter liberdade para aprender coisas bacanas que só o esporte proporciona aos seus praticantes. Vocês, pais e mães, precisam ter consciência do que é uma quadra de tênis e, em especial, saber que estamos construindo os homens e as mulheres do amanhã. O tênis passa ensinamentos para a vida toda e não pode ser avaliado apenas pelos resultados dos jogos. O menos importante, nesse momento da vida, é o placar dos campeonatos, as vitórias e as derrotas. Não são esses os elementos principais que farão os meninos serem respeitados e adquirirem os valores morais da sua personalidade. Os aprendizados mais relevantes são outros e passam longe do aspecto esportivo do jogo.

Não queira colocar seu filho de dez anos para treinar oito horas por dia porque isso não levará a nada de positivo. Coloque-o para jogar tênis de uma vez a três vezes por semana. Vá aumentando a dose à medida que ele pedir mais. Segure um pouco. Seja precavido. Faça-o jogar futebol também. Deixe-o jogar vôlei, praticar natação, fazer outros esportes, conhecer outras pessoas, brincar... Deixe a criança à vontade para escolher aquilo que prefere praticar. Não veja seu filho como um profissional-mirim, por favor. Quanto mais rápido você quiser queimar etapas, pior será ele, que terá raiva do tênis e poderá nunca mais querer chegar perto de uma quadra.

E não queira se realizar pelos resultados dos jogos dos seus filhos. Não projete seu sucesso no êxito esportivo do seu menino. Nós vamos ser felizes e orgulhosos das nossas crias, independentemente das escolhas profissionais delas. Também sou pai e sei o que estou dizendo. Ficamos felizes com cada conquista dos nossos filhos, mas isso não é justificativa para colocarmos uma pressão grande na garotada, obrigando os pequenos a serem tenistas com 8, 10 ou 12 anos de idade.

"Mas o Nadal treinava duro desde criança...". O Nadal não é referência. O Federer não é um cara que a gente tem de olhar e falar "vou fazer igual a ele". Eles são fenômenos. O exemplo do Andre Agassi não é um caso bem-sucedido de comportamento que deva ser incentivado pelos pais. Pelo contrário, deve ser evitado sempre. Quase cem por cento dos meninos que estão lendo este livro e dos filhos de quem tem este livro não são fenômenos. São simplesmente crianças. Ponha isso na cabeça!

Coloque, sim, seus filhos para treinar. Incentive-os a praticar esse esporte maravilhoso. Faça tudo com prudência. Vá devagar. Priorize a curtição. Ganhar, perder, sentir-se triste por perder e eufórico pela vitória são sentimentos normais. Converse muito com seu filho e não faça cara feia só porque ele perdeu um jogo. Ele é seu filho, antes de qualquer coisa, e está lá tentando dar o melhor em quadra. Eduque! Tênis é educação, não resultado. São poucos os que conseguem chegar ao profissional. E, de repente, seu filho pode ser um desses sortudos. Se isso ocorrer, será por vocação, méritos e vontade dele. O que não pode acontecer é ele ficar bravo com você e jogar na sua cara no resto da vida: "Você me colocou para jogar tênis e agora eu não aguento mais..."

E você, técnico, ajude os pais mais ansiosos e afoitos. Explique para eles a importância da educação dos filhos e a necessidade de encarar o esporte como diversão. Esforce-se para tranquilizá-los. "Ah, já falei uma vez para eles". Fale, então, duas, três, um milhão de vezes, se necessário. Mostre aos pais o quanto eles podem prejudicar a formação de seus filhos se não tiverem a calma necessária para esperar o amadurecimento das crianças.

E joguem tênis! Aqui quem fala é alguém que começou com 8 anos e ama o que faz até hoje. Agradeço sempre aos meus pais por entenderem minhas decisões e terem me apoiado incondicionalmente em todos os momentos da minha vida esportiva. Em vez de me pressionar, eles preferiram me apoiar e me educar. Obrigado! Assim, vale a pena jogar. Quando a curtição se sobressai à obrigação de vencer, a coisa só pode dar certo.

DICA 58

O que os pais devem fazer se o filho resolver parar de jogar?

Este é um assunto delicado para todos os envolvidos. Você já pensou se o seu filho resolver, um dia, parar de jogar tênis? Depois de tantos anos de dedicação, de investimentos e dos esforços de toda a família, o tenista resolve, de repente, abdicar da carreira quando chega ao profissional ou mesmo ainda na fase de juvenil. Numerosos pais passam por esse momento complicado.

Conheço muitas histórias de jogadores com 15, 16, 17 anos que cogitam ou decidiram parar de jogar tênis. As dúvidas dos atletas juvenis em seguir ou não com o esporte provocam grande rebuliço dentro de suas casas. Os pais se questionam: "Como assim parar depois de tanto tempo jogando e se preparando para a profissionalização? Por que isso agora? O que será da vida desse garoto ou dessa garota?". Então o que fazer nessa hora?

Em primeiro lugar, precisamos entender os motivos das dúvidas (no caso de o jogador estar cogitando parar) ou da decisão do tenista (no caso da escolha pelo abandono do esporte já ter sido tomada). Há várias razões para isso: ele pode estar frustrado com as recentes derrotas, pode estar infeliz por não conseguir apresentar um desempenho satisfatório dentro de quadra, pode ter descoberto que não gosta tanto assim de jogar tênis e do cotidiano do esporte ou pode estar simplesmente fugindo das responsabilidades inerentes a jogar em alto nível e profissionalizar-se. Ou seja, a primeira medida a ser tomada pelos pais é entender o que está acontecendo na cabeça dos seus filhos.

De certa maneira é até normal esse sentimento de decepção com a prática esportiva e os questionamentos sobre se vale a pena ou não parar. Admito que passei por isso várias vezes ao longo da fase de juvenil e até na época de profissional. Não vou mentir para ninguém: pensei várias vezes em parar de jogar. E, em todos esses momentos, conversei com os meus pais. Apesar de nunca ter formado a decisão a respeito de largar o esporte, tinha muitas dúvidas. Frustração pelas derrotas, decepção por não me sentir tão bem em quadra e incerteza se os esforços valiam realmente a pena me fizeram repensar vontades e questionar sonhos e ambição.

O mais importante nesse momento é o diálogo franco e sincero com a garotada. Precisamos descobrir o ponto de vista deles. Por que querem parar? Qual a razão principal para as dúvidas e incertezas? Tão importante quanto se ouvir o que eles têm a dizer é pais e treinadores encararem os jovens tenistas pelo que eles realmente são: crianças, adolescentes ou simplesmente jovens entrando na vida adulta. Essas fases da vida são normalmente recheadas de incertezas. Por que nossos filhos e nossos pupilos não podem vivenciar essa etapa de questionamentos? Precisamos parar de achar que eles já são profissionais do tênis, imunes aos erros e isentos de medo. Ele e ela, como quaisquer adolescentes, como você e eu já fomos, têm o direito a ter suas dúvidas e têm o direito de traçar os caminhos das próprias vidas.

Vamos ser sinceros: a vida é muito mais do que jogar tênis. Há várias outras atividades legais, que nossos filhos podem optar por fazer, além de ficar dentro de uma quadra treinado diariamente e disputando campeonatos pelo país ou pelo planeta. Sair à noite também é legal. Curtir a família em casa aos finais de semana também é divertido. Encontrar os amigos e viajar também é bastante prazeroso. Por isso, precisamos colocar na mesa os prós e os contras da decisão que eles vão tomar. Muitas vezes a meninada passa a gostar de outras atividades, sonhando com outras profissões. É muito comum os filhos começarem a jogar tênis por forte influência do pai e da mãe e, quando chegam à adolescência, passam a optar por atividades que eles verdadeiramente prezam e não pelas atividades que seus pais gostariam de vê-los seguir.

Será que nossos filhos não jogam tênis por nossa causa? Será que eles não embarcaram nesta prática mais por vontade de nos agradar do que por vontade própria? Tornar-se tenista é o sonho do atleta ou da família? É triste afirmar isso, mas em muitos casos a criança entra em uma modalidade e começa a praticá-la de forma séria por forte influencia familiar. Mas chega certa altura que o investimento

TÊNIS É RELACIONAMENTO ENTRE PAIS, FILHOS E TÉCNICOS

feito e a expectativa criada em torno da carreira esportiva daquele jovem tornam a decisão de abandono um baque para os pais. "Como assim você vai parar? Você está louco! Você não fará uma maldade dessa conosco! Não imaginava o quanto você é um filho ingrato!" é a fala de muitos pais e mães nesse momento.

Vejo muitas crianças jogando exclusivamente por causa da vontade e do sonho dos pais. Além disso, reparo que muitos jovens tenistas fazem com a prática esportiva a alegria de suas famílias, tornando-se o centro daqueles lares. Em alguns casos, passam a ser o principal sustento daquela residência, o que torna a decisão de parar ainda mais difícil. Assim, em vez de praticar o esporte por diversão e sem qualquer responsabilidade, encaram desde cedo a atividade como uma profissão. São exigidos como os profissionais. Isto é um absurdo! Até os 18 anos, os jovens têm de jogar tênis, futebol, vôlei ou qualquer outro esporte porque gostam e por prazer. Daí a querer ser um profissional do esporte existe um grande passo, que deve estar ancorado exclusivamente no desejo da pessoa. A decisão é unicamente do jovem e não pode ser influenciada por ninguém.

Por isso, fico até feliz quando as crianças conseguem largar essa vida e encontrar aquilo que as deixam verdadeiramente felizes. Como não apoiar essa decisão? Também fico muito contente quando vejo pais e mães apoiando seus filhos na escolha daquilo que deixa os jovens realmente satisfeitos. "Filho, nós vamos apoiá-lo no que você decidir. Qual é o seu sonho? O que você gosta de fazer ou em qual profissão você acredita que vai ser feliz?". Essa é a postura correta dos pais diante das dúvidas dos filhos.

Além disso, precisamos entender que se tornar tenista é uma decisão que afetará a vida dessa pessoa por muitos anos. Ser um esportista profissional é escolher abdicar de um monte de coisas prazerosas que a vida nos proporciona. Será que aquele jovem está interessado em abrir mão disso pelo prazer pela profissão? É isso que os pais precisam mostrar para a garotada. Muitas vezes, os jovens não têm a maturidade para enxergar essa dualidade. Um tenista profissional precisa demais do seu corpo. Ele raramente poderá sair à noite e ir para as baladas, precisará se alimentar direito, não poderá fumar nem tomar bebidas alcoólicas. Ele passará muitos dias, semanas e meses fora de casa, muitas vezes sozinho, viajando pelo mundo sem a presença dos familiares e dos amigos. A competição exigirá incontáveis horas e dias dedicados aos treinos pesados e duros. O jovem está disposto mesmo a jogar tênis? Em alguns casos, o amor pelo esporte não é tão grande assim a ponto de o jovem aceitar uma vida de carências e de exigências brutais.

Vejo a preocupação dos pais que investiram muito dinheiro até a categoria de 15, 16 anos, que é a hora em que o garoto começa a despertar para a vida. O que é esse despertar? É o menino passar a se interessar pelas meninas, a menina passar a se interessar pelos meninos e ambos quererem sair à noite, viajar a lazer, namorar, beber e uma infinidade de práticas corriqueiras da vida adulta. Como proibi-los disso? Como exigir concentração exclusiva no tênis, nos treinos e nos campeonatos, se isso não for o mais importante para eles? Impossível e, de certa maneira, até injusto. São poucos os que querem pagar o preço, e isso é perfeitamente aceitável e natural.

Aí vêm os pais e falam: "Mas para qualquer profissão que eles escolherem precisarão ser competentes e focados. É a mesma coisa!". Mais ou menos. Se os seus filhos decidirem ser dentistas, médicos, administradores, cientistas, publicitários, engenheiros, matemáticos e uma gama extensa de outras profissões, poderão, por exemplo, sair à noite, beber sua cervejinha, comer algumas tranqueiras gostosas e não precisarão viver como nômades o tempo todo, viajando de um lado para outro toda semana. É diferente. Precisarão estudar e aperfeiçoar-se constantemente, mas não adaptarão suas vidas inteiramente para a prática de sua profissão, como fazem os esportistas profissionais. Ser tenista é ter vitória e derrota todo dia, o que machuca muito. Acho normal os jovens cogitarem alternativas fora do circuito profissional. Se você me perguntar se é normal o menino querer parar de jogar tênis com 16 ou 17 anos, respondo: Sim! É perfeitamente normal. Às vezes, acho que escolher ser tenista é que é o anormal da história. Só mesmo os malucos ou aqueles muito apaixonados pelo jogo é que aceitam embarcar nesse tipo de vida.

Outra coisa que os pais precisam mostrar para a meninada é que largar o tênis não é sinônimo de cair na vida sem responsabilidade. Se eles não querem ser tenistas, tudo bem. A partir de agora vão ter de escolher outra profissão para exercer. Terão de se dedicar com muito mais intensidade aos estudos, passar no vestibular e fazer uma boa faculdade. Depois vão começar a trabalhar para ganhar seu dinheiro e para construir sua própria vida. "Eu paro de jogar tênis e vou viver a minha vida como se estivesse em férias eternas". Isso não!

Uma questão que não pode ser esquecida nessa análise toda é saber quão bem o jovem joga. Há muitos garotos e garotas que são mais realistas do que seus pais e percebem logo de cara que não vão conseguir jogar tênis de modo competitivo, em altíssimo nível. Por isso preferem parar antes de se profissionalizar. Às vezes, por pressão externa, acabam postergando essa decisão, o que é pior. Adiam o ingresso na faculdade e param de estudar antes do tempo. E quando chegam aos 20 poucos anos, todos os amigos já estão formados ou próximos de se formar, e eles prestarão vestibular pela primeira vez.

Percebam que não estou levantando a bandeira para todos os jovens tenistas pararem de jogar de uma hora para outra. Não é isso o que estou propondo aqui.

TÊNIS É RELACIONAMENTO ENTRE PAIS, FILHOS E TÉCNICOS

O que estou sugerindo é para os pais conversarem com a garotada quando as dúvidas pintarem na cabeça deles. Minha bandeira é pela conversa, pelo diálogo franco, aberto e honesto. Vamos debater! Vamos conversar melhor e com mais frequência com nossos filhos! E vamos parar, de uma vez por todas, de pressioná-los para escolher a profissão que sonhamos para eles. Muitos pais, achando que estão fazendo o melhor para os filhos, em vez de conversarem, transformam aquele bate-papo em um monólogo em que apenas eles podem falar e que tem como mensagem principal: "Filho, você tem de querer ser um tenista. Você será um campeão. Você é bom pra caramba e não está percebendo isso". Esse não é um diálogo que se enquadra na categoria "franco, aberto e honesto".

O diálogo com os nossos filhos é muito importante e, ao mesmo tempo, muito difícil! Quantas coisas para discutirmos, certo? Você está preparado para esse tipo de conversa? Prepara-se bem, pois ela pode ser necessária bem mais cedo do que você imagina.

DICA 59

Como deve ser o relacionamento entre pais e técnicos?

Muitas vezes a relação mais tensa e difícil não é entre pais e filhos jogadores. Apesar de todos os problemas e das dificuldades em família, como retratamos nas duas últimas dicas, é o relacionamento entre pais e os técnicos da garotada, dependendo da situação, que pode ganhar um caráter ainda mais explosivo. Infelizmente, muitos pais, na ânsia de ajudar, acabam mais atrapalhando o desenvolvimento dos filhos do que contribuindo efetivamente para sua formação.

Você costuma não se dar bem com os treinadores e os professores do seu jovem atleta? A relação é normalmente tensa e baseada no controle diário do que está acontecendo em quadra? Às vezes, você acha que sabe mais de tênis do que os profissionais contratados para orientar seu menino ou sua menina?

Se você respondeu "sim" a pelo menos uma das perguntas anteriores, saiba que você não pode interromper a leitura deste capítulo de jeito nenhum. Leia atentamente e reflita do ponto de vista que vou mostrar aqui. Se você respondeu "sim" a mais de uma das questões do parágrafo acima, ou a todas elas, recomendo a você, além de ler algumas vezes estas páginas, refletir bastante sobre sua postura e seus comportamentos.

A primeira coisa que gostaria de dizer aos pais sobre a relação deles com os técnicos é: deixem os treinadores trabalharem em paz! A quantidade de pais de

TÊNIS É RELACIONAMENTO ENTRE PAIS, FILHOS E TÉCNICOS

tenistas que gostam de se meter nos trabalhos diários dos técnicos, seja controlando o que está acontecendo diariamente em quadra, com dicas e orientações táticas e técnicas ou querendo aprovar aquilo que os profissionais passam para a garotada, é assustadora.

Costumo dizer a esses pais: "Você não contratou o treinador para fazer o trabalho de orientação do seu menino? Pois bem, deixe-o trabalhar!". Se você se julga mais capacitado do que ele e acredita entender mais de tênis, algo que na maior parte das vezes não é verdade, assuma a função de técnico você mesmo. Aí você terá de estar diariamente com o jogador, por várias horas, trabalhando em quadra e disponível para viagens. Você tem esse tempo e essa disposição? Não tem? Continue, portanto, com o treinador selecionado. E deixe a pessoa trabalhar.

A opção de escolher um técnico ou um professor é dos pais e do tenista. A partir do instante que vocês se decidiram pelo tipo de profissional que ficará responsável pelos aspectos táticos e técnicos do jogo, todos os envolvidos precisam confiar na parceria estabelecida. Você continuará sendo, por toda a vida, o pai ou a mãe daquele garoto. A educação dele é um processo longo e contínuo, e você deverá seguir atento aos ensinamentos que ele precisa receber. Dentro da quadra, no entanto, quem passará a orientá-lo é o professor ou o treinador dele. Tire seu time de campo a respeito disso. Quanto mais você se meter no que estiver acontecendo em quadra, maiores serão os problemas com os seus filhos e com os treinadores. Aí, em vez de ajudar, você estará atrapalhado.

Se você escolheu um profissional bom e sério para ocupar a vaga de treinador do seu menino ou da sua menina, confie nele. Se você é do tipo que contrata um técnico, mas quer mandar nele o tempo inteiro, controlando tudo o que ele faz e dando palpites em cada ação, desculpe a franqueza, mas há algo muito errado com você.

Quando estamos no nosso escritório, na nossa empresa, não gostamos que ninguém de fora fique se metendo no nosso trabalho, certo? Já imaginou alguém controlando o tempo inteiro o que você faz e questionando cada decisão que você toma, das mais triviais até as mais importantes? E o que dizer da pessoa que entra na nossa sala e senta-se ao nosso lado, observando o tempo todo o que estamos fazendo? Ela avalia se estamos fazendo bem, se estamos fazendo mal e fica sugerindo o que devemos fazer. Você certamente não gostará disso e se sentirá incomodado, certo?

O mesmo acontece com o treinador. Se você invadir o espaço dele e interferir nos seus métodos de trabalho, ele se sentirá incomodado e profundamente ofendido. Por isso, saiba que há regras que precisam ser cumpridas por todos. O treinador tem suas responsabilidades e certo grau de atuação. Os pais, por sua vez, têm outras responsabilidades e outro nível de atuação. É importante saber até aonde cada um pode ir para não haver conflitos e choques de opiniões.

Quais as responsabilidades dos pais? Até aonde eles podem ir? Eu diria que os pais têm de participar da educação dos tenistas, orientando-os para as coisas da vida e para os problemas cotidianos. Eles devem dar estabilidade emocional aos filhos, conversando sobre as decisões que a garotada toma ou vai tomar. A preocupação aqui é a felicidade dos filhos e a construção do caráter deles. Além disso, os pais precisam transmitir confiança. Eles devem passar a mão na cabeça da meninada quando for hora e precisam ser duros quando for necessário.

E qual o lado do treinador? Quais as atribuições desse profissional? Tudo aquilo de estiver envolvido com a quadra de tênis é responsabilidade do técnico: a parte tática do jogo, a técnica do tenista, escolha dos torneios para disputar, exercícios dos treinamentos e o desenvolvimento da maturidade psicológica do atleta durante as partidas. Ou seja, tudo o que envolver aquilo que acontece dentro da quadra é obrigação do treinador trabalhar.

O pai não deve se intrometer na área de atuação do outro. Você conhece pais e mães que vão para a sala de aula da escola ou da faculdade do filho para questionar os professores sobre a melhor maneira de ensinar determinado assunto? Você imagina um pai invadindo um hospital para orientar o médico sobre como ele deve tratar os pacientes? Você é a favor de uma mãe entrar em uma multinacional para auxiliar o filho, que trabalha ali, a fazer uma planilha corretamente ou para questionar as ordens passadas pelo chefe dele? Se esses exemplos parecem absurdos, por que não encarar a entrada do pai na quadra, seja durante um treino ou durante um jogo, como uma atitude descabida? O absurdo é igual!

A invasão de um no âmbito do trabalho do outro é a raiz dos principais problemas de relacionamento entre técnico e pais. Os pais pensam: "Preciso participar mais da vida do meu filho. Vou ajudá-los se der orientação na quadra. Consigo enxergar erros dos técnicos e vou corrigi-los, informando diretamente os tenistas. Não há mal nisso". Não! Não é assim que as coisas devem funcionar. Se preocupe, sim, com o seu filho. Veja se ele está sendo bem treinado e se está sendo bem tratado dentro da academia. O que acontece dentro da quadra não é preocupação sua. Se você se meter nesses assuntos, de certa maneira, você está dando o direito ao treinador de invadir sua residência e intrometer-se nos assuntos da família. Ele, por acaso, abre a porta da sua casa, senta-se à mesa para partilhar as refeições com vocês e se mete em todos os assuntos familiares, desautorizando as decisões tomadas pelo pai e pela mãe e mudando o que vocês disseram para os seus filhos? Provavelmente você se sentiria incomodado

TÊNIS É RELACIONAMENTO ENTRE PAIS, FILHOS E TÉCNICOS

com isso, certo? Sabendo disso, não cometa você este erro em relação aos assuntos que estão na alçada do técnico.

Sempre que os pais se metem na área do treinador, perdem um pouco da legitimidade e da autoridade perante o filho. Quanto mais você encher o saco do garoto e da garota porque eles erraram uma esquerda com *topspin* em que deveriam ter batido na bola por fora, menos você vai conseguir colocar na cabeça deles temas mais importantes sobre a vida e a educação. Se formos pensar bem, os pais têm assuntos muito mais importantes para tratar com seus filhos do que o modo como a esquerda ou a direita deles foram executadas dentro da quadra. Exatamente por isso você contratou alguém para cuidar dessa parte por você.

Outra coisa muito importante, que todo pai e toda mãe devem saber é que o tenista e o técnico precisam ter uma sinergia muito grande para o trabalho fluir. Cada um precisa confiar plenamente no que o outro diz e faz. Se os pais estão presentes em todas as decisões, como os garotos vão conseguir confiar no treinador? O pai tem de entregar seu filho ao mundo. O tenista é um garoto ou uma garota que vai ficar fora de casa durante trinta ou trinta e cinco semanas por ano. Você não estará colado nele o tempo inteiro. Não queira, portanto, ficar grudado dentro da quadra de tênis durante os treinamentos. Esse não é o seu lugar.

Talvez o elemento mais conflitante seja no aspecto técnico do jogo. Muitos pais, por jogarem e gostarem de tênis e por julgarem entender bastante da modalidade esportiva, sentem-se na obrigação de dar pitacos a respeito da esquerda do seu garoto, que não está entrando como deveria, da tática de jogo que a menina está realizando e não está funcionando durante as partidas ou do tipo de exercício que está sendo aplicado nos treinamentos. Sinceramente, acho que os pais não deveriam se meter nesses assuntos. Se algo, no entanto, estiver os incomodando muito a esse respeito, o mais correto é eles irem conversar com os treinadores. O diálogo nessa hora é fundamental. Em vez de conversar com o filho e pregar exatamente o oposto do que o técnico falou, vá se reunir com o treinador e entender o ponto de vista dele. Não destrua a relação do menino e da menina com o técnico. Não queira colocar caraminhola dentro da cabeça do seu filho. Alinhe-se com o treinador. Debata e exponha o seu ponto de vista sobre todos os assuntos. Questione-o sobre os métodos de ensino dele e as opções táticas traçadas por ele para as partidas. Esse é o momento certo para se debater.

Lembre-se de que os garotos com 14 e 15 anos ainda têm grande idolatria pelos pais. Quando eles saem de quadra após um jogo e você questiona a tática estabelecida por ele e pelo treinador, você está, de certa maneira, contribuindo para a perda de confiança do garoto em relação à figura do técnico. Sem essa confiança, ele jamais vai conseguir se desenvolver em sua totalidade. Aí você, como pai ou mãe, aumentará as críticas e desconfianças em relação ao treinador. E mais seu filho desacreditará no treinador dele. A bola de neve vai aumentando até se transformar em uma gigantesca avalanche. Os pais com certeza culparão o técnico por isso, quando foram eles os principais responsáveis pelos péssimos resultados e a demora no desenvolvimento dos filhos.

Por isso, converse com o treinador em vez de se intrometer na relação dele com o tenista. É muito melhor debater pontos de vista diferentes e ter a liberdade de falar com o técnico. "Olha, vi o jogo e o garoto jogou assim, ele errou nesta hora, esteve muito nervoso, foi muito agressivo, foi muito defensivo, tremeu na hora em que não podia tremer ou foi extremamente corajoso". Depois, o técnico poderá chegar e conversar com o seu filho sem que ele saiba do combinado entre vocês. E você pode delinear depois o que o garoto ouviu do treinador, conversando com ele a respeito. Com isso, evita-se a duplicidade de técnico e pai falando na orelha do garoto coisas distintas.

E, do lado do treinador, ele tem de parar com essa história de que técnico não deve escutar o que os pais têm a dizer e que todo pai e toda mãe são muito chatos. Tem de haver um bom diálogo entre as duas partes. Como qualquer relacionamento humano, a inexistência de conversa diminui sensivelmente as chances de êxito do trabalho. Isso vai acabar criando atritos entre o técnico e o pai. E, no final da história, a corda vai arrebentar no lado mais fraco. São os pais quem são os donos da bola, vamos falar assim. Eles podem tirar o garoto ou a garota do treinador sempre que quiserem. E, muitas vezes, o técnico estava fazendo muito bem ao garoto e um ótimo trabalho, mas não houve sinergia entre o treinador e o pai.

Vamos com calma! Vamos acreditar e confiar mais nos profissionais que selecionamos. Sempre falo que os pais têm o direito e o dever de contratar o treinador que julgam mais interessante e melhor. Eles estudam, veem qual é a índole do profissional e avaliam quem é aquela pessoa. Isso vai muito ao encontro de uma dica que já vimos, a "Onde e com quem treinar?". Se ainda houver dúvidas a esse respeito, volte e releia os principais pontos que os pais devem analisar na hora de contratar um profissional para trabalhar com seu filho. Uma vez estabelecido o melhor nome para fazer o trabalho, dê liberdade ao professor ou ao técnico para trabalhar. Uma coisa é ele estar tratando mal o seu filho e prejudicando a formação dele. Aí o pai precisa intervir e até pensar em mudar de profissional o mais rapidamente possível. Outra coisa é ele trabalhar em uma linha técnica, tática e psicológica dentro do tênis que você não concorda. Uma vez contratado o profissional, os pais devem aceitar a mentalidade de jogo dele. Não dá mais

TÊNIS É RELACIONAMENTO ENTRE PAIS, FILHOS E TÉCNICOS

para mudar nem é possível alterar a filosofia profissional dessa pessoa. O melhor a fazer é respeitar a visão e a metodologia do técnico.

Por tudo isso, costumo dizer que precisamos ser mais humildes. O pai, o próprio técnico e o jogador, todo mundo tem de ter um excesso de humildade nessa hora e entender que ninguém é o dono da verdade. Cada pessoa entende mais de um assunto e todos devem respeitar os direitos e o escopo de trabalho do outro, sem se intrometer onde não é chamado. Dentro de uma quadra de tênis, queiram os pais ou não, quem entende mais em 99 por cento das vezes, é o técnico.

Outra questão que precisamos abordar é a diferença de relacionamento durante as fases da vida do tenista. A relação entre pai e técnico muda muito quando os jogadores têm 10 e 12 anos para quando eles têm 16, 18 anos de idade. E é outra, completamente diferente, quando os atletas atingem o circuito profissional. É normal quanto mais jovem for o tenista, mais os pais estarem presentes e desejarem participar da vida do filho. Mesmo assim, cuidado para não invadir o que for da responsabilidade do treinador e não prejudicar o amadurecimento do tenista. Por mais jovem que seja, entenda que ele precisa aprender a tomar suas próprias decisões e se tornar independente dentro e fora das quadras. Temos de fazer, desde cedo, com que a criança se sinta dona do tênis, da carreira e das coisas dela. "Ah, mas é muito jovem!", preocupam-se muitos pais nessa hora. Sim! Por isso você precisa ir balanceando essas questões. Vá aos poucos dando cada vez mais autonomia e liberdade para o jovem tenista a respeito dos assuntos relacionados ao esporte. Obrigue-o, no bom sentido da palavra, a ter atitudes sem que você precise o tempo todo supervisioná-lo e sem que seja necessário orientá-lo várias vezes a respeito de um mesmo tema.

Tenha um bom relacionamento com o treinador do seu filho. Respeite o trabalho desse profissional e coloque-se, o tempo inteiro, no seu lugar de pai ou de mãe. Saiba que o crescimento técnico e mental do jogo do seu filho depende da harmonia na relação entre todos os envolvidos.

DICA 60

Quais são os segredos do bom relacionamento entre jogador e técnico?

Falar sobre o relacionamento entre técnico e jogador nunca é fácil. Há muitos detalhes nessa relação, em especial quando o tenista está na fase inicial da carreira. Podemos dizer que muito da evolução e dos resultados de um atleta são frutos diretos do trabalho do treinador. O papel desse profissional é importantíssimo no mundo do tênis e merece ser comentado.

Para a parceria entre técnico e tenista dar certo, o primeiro elemento que precisa existir na relação é a confiança mútua. Se o jogador não confia em seu treinador, não acredita no que ele está falando, não valida suas estratégias e táticas e não crê no seu trabalho, dificilmente ambos chegarão a algum lugar. O mesmo acontece com o treinador. Ele precisa confiar plenamente na capacidade e no caráter do atleta. Do contrário, não desempenhará seu trabalho com a intensidade e o empenho necessários.

Confiar em uma pessoa vai além de acreditar que ela não roubará seu dinheiro, não fará nenhuma besteira com você ou não trará nenhum prejuízo intencional para a sua vida. Confiar em alguém é acreditar em seus valores, no seu caráter, na filosofia de trabalho e em suas orientações. Quando o cara fala para você

TÊNIS É RELACIONAMENTO ENTRE PAIS, FILHOS E TÉCNICOS

jogar de determinada maneira, você entra em quadra e joga daquele jeito porque sabe que ele está indicando a melhor maneira de você vencer aquela partida.

Outro aspecto importante é a entrega. Sim, a entrega! Você, tenista, precisa se entregar incondicionalmente ao seu treinador. Na hora que você decide ser treinado por um técnico, ele se torna o seu guia, seu mestre, seu orientador e sua cabeça pensante. Em vez de ficar questionando os métodos e as orientações dele o tempo todo, siga-o sem pestanejar. Quanto menor for o garoto, quanto mais jovem ele for, mais ele deve abaixar a cabeça e seguir cada um dos passos indicados pelo técnico. Quem manda dentro da quadra de tênis, seja na hora do treino ou em uma partida, é o treinador. Entenda isso! Curiosamente, são poucos os jovens que têm a humildade de compreender que a experiência e o conhecimento dos seus treinadores são superiores aos seus. A quantidade de meninos e meninas de 12 a 14 anos acreditando que o treinador é quem precisa ouvir suas orientações, e não o contrário, é imensa.

Quando eu cheguei à Argentina para treinar, ainda adolescente, recebi todo o apoio necessário para desenvolver o meu tênis. Rapidamente percebi, contudo, que meu treinador desejava mudar minha maneira de jogar. Um dia, cansado de ver minhas desobediências em quadra, ele falou: "Se você veio aqui para treinar comigo, precisa confiar no que estou falando. Se quiser fazer o que você acha melhor, então não precisa de um técnico. Trabalhe sozinho!". Depois dessa conversa, passei a considerar suas opiniões e suas dicas. E ele passou a me explicar os motivos de cada atividade. Achei bacana ele me ensinar e mostrar os prós e os contras de cada movimento e de cada golpe.

Muita gente reclama do treinador. "Ele não está ajudando meu filho como deveria!", "Ele não entende nada de tênis!" e "Como ele pode permitir que isso aconteça?" são alguns dos questionamentos mais comuns que ouço por aí. Algo que precisa ficar claro para todos é que o grande responsável pelo trabalho do técnico é o jogador. Quando o treinador não atende aos tenistas como esses gostariam, normalmente é porque os atletas não estão se esforçando o suficiente em quadra para exigir mais do seu orientador. A meninada é quem deve "puxar" o seu treinador, mostrando que quer e que pode jogar muito mais. O jogador precisa mostrar nos treinamentos que deseja treinar firme e sério, que não está ali apenas para se divertir ou para passar algumas horas. Ele está lá para trabalhar duro e para evoluir. Quando o treinador percebe isso, naturalmente passa a também a se esforçar mais e dar mais atenção para o tenista dedicado.

Precisamos ser mais exigentes dentro de quadra. E como você exige mais do seu treinador? Treinando bem e forte. Você precisa estar sempre com aquele sorriso no rosto e correndo atrás de todas as bolas. Deve olhar para o seu

6/0 DICAS DO FINO

Fernando Meligeni e Ricardo Acioly vibram em vitória contra o marroquino Hicham Arazi em confronto pela Copa Davis de 2001.

treinador com os olhos arregalados à espera de dicas preciosas dele. E tentar executar tudo o que ele pede com o máximo de interesse e sem contestações.

Ouço muitos pais e muitos garotos falando: "Ah, já ficamos treinando na quadra quatro ou na quadra cinco e ninguém olha para a gente" ou "Ninguém liga para o nosso treino". Será que isso não é reflexo do comportamento do atleta? Normalmente, é! Você estava mexendo as pernas como foi orientado ou estava brincando com o menino ao lado? Estava fazendo os exercícios recomendados ou estava simplesmente batendo raquete porque estava entediado? Assim como existem treinadores que adoram fazer corpo mole, também há tenistas que gostam de encostar o corpo, em especial nos treinos. No circuito profissional e no juvenil, encontramos de tudo. E quando o jogador está desinteressado e não age adequadamente nos treinos, não tem razão para reclamar de ninguém. O menos culpado será o treinador.

Um episódio legal de que me recordo bem aconteceu em um treinamento de saque quando eu era garoto. Éramos quinze meninos na quadra, e nosso treinador lançou um desafio para todos: tínhamos de acertar dez saques seguidos para ir almoçar. Quem errava voltava para o início da contagem e não podia sair

TÊNIS É RELACIONAMENTO ENTRE PAIS, FILHOS E TÉCNICOS

da quadra até conseguir cumprir o desafio. Quem acertava era liberado para almoçar e descansar. Os meninos iam conseguindo e, um a um, saíam da quadra. Todos, menos eu. Eu tentava, tentava e tentava, mas não conseguia. Depois de mais de uma hora e meia, eu era o único garoto em quadra. Pensei em desistir. Estava quase chorando. Só não saí da quadra porque o meu técnico esteve lá o tempo inteiro, me apoiando, dando força e me orientando.

Eu tinha duas alternativas: ou chutava o balde e abandonava o treinamento ou acreditava nele e seguia as orientações. Acho que, de certa maneira, ele estava me testando para ver o quanto eu acreditava nele e confiava em suas palavras. Depois de muito tentar, finalmente consegui. Nessa hora, ele chamou os demais meninos e disse: "Quero parabenizar o Fernando. Primeiro porque ele não desistiu e mostrou muita garra. Segundo, e mais importante ainda, é que ele acreditou em mim e no treinamento. Entendeu que eu estava fazendo algo bom para ele". Ele tinha razão. Saí vitorioso daquele treino, apesar de ter sido o último a cumprir o desafio proposto.

Outro aspecto essencial dessa relação é o carinho e o respeito entre os envolvidos. É óbvio que o treinador está ali para ganhar o seu dinheiro e para fazer o seu trabalho, independentemente de quem o contrate. A relação possui um caráter profissional e comercial. Contudo, é natural as pessoas se envolverem com seus projetos e com os seus clientes. É óbvio que é muito mais gostoso de trabalhar com quem você gosta e com quem adora você do que com alguém que não acredita nas suas recomendações. É normal também o treinador olhar com mais atenção e se dedicar mais aos jogadores por quem ele possui mais carinho e de quem percebe um verdadeiro interesse pelo seu trabalho. Por isso, mostre a seu técnico que cada informação que ele envia é algo valioso para você. Siga incondicionalmente suas orientações. Valorize o trabalho dele, esforçando-se e treinando duro. Acredite realmente no que ele fala e passa. Trate-o com respeito e consideração.

Acho que os meninos e as meninas precisam se entregar mais aos treinamentos e acreditar mais em seus treinadores. A partir daí, se o técnico não estiver agradando, você terá legitimidade para conversar com ele e exigir mais. Esteja aberto também para receber críticas e ouvir o ponto de vista dele. E se mesmo assim as coisas não melhorarem? Se você continuar achando que o seu técnico está falando um monte de besteira? O que fazer se você não acredita na metodologia de trabalho e nas recomendações dele? A saída para essas questões é simples: mude o treinador o mais rapidamente possível! Se ele não mudar o comportamento e a relação já estiver muito deteriorada, a substituição do profissional se faz necessária. Pelo que vejo normalmente por aí, contudo, o principal culpado pelo baixo rendimento nos treinos e nos jogos do jovem atleta não é o treinador. O próprio garoto tem grande parte da responsabilidade.

E, para terminar, à medida que o seu tênis for evoluindo e você for amadurecendo, passe a dialogar cada vez mais com o seu treinador, expondo suas ideias e seus pontos de vista. No começo, é natural o tenista apenas observar e seguir as recomendações do técnico sem questionar. Com o passar do tempo, entretanto, é apropriado e produtivo o garoto começar a questionar mais o técnico: "E se eu fizer isso, não é melhor? E se seu fizer aquilo não vai dar um resultado mais interessante?"; "Você não acha que eu deveria ter sacado lá naquela hora?"; ou "Você me pediu para jogar com bolas altas, mas você não acha que eu deveria ter entrado mais?". Assim se inicia um debate saudável e de alto nível.

Quanto mais o tenista tem condições de discutir com o seu treinador, mais ele está maduro para praticar o tênis de alto nível. E, nessa hora, o treinador precisa mudar o jeito de se relacionar com o atleta. "Eu mando aqui e você cala a boca e joga" não é mais aceitável. Não gosto dessa maneira de tratar o jogador (ou qualquer pessoa), mas tem quem goste, adote e prefira tal método. Na minha visão, o treinador precisa mostrar ao tenista os motivos por que ele está mandando fazer aquilo. A relação entre treinador e jogador, assim, amadurece e ganha novas características.

Mas lembre-se: a maioria dos garotos e das garotas de 10, 12 e 14 anos ainda não tem condição de debater técnica e taticamente com seus treinadores. Muitos meninos acham, equivocadamente, que podem e devem contestar seus técnicos o tempo inteiro. Esse é um erro gravíssimo, além de indicar falta de humildade. Eles precisam entender que, nessa idade, é importante acreditar em seus treinadores, sem debates, questionamentos ou contestações.

Como falei, o tema é um tanto delicado e não se esgota aqui. Falar de relacionamento interpessoal não é fácil, mas espero ter ajudado um pouco tanto jogadores quanto treinadores.

Palavras Finais

Você percorreu as sessenta dicas deste livro e chega agora ao final. Espero de coração que você tenha curtido e que possa colocá-las em prática neste universo único e incrível chamado tênis.

Acredito que o livro tenha feito você mergulhar no estilo de vida que é essa modalidade. Passeamos por vários assuntos, nos quais tentei mostrar o quanto é importante treinar, acreditar, lutar, respeitar e amar nosso esporte. Nada se consegue, seja na quadra ou na vida, sem esforço e persistência.

Espero ter deixado claro como é fundamental amar o que você faz. Espero ter mostrado que, para jogar tênis, você tem de ter respeito ao esporte e não medir esforços para concretizar seus sonhos. Sou suspeito para dizer isso, mas para mim não existe esporte ou estilo de vida mais maravilhoso do que o tênis. Fiz amigos, ganhei a admiração e o respeito de muitas pessoas, conheci culturas diferentes, aprendi a ganhar e a perder e, acima de tudo, descobri que nada nesta vida se faz sem suor, garra e luta até o último ponto. Esse é um ensinamento que vou levar para a minha vida toda.

Muito obrigado por ter acreditado nas minhas palavras, por querer saber mais e por tentar aprender mais sobre o nosso esporte. Agora que você já faz parte deste mundo, convido-o a viver, explorar, divertir-se, chorar, sorrir e, fundamentalmente, emocionar-se mais. Porque tênis é isto. Tênis é vida. Tênis é emoção. Tênis é paixão!

Contato com o autor
fmeligeni@editoraevora.com.br

Este livro foi impresso pela gráfica Assahi em papel *Pamo off-White* 70 g.